검토 후기

검토에 ☐☐☐ ☐☐ ☐☐☐☐ 다세한 지적 사항을
최대한 교재에 반영하려고 노력하였습니다.
본 교재에 대한 많은 의견 중 일부를 검토 후기로 정리했습니다.
도움을 주신 선생님들께 감사드립니다.

수학1과 수학2로 선행 진도 수업을 해 보았는데 난이도가 적절해서 학생들이 재미있게 문제 풀이를 할 수 있었습니다. 분량도 적당해 보입니다.
　　　　　　　　　　　　　　　　　－장현진수학학원 양경실 선생님

디자인이 복잡한 면이 있으므로 세련미를 추가했으면 합니다. 또한 단순 계산을 줄이고 단원평가의 난이도를 중하도 추가로 해 줬으면 좋겠습니다.
　　　　　　　　　　　　　　　　　－모두의수학 안지영 선생님

개선 사항은 딱히 없어 보입니다. 계산력 연습을 많이 할 수 있어 정말 좋습니다.
　　　　　　　　　　　　　　　　　－수방사수학전문학원 오주영 선생님

디자인 면이 좋아 보입니다. 좀 더 심화 위주의 문제가 많으면 좋겠습니다.
　　　　　　　　　　　　　　　　　－개념서수학 양신곤 선생님

디자인이 만족스럽습니다. 출간을 되도록 빨리 했으면 합니다. 난이도는 좋은데 마무리 문제가 추가가 된다면 더 좋을 것 같습니다.
　　　　　　　　　　　　　　　　　－새아탑스터디 석지연 선생님

반복적인 학습으로 기본적인 계산이 안 되는 학생들에게 연습시키면 많은 도움이 될 것 같습니다. 더 첨가한다면 풀이과정을 생략하지 않고 설명했으면 합니다.
　　　　　　　　　　　　　　　　　－세엘학원 김창호 선생님

각 단원의 기초적인 문제를 반복 학습함으로써 개념을 확실하게 알고 갈 수 있는 점이 돋보이는 교재입니다.
　　　　　　　　　　　　　　　　　－서연고학원 임명진 선생님

개념을 이해하거나 반복 연산이 필요한 학생들에게 많은 도움이 될 수 있는 교재입니다. 교육현장에서 이런 문제 유형들을 편집해서 중하위권 학생들에게 반복 훈련을 통해 이해하게 했는데, 연마고등수학은 주교재 또는 부교재로 적절히 사용하면 학습 효과가 기대됩니다.
　　　　　　　　　　　　　　　　　－파스칼수학 이철호 선생님

고등 수업 기초 다지기에 아주 적합한 교재입니다. 수업 분량도 적당하여 많은 학생들에게 추천해 주고 싶은 교재입니다.
　　　　　　　　　　　　　　　　　－지엔탑학원 황하기 선생님

기초 연산에 약한 학생들에게 기초 개념을 확실히 잡아주는 구성이 좋았고, 유형별로 체계화되어 개념 확립에 추천할 만한 교재입니다. 좋은 책 연구하시는 분들에게 감사드립니다.
　　　　　　　　　　　　　　　　　－참수학학원 유성은 선생님

이 책은 수포자가 되기 전의 학생들에게 문제 수준과 반복 정도, 풀이 및 해설이 적당합니다. 덧붙인다면 학교 시험에 나올 수 있는 중간 수준의 문제까지 나온다면 좋겠습니다.
　　　　　　　　　　　　　　　　　－가우스학원 전영학 선생님

기본 실력의 부족으로 수학에 대한 흥미를 잃은 고등학생에게 자신감을 회복시키는 좋은 프로그램입니다. 더 좋은 프로그램을 개발하여 대한민국의 모든 학생이 수포자가 없도록 노력해 주세요.
　　　　　　　　　　　　　　　　　－영수플러스학원 이관범 선생님

전반적으로 편집 방향이 학생들의 보기에 편하게 편집되어 있어 좋습니다.
　　　　　　　　　　　　　　　　　－유투엠학원 이대성 선생님

컬러로 되어 있고 유형별로 정리가 되어 수학을 잘 못하는 친구들과 수업하기 편하게 되어 있어 좋았습니다.　－더파원영어수학 김정용 선생님

기초 개념 정리를 할 수 있는 교재의 필요성을 이 책을 통해 한 번 더 느꼈으며, 기초 학력이 부족한 학생들을 대상으로 지도하는데 꼭 필요한 교재입니다. 책의 구성 또한 학생의 입장에서 재미를 느끼기에 충분하며, 어렵지도 않으면서 기본을 연마할 수 있는 좋은 책입니다.
　　　　　　　　　　　　　　　　　－명일학원 김도헌 선생님

선행학습을 원하는 학생들에게도 괜찮은 책이라 생각하여 추천합니다. 원리 부분에 접근한 문제를 최대한 많이 풀 수 있도록 했으면 좋겠습니다.
　　　　　　　　　　　　　　　　　－쎈학원 박상진 선생님

학생들이 쉽게 접근할 수 있도록 유형별로 문제들이 잘 배열되어 있어서 학습의욕을 높이는 데 효과적입니다.
　　　　　　　　　　　　　　　　　－혜움학원 박승배 선생님

전체적으로 책의 구성은 선행을 시작하는 학생들이 기본 개념서와 같이 보기에 부교재로 적당할 것 같습니다.
　　　　　　　　　　　　　　　　　－김장현수학학원 김장현선생님

수학을 포기하려는 학생을 위해 난이도를 낮게 하고 유형에 따른 유사 문제가 이어져 나오는 점이 좋습니다.　－ASK학원 신혜진 선생님

기초가 부족한 학생을 대상으로 한다면 풀이 설명이 좀 더 자세히 했으면 합니다. 대체로 기초를 닦아주기에 적합해 보입니다.
　　　　　　　　　　　　　　　　　－우리학원 박철종 선생님

기본 개념에 충실한 접근이 용이한 문제들로 구성되어 수학에 대한 자신감을 심어줄 듯합니다. 수학의 기본기를 닦고 싶은 학생들에게 좋은 길잡이가 될 것 같습니다.　－EM영수전문학원 이흥식 선생님

수포자가 양산되는 현시점에 수학에 어려움을 느끼는 아이들에게 희망을 줄 수 있는 문제집으로 꼭 필요한 문제집이 나왔다고 생각합니다.
　　　　　　　　　　　　　　　　　－메릭스학원 이기원 선생님

이 책에 도움을 주신 선생님들

강갑신 (청람학원)
강병헌 (강박사수학)
권유정 (유정학원)
김경애 (강한수학원)
김기선 (조은학원)
김남국 (연세윌학원)
김도헌 (명일학원)
김상민 (SM파스칼수학)
김석환 (153가우스학원)
김용원 (비탑학원)
김일용 (서전학원)
김장현 (김장현수학학원)
김정선 (대현학원)
김정열 (김정열333학원)
김정용 (더파워영어수학)
김진아 (LET'S수학전문학원)
김진호 (투탑학원)
김찬교 (참수학학원)
김창호 (세엘학원)
김현 (알파트로스)
김혜민 (웅비아카데미)
남미영 (남명수학)
명경학 (청어람학원)
문지현 (참솔루션)
민광석 (민수학학원)
박상진 (쎈학원)
박수임 (고릴라학원)

박승배 (혜움학원)
박영기 (더올림수학학원)
박영선 (GH영재학원)
박정수 (막강학원)
박찬호 (아람입시학원)
박철종 (우리학원)
방지윤 (눈높이(용호))
방채우 (여원학원)
배재웅 (청람학원)
백명종 (맥학원)
백승인 (맥학원)
서병일 (유토피아S학원)
서창호 (에이스학원)
설성환 설샘학원
신문교 (ESM학원)
신은경 (스터디멘토학원)
신혜진 (ASK학원)
안광옥 (차이에듀)
안길홍 (신사고수학학원)
안지영 (모두의 수학)
양경실 (장현진수학학원)
오은미 (부개수학)
오주영 (수방사수학전문학원)
오주희 (앰플수학학원)
우명식 (상상학원)
유선영 (스파르타수학학원)
유성은 (참수학학원)

유성희 (뉴탑보습학원)
유아영 (천천디딤돌영재학원)
윤소진 (이화학원)
이강화 (강승학원)
이관범 (영수플러스학원)
이권 (명성영재사관)
이기원 (메릭스학원)
이대성 (유투엠학원)
이도형 (MSA학원)
이용석 (가람스마트)
이용하 (만점학원)
이윤영 (윤앤영)
이은진 (참견학원)
이인영 (이인영선생님의 해법수학)
이재욱 (동탄탑영수)
이종화 (만인해법학원)
이주민 (대성제넥스)
이철호 (파스칼수학)
이해경 (으뜸학원)
이현수 (플러스알파)
이형욱 (해얼학원)
이흥식 (EM영수전문학원)
이희경 (강수학)
임낙훈 (플라톤수학학원)
임명진 (서연고학원)
임지혜 (통달할달수학학원)
장수원 (유정학원)

전영탁 (가우스학원)
전진수 (대학학원)
정병훈 (봉서푸른학원)
정상혁 (연향학원)
정영옥 (풍동송수학)
정은성 (챔피온스쿨)
정은정 (모여라학원)
정재훈 (학익진학원)
조민우 (학생애학원)
조재천 (와튼학원)
조혜영 (비타민공부방)
최명임 (청어람수학)
최일환 (이룸학원)
최종철 (KS수학학원)
탁언숙 (더클래스학원)
하경 (에프엔비학원)
한승엽 (학림학원)
한준수 (청람학원)
한희광 (성신학원)
허균정 (이화수학)
홍선자 (원당연세학원)
황하기 (지엔탑학원)

연마 수학

수학 I

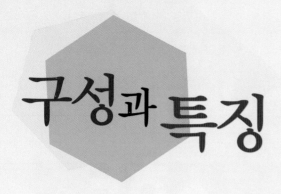

구성과 특징

연마
고등 수학의 특징

01 스스로 원리를 터득하는 개념 완성 시스템
- 풀이 과정을 채워 가면서 스스로 수학의 원리를 이해할 수 있습니다.
- 주제별, 유형별로 묻는 문제를 반복하여 풀면서 자연스럽게 개념을 완성할 수 있습니다.

02 계산 및 적용 능력을 키우는 기본기 확립 시스템

- 탄탄한 기본 연산력이 수학 실력 향상의 밑거름이 될 수 있습니다.
- 주제별, 유형별로 쉽고 재미있는 문제들을 통해 다양한 문제 접근 방법을 습득, 문제에 대한 적용 능력을 키웁니다.
- 기본기가 탄탄하게 강화되어 자신감을 가지게 됩니다.

03 문제 해결 능력을 높이는 체계적 실력 향상 시스템
- 단원별, 유형별 다양한 문제 접근 방법으로 문제 해결 능력을 향상시킵니다.
- 주제별, 유형별 다양한 집중 문제 풀이를 통해 체계적으로 실력이 업그레이드 됩니다.

연마
고등 수학의 구성

개념정리
핵심 내용정리는 단원에서 꼭 알아야 하는 기본적인 개념과 원리를 창(Window) 형태로 이미지화하여 제시함으로 이해하기 쉽고, 기억이 잘됩니다.

개념 적용/연산 반복 훈련
기본 원리를 적용하여 같은 유형의 문제를 반복적으로, 스몰스텝으로 단계화하여 풀게 함으로써 실력을 키울 수 있습니다. 직접 풀이 과정을 쓰면서 개념을 익힐 수 있도록 하세요. 쉽고 재미있는 문제들을 통하여 수학에 대한 자신감을 가질 수 있습니다.

> TIP / 문제 풀이에 필요한 도움말을 해당하는 문항의 하단에 제시하여 첨삭지도합니다.

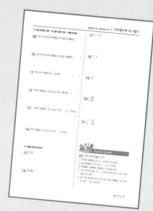

학교시험 필수예제
연산 반복 훈련을 통해 터득한 개념과 원리를 확인합니다. 각 유형별로 배운 내용을 정리하고 스스로 문제를 해결함으로써 학교 시험에 대비할 수 있습니다.

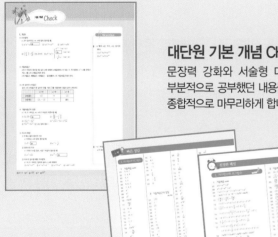

대단원 기본 개념 CHECK
문장력 강화와 서술형 대비를 위해 문장 속 네모박스 채우기로 개념을 정리하며, 부분적으로 공부했던 내용들을 한데 모아 전체적으로 조감할 수 있게 하여 단원을 체계적, 종합적으로 마무리하게 합니다.

빠른정답 & 친절한 해설
가독성을 고려하여 빠른 정답을 새로 배치하여 빠르게 정답을 체크할 수 있도록 구성하였습니다.
또한 기본 문항들 중에서 자세한 해설이 필요한 문항들은 학생들 스스로 해설을 보고 문제를 해결할 수 있도록 친절하게 풀이하였습니다.

학습 방법

이 책은 수학의 가장 기본이 되는 연산 능력뿐 아니라 확실하게 개념을 잡을 수 있도록 하여 수학의 기본 실력이 향상되도록 하였습니다.
다음과 같이 본 책을 학습하면 효과를 극대화 할 수 있습니다.

01. 개념, 연산 원리 이해

글과 수식으로 표현된 개념을 창(Window)을 통해 시각적으로 표현하여 직관적으로 개념을 익히고, 구체적인 예시와 함께 연산 원리를 이해합니다.

02. 연산 반복 훈련

동일한 주제의 문제를 반복하여 손으로 풀어 봄으로써 풀이 방법을 익힙니다. 유형별로 문제를 제시하여 약한 유형이 무엇인지 파악할 수 있어 약한 부분에 대한 집중 학습을 합니다.

03. 학교시험 대비

연산 반복 훈련을 통해 개념과 원리를 터득하고, 학교시험 필수 예제 문항을 통해 실제 학교 시험 문제에 적용하여 풀어봅니다. 또한 교과서 수준의 개념을 한눈에 확인할 수 있도록 빈칸 채우기 형식의 문제로 대단원 기본 개념 CHECK를 통해 전체적인 개념과 흐름을 확인합니다.

차례

반도체
아주 큰 수의 계산을 쉽게 할 수 있다.

밤하늘의 별
지구에서 멀리 떨어진 별까지의 거리를 작은 수로 나타낼 수 있다.

어떻게?
아주 큰 수와 아주 작은 수를
간단히 나타낼 수 있을까?

그 답은 바로
지수와 로그를 이용하면 간단히 나타낼 수 있고
그 계산도 쉽게 할 수 있기 때문!

자연과 사회의 여러 현상을 탐구하다 보면 매우 큰 수와 매우 작은 수를 다루고 계산해야 하는 경우가 발생한다. 예를 들어 지구에서 달까지의 거리, 사람의 뇌에 있는 신경 세포의 수, 원자의 크기 등이다. 이와 같이 천문 분야 및 정밀과학 분야에서 큰 수와 작은 수를 나타내는 데에는 지수가 매우 유용하다. 또한, 은행 예금의 원리합계, 인구 증가를 비롯한 동물이나 세균의 번식, 고대 유물의 연대를 추정하는 방사성 동위 원소의 변화 등을 이해하는 데에는 지수의 개념이 필요하다.

한편, 천문학이 발달함에 따라 사람들은 큰 수의 계산을 필요로 하게 되었고, 로그의 원리는 이러한 계산을 간편하게 하는 데 큰 역할을 하였다. 일반적으로 지수를 사용하여 표현된 수의 복잡한 계산은 로그를 사용하면 쉽게 계산할 수 있다. 또한, 지진의 규모, 용액의 산성도를 나타내는 pH, 소리의 크기 등을 나타내는 지표는 로그를 사용하여 정의되며, 이와 같은 지표를 이해하기 위해서는 로그의 개념을 잘 알아야 한다.

I 지수함수와 로그함수

01 거듭제곱

1. 거듭제곱

임의의 실수 a와 양의 정수 n에 대하여

$$a^n = a \times a \times \cdots \times a \ (a를 \ n번 \ 곱한 \ 것)$$

를 a의 n제곱이라 하고, 특히 $a, a^2, a^3, \cdots$을 통틀어 a의 거듭제곱이라 한다.

2. 지수법칙

a, b가 실수이고, m, n이 양의 정수일 때,

① $a^m a^n = a^{m+n}$　　② $(a^m)^n = a^{mn}$　　③ $(ab)^n = a^n b^n$

④ $\left(\dfrac{a}{b}\right)^n = \dfrac{a^n}{b^n}$ (단, $b \neq 0$)　　⑤ $a^m \div a^n = \begin{cases} a^{m-n} & (m > n) \\ 1 & (m = n) \ (a \neq 0) \\ \dfrac{1}{a^{n-m}} & (m < n) \end{cases}$

- a^n에서 a를 거듭제곱의 밑, n을 거듭제곱의 지수라 한다.

$$
\begin{aligned}
2^2 \times 2^3 &= (2 \times 2) \times (2 \times 2 \times 2) \\
&= 2^{2+3} \\
&= 2^5
\end{aligned}
$$

유형 001 지수법칙 - 지수가 양의 정수일 때

※ □ 안에 알맞은 수를 써넣어라.

01 $2^3 \cdot 2^4 = 2^{\square + \square} = 2^{\square}$

02 $(5^2)^4 = 5^{\square \times \square} = 5^{\square}$

03 $(3 \cdot 7)^4 = \square^4 \cdot 7^{\square}$

04 $\left(\dfrac{5}{6}\right)^2 = \dfrac{5^{\square}}{6^{\square}}$

05 $4^8 \div 4^6 = 4^{\square - \square} = 4^{\square}$

06 $3^4 \div 3^7 = \dfrac{1}{3^{\square - \square}} = \dfrac{1}{3^{\square}}$

※ a, b가 실수일 때, 다음 식을 간단히 하여라.

07 $a^5 a^4$

08 $a^8 \div a^3$

09 $((a^3)^2)^4$

10 $(3a^2 b)^4$

11 $\left(\dfrac{5a}{b^4}\right)^2$

※ □ 안에 알맞은 수를 써넣어라.

12 $(2 \cdot 3^2)^3 \times (2^3 \cdot 3^2)^2 = 2^{\square} \cdot 3^{\square}$

13 $\left(\dfrac{5}{3^2}\right)^2 \times (5^3 \cdot 3)^3 = \dfrac{5^{\square}}{3}$

14 $(3 \cdot 5^3 \cdot 7)^2 \times \left(\dfrac{5^2 \cdot 7}{3}\right)^2 = 5^{\square} \cdot 7^{\square}$

15 $(4^2 \cdot 5^3)^4 \div (4^4 \cdot 5^3)^2 = \square^{6}$

16 $\left(\dfrac{7}{2^3}\right)^3 \div (2^5 \cdot 7)^2 = \dfrac{\square}{\square^{19}}$

17 $(2 \cdot 3^2 \cdot 5)^2 \times \left(\dfrac{1}{2} \cdot 3^2 \cdot 5\right)^2 \div (3^2 \cdot 5)^4 = \square$

※ a, b가 실수일 때, 다음 식을 간단히 하여라.

18 $(2a^3 b^2)^2 \times 3(ab^3)^2$

19 $-2a^3 \div 3a^2 b^4$

20 $(a^3 b)^3 \times \left(\dfrac{a}{b^2}\right)^2$

21 $\left(\dfrac{b^2}{a}\right)^3 \div (a^3 b^2)^3$

22 $(3a^2 b^3)^2 \times (2a^5 b^3)^3 \div (ab)^6$

23 $(2a^3)^2 \div \left(\dfrac{1}{2}a^2 b\right)^2 \times (ab^3)^4$

02 거듭제곱근

1. 거듭제곱근

n이 2 이상의 정수일 때, 실수 a에 대하여 n제곱하여 a가 되는 수, 즉 방정식 $x^n=a$를 만족시키는 x를 a의 n제곱근이라 한다.

a의 제곱근, 세제곱근, 네제곱근, …을 통틀어 a의 거듭제곱근이라 한다.

$\bullet x^n=a$

┌── a는 x의 n제곱

└── x는 a의 n제곱근

2. a의 실수인 n제곱근

실수 a의 n제곱근 중 실수인 것을 기호 $\sqrt[n]{a}$를 이용하여 다음과 같이 나타낸다.

$\bullet \sqrt[n]{a}$는 'n제곱근 a'라 읽는다.
또, $\sqrt[2]{a}$는 간단히 $\sqrt{a}$로 나타낸다.

	$a>0$	$a=0$	$a<0$
n이 홀수	$\sqrt[n]{a}$	0	$\sqrt[n]{a}$
n이 짝수	$\sqrt[n]{a}, -\sqrt[n]{a}$	0	없다.

유형 002 거듭제곱근

$x^n=a$에서 $x^n-a=0$을 만족시키는 x를 구한다.
세제곱근과 네제곱근은 다음 인수분해 공식을 이용한다.
- $a^3+b^3=(a+b)(a^2-ab+b^2)$
- $a^4-b^4=(a^2+b^2)(a+b)(a-b)$

※ 다음을 구하여라.

01 27의 세제곱근

해설 ㅣ 27의 세제곱근은 방정식 $x^3=27$의 근이다.

$x^3-\boxed{}=0$

$(x-\boxed{})(x^2+3x+\boxed{})=0$

$\therefore x=\boxed{}$ 또는 $x=\dfrac{-3\pm3\sqrt{3}i}{2}$

02 1의 네제곱근

해설 ㅣ 1의 네제곱근은 방정식 $x^4=1$의 근이다.

$x^4-\boxed{}=0$

$(x^2-\boxed{})(x^2+\boxed{})=0$

$(x+\boxed{})(x-\boxed{})(x+i)(x-i)=0$

$\therefore x=\boxed{}$ 또는 $x=\boxed{}$ 또는 $x=-i$ 또는 $x=i$

※ 다음 거듭제곱근 중에서 실수인 것을 구하여라.

03 8의 세제곱근

04 $\dfrac{1}{27}$의 세제곱근

05 0.027의 세제곱근

06 -64의 세제곱근

07 16의 네제곱근

08 $(-3)^4$의 네제곱근

※ 다음 중 옳은 것은 ○표, 옳지 않은 것은 ×표를 하여라.

09 실수 a의 실수인 세제곱근은 항상 존재한다. (   )

10 실수 a의 실수인 네제곱근은 항상 존재한다. (   )

11 양수 a의 세제곱근은 $\sqrt[3]{a}$이다.   (   )

12 125의 세제곱근 중 실수인 것은 3개이다. (   )

13 -49의 네제곱근 중 실수인 것은 $-\sqrt{7}$, $\sqrt{7}$이다.
(   )

14 16의 네제곱근 중 실수인 것은 -2, 2이다. (   )

※ 다음을 간단히 하여라.

15 $\sqrt[3]{125}$

16 $\sqrt[3]{0.008}$

17 $\sqrt[3]{(-3)^3}$

18 $\sqrt[7]{-1}$

19 $\sqrt[5]{3^5}$

20 $\sqrt[4]{\dfrac{16}{81}}$

21 $\sqrt[3]{-\dfrac{27}{64}}$

학교시험 필수예제

22 다음 중 옳지 <u>않은</u> 것은?

① 125의 세제곱근은 $x^3=125$의 세 근이다.
② 4의 네제곱근 중 실수는 $-\sqrt{2}$, $\sqrt{2}$이다.
③ $\sqrt[3]{1000}$은 1000의 세제곱근 중 하나이다.
④ n이 홀수일 때, $x^n=-11$을 만족시키는 실수 x의 개수는 1이다.
⑤ n이 짝수일 때, 0이 아닌 실수 a의 n제곱근 중 실수인 것은 $-\sqrt[n]{a}$, $\sqrt[n]{a}$이다.

03 거듭제곱근의 성질

$a>0$, $b>0$이고, m, n이 2 이상의 자연수일 때,

① $\sqrt[n]{a}\sqrt[n]{b}=\sqrt[n]{ab}$ ② $\dfrac{\sqrt[n]{a}}{\sqrt[n]{b}}=\sqrt[n]{\dfrac{a}{b}}$

③ $(\sqrt[n]{a})^m=\sqrt[n]{a^m}$ ④ $\sqrt[m]{\sqrt[n]{a}}=\sqrt[mn]{a}=\sqrt[n]{\sqrt[m]{a}}$

⑤ $\sqrt[np]{a^{mp}}=\sqrt[n]{a^m}$ (단, p는 양의 정수)

- $(\sqrt[n]{a})^n=a$
- $\sqrt[n]{a^n}=\begin{cases} a & (n\text{이 홀수}) \\ |a| & (n\text{이 짝수}) \end{cases}$

유형 003 거듭제곱근의 성질

※ 다음을 간단히 하여라.

01 $\sqrt[3]{4}\times\sqrt[3]{3}$

02 $\sqrt[3]{\dfrac{1}{3}}\times\sqrt[3]{24}$

03 $\dfrac{\sqrt[5]{20}}{\sqrt[5]{4}}$

04 $\dfrac{\sqrt[4]{1024}}{\sqrt[4]{4}}$

05 $(\sqrt[5]{7})^5$

06 $(\sqrt[6]{9})^3$

07 $\sqrt[3]{\sqrt{729}}$

08 $\sqrt{\sqrt{256}}$

09 $\sqrt[4]{5^8}$

10 $\sqrt[12]{9^4}$

11 $\sqrt[3]{(-\sqrt{64})}$

12 $\sqrt[3]{8}+\sqrt[5]{32}$

13 $\sqrt[3]{24}\sqrt[3]{16}-3\sqrt[3]{\sqrt{36}}$

14 $\left(\sqrt[3]{7}\times\dfrac{1}{\sqrt{7}}\right)^6$

15 $\sqrt[3]{4}\times\sqrt[3]{12}\div\sqrt[6]{36}$

16 $\sqrt[4]{256}\div\sqrt[3]{27}\times\sqrt[3]{8}$

17 $\dfrac{\sqrt[3]{27}}{\sqrt[3]{3}}\times\sqrt[4]{\dfrac{\sqrt[3]{81}}{81}}$

유형 004 거듭제곱근의 성질의 활용

※ 다음 물음에 답하여라.

18 $(\sqrt[3]{3}-\sqrt[3]{2})(\sqrt[3]{9}+\sqrt[3]{6}+\sqrt[3]{4})$를 간단히 하여라.

19 $a>1$일 때, $\sqrt{a^2}+\sqrt[3]{(1-a)^3}-\sqrt[4]{(1-a)^4}$의 값을 구하여라.

20 양수 a에 대하여 $\sqrt[5]{a^2}\times\sqrt[3]{a^5}=\sqrt[m]{a^n}$ 을 만족시키는 서로소인 자연수 m, n의 합 $m+n$의 값을 구하여라.

학교시험 필수예제

21 $\sqrt[3]{16}+\sqrt[3]{54}=\sqrt[3]{2k}$가 성립하는 정수 k의 값을 구하여라.

지수의 확장

(1) 0 또는 음의 정수인 지수
$a \neq 0$이고, n이 양의 정수일 때

① $a^0 = 1$ ② $a^{-n} = \dfrac{1}{a^n}$

(2) 유리수인 지수
$a > 0$이고 m은 정수, n은 2 이상의 정수일 때

① $a^{\frac{1}{n}} = \sqrt[n]{a}$ ② $a^{\frac{m}{n}} = \sqrt[n]{a^m}$

(3) 지수가 실수일 때의 지수법칙
$a > 0$, $b > 0$이고, 임의의 실수 x, y에 대하여

① $a^x a^y = a^{x+y}$ ② $a^x \div a^y = a^{x-y}$

③ $(a^x)^y = a^{xy}$ ④ $(ab)^x = a^x b^x$

• 0^0, 0^{-1}, 0^{-2}, $\cdots$ 등은 정의하지 않는다.

유형 005 지수법칙 - 지수가 정수일 때

※ 다음 값을 구하여라.

01 7^0

02 $\left(\dfrac{1}{10}\right)^0$

03 $(0.34)^0$

04 $\left(-\dfrac{1}{3}\right)^0$

05 $(\sqrt{5})^0$

06 2^{-3}

07 $(0.1)^{-4}$

08 $\left(\dfrac{1}{2}\right)^{-5}$

09 $(\sqrt{3})^{-6}$

10 $\left(-\dfrac{2}{3}\right)^{-2}$

11 $4^4 \times 4^{-4}$

12 $5^2 \times (5^{-3})^2$

13 $3^3 \div 3^4 \times (-3)^4$

14 $5^3 \div (5^3)^{-2} \times (5^{-3})^{-4} \div (5^4)^5$

15 $\dfrac{(3^5)^{-2} \times (3^2)^5}{3^2 \times 3^{-5}}$

16 $\left(\dfrac{3^2}{5}\right)^4 \div \left(-\dfrac{3}{5^3}\right)^{-2} \times \left(\dfrac{3^{-3}}{5^{-2}}\right)^3$

※ 다음을 간단히 하여라. (단, $a \neq 0$, $b \neq 0$)

17 $a^4 \times a^2 \div a^{-3}$

18 $(a^5 \div a^7)^{-2}$

19 $(a^{-2})^4 \times (a^{-3})^{-5} \div a^{-5}$

20 $(3a^2b)^{-2} \times (a^3b^{-3})^2$

21 $\dfrac{(a^{-2}b^3)^3 \times (a^3b^{-1})^2}{(a^3b^2)^{-4}}$

학교시험 필수예제

22 $\left(\dfrac{a^3}{b^{-2}}\right)^3 \div \left\{\left(-\dfrac{a}{b^2}\right)^{-2} \times \left(\dfrac{a^3}{b^2}\right)^{-4}\right\} = \dfrac{a^m}{b^n}$ 일 때,

$m+n$의 값을 구하여라. (단, m, n은 서로소인 두 자연수이다.)

※ 다음을 유리수인 지수를 사용하여 나타내어라.

23 $\sqrt{7}$

24 $\sqrt[5]{3^2}$

25 $\sqrt[5]{10^{-2}}$

26 $\sqrt[6]{4^3}$

※ 다음을 유리수인 지수를 사용하여 나타내어라. (단, $a > 0$)

27 $\sqrt[3]{a}$

28 $\sqrt[4]{a^5}$

29 $\dfrac{1}{\sqrt[3]{a^2}}$

30 $\dfrac{1}{\sqrt[3]{a^4}}$

※ 다음을 근호를 사용하여 나타내어라.

31 $3^{\frac{1}{3}}$

32 $2^{\frac{3}{5}}$

33 $(-10)^{\frac{2}{9}}$

34 $5^{-\frac{4}{7}}$

※ 다음을 근호를 사용하여 나타내어라. (단, $a > 0$)

35 $a^{\frac{1}{4}}$

36 $a^{\frac{5}{2}}$

37 $a^{-\frac{2}{3}}$

38 $a^{-0.8}$

※ 다음 값을 구하여라.

39 $3^{\frac{1}{5}} \times 3^{0.5}$

40 $(2^{\frac{9}{4}})^2 \times 2^{\frac{1}{2}}$

41 $(3^{\frac{3}{4}})^2 \times \sqrt{3} \div (3^{\frac{1}{3}})^6$

42 $9^{-\frac{3}{2}} \times 36^{\frac{3}{2}}$

43 $\left\{ \left(\frac{27}{64}\right)^{\frac{3}{2}} \right\}^{-\frac{1}{3}} \times \left(\frac{3}{4}\right)^{\frac{1}{2}}$

44 $\sqrt[4]{5^3} \div \sqrt[3]{5^2} \times \sqrt[5]{25}$

※ 다음을 간단히 하여라. (단, $a > 0, b > 0$)

45 $a^4 \div a^{-\frac{1}{2}}$

46 $a^{\frac{4}{3}} \div a^{-2} \times \frac{1}{\sqrt[3]{a}}$

47 $(\sqrt[9]{a^6} \times \sqrt[4]{b^2})^6$

48 $(a^2 b^3)^{\frac{1}{6}} \times (a^{\frac{1}{3}} b^{\frac{3}{4}})^2$

49 $\sqrt{a\sqrt{a\sqrt{a}}}$

50 $\sqrt{a\sqrt[3]{a^2\sqrt[4]{a^3}}}$

※ 다음 값을 구하여라.

51 $2^{\frac{\sqrt{5}}{2}} \times 2^{\frac{3\sqrt{5}}{2}}$

52 $(3^{\sqrt{5}})^{\frac{\sqrt{5}}{2}} \div 3^{\frac{1}{2}}$

53 $5^{2\sqrt{3}} \times 2^{2\sqrt{3}}$

54 $4^{1+\sqrt{2}} \div 4^{1-\sqrt{2}}$

55 $(3^{\sqrt{216}} \div 3^{\sqrt{6}})^{\sqrt{6}}$

56 $(2^{\sqrt{3}-1} \cdot 3^{\sqrt{3}+1})^{\sqrt{3}+1} \div (2^2 \cdot 3^{\sqrt{3}})^2$

※ 다음을 간단히 하여라. (단, $a>0$, $b>0$)

57 $a^{\sqrt{2}} \div a^{-\sqrt{8}}$

58 $a^{\frac{\sqrt{2}}{3}} \times a^{\frac{2\sqrt{2}}{3}} \div a^{3\sqrt{2}}$

59 $a^{\sqrt{3}} \div (a^{\frac{\sqrt{3}}{4}})^2$

60 $(a^{\sqrt{27}}b^{\sqrt{3}})^{\sqrt{3}} \times (a^{\sqrt{125}}b^{2\sqrt{5}})^{\sqrt{5}}$

61 $(a^{\sqrt{5}}b^{2\sqrt{5}})^{\frac{1}{\sqrt{5}}} \times (a^{2\sqrt{5}}b^{-\sqrt{5}})^{-\frac{1}{\sqrt{5}}}$

62 $(a^{\sqrt{5}})^{2\sqrt{5}-\sqrt{15}} \div (a^4)^{2-\sqrt{3}} \times (a^{\sqrt{3}})^{\sqrt{12}+1}$

05 거듭제곱근의 대소 비교

1. 근호를 통일시키는 방법

$\sqrt[n]{a^m}=\sqrt[np]{a^{mp}}$를 이용하여 근호를 통일시킨 후 대소를 비교한다.

2. 지수로 변환하는 방법

① 거듭제곱근의 꼴을 유리수의 지수의 꼴로 변형한다.

② 지수의 각 분모의 최소공배수를 이용하여 통분하여 대소를 비교한다.

- $\sqrt[n]{a^m}=\sqrt[np]{a^{mp}} \Longleftrightarrow a^{\frac{m}{n}}=a^{\frac{mp}{np}}$

- $a>1$일 때,
  $m>n$이면 $a^m>a^n$
  $m<n$이면 $a^m<a^n$

유형 008 거듭제곱근의 대소 비교

거듭제곱근의 대소 비교는 근호를 통일시킨 후 대소를 비교한다.

※ 다음 수들의 대소를 비교하여라.

01 $\sqrt{3}, \sqrt[5]{10}$

02 $\sqrt[3]{2}, \sqrt{3}$

03 $\sqrt{\sqrt{4}}, \sqrt[5]{\sqrt{7}}$

04 $\sqrt[3]{2}, \sqrt[4]{5}, \sqrt[6]{12}$

※ 지수를 이용하여 다음 수들의 대소를 비교하여라.

05 $\sqrt[6]{5}, \sqrt[12]{20}$

06 $\sqrt[3]{3}, \sqrt[4]{4}$

07 $\sqrt{5}, \sqrt[3]{10}$

08 $\sqrt{3}, \sqrt[3]{4}, \sqrt[6]{45}$

06 지수법칙의 응용

1. **지수법칙을 이용한 식의 값 구하기**

   주어진 식의 밑을 적절히 변형하여 식의 값을 구한다.

2. **곱셈 공식을 이용한 식의 값 구하기**

   곱셈공식을 이용하여 주어진 식을 간단히 하여 계산한다.

   ① $(a+b)(a-b)=a^2-b^2$

   ② $(a\pm b)^2=a^2\pm 2ab+b^2$ (복부호동순)

   ③ $(a\pm b)(a^2\mp ab+b^2)=a^3\pm b^3$ (복부호동순)

3. **a^x+a^{-x}의 꼴의 식의 값 구하기**

   곱셈 공식의 변형을 이용하여 식의 값을 구한다.

4. **$\dfrac{a^{kx}+a^{-kx}}{a^x+a^{-x}}$의 꼴의 식의 값 구하기**

   분모와 분자에 a^x을 곱하여 식의 값을 구한다.

> - $a^2+b^2=(a\pm b)^2\mp 2ab$
>
>   (복부호동순)
>
> $(a+b)^2=(a-b)^2+4ab$

유형 009 두 수 a, b로 나타내기

※ 다음 수를 주어진 a, b를 이용하여 나타내어라.

01 $a=\sqrt{3}$, $b=\sqrt[3]{2}$일 때, $\sqrt[6]{12}$

해설 | $a=\sqrt{3}=\boxed{}^{\frac{1}{2}}$, $b=\sqrt[3]{2}=2^{\frac{1}{3}}$이므로

$\sqrt[6]{12}=12^{\frac{1}{6}}=(\boxed{}\cdot 2^2)^{\frac{1}{6}}=3^{\frac{1}{6}}\cdot 2^{\frac{1}{3}}$

$=(3^{\frac{1}{2}})^{\boxed{}}\cdot 2^{\frac{1}{3}}=\boxed{}$

02 $a=\sqrt[4]{2}$, $b=\sqrt{5}$일 때, $\sqrt[8]{10}$

03 $a=\sqrt[3]{5}$, $b=\sqrt[4]{4}$일 때, $\sqrt[10]{20}$

유형 010 지수법칙을 이용한 식의 값 계산

※ 다음을 구하여라.

04 $25^x=2$일 때, $\left(\dfrac{1}{125}\right)^{-4x}$의 값

해설 | $25^x=2$이므로 $5^{2x}=2$

$\left(\dfrac{1}{125}\right)^{-4x}=(5^{\boxed{}})^{-4x}=5^{12x}=(5^{2x})^{\boxed{}}=2^6=\boxed{}$

05 $27^x=4$일 때, 81^{3x}의 값

06 $\left(\dfrac{1}{8}\right)^{2x}=3$일 때, $\left(\dfrac{1}{4}\right)^x$의 값

유형 O11 지수법칙과 곱셈 공식

※ 다음 식을 간단히 하여라. (단, $a>0$, $b>0$)

07 $\left(a^{\frac{1}{2}}+a^{-\frac{1}{2}}\right)\left(a^{\frac{1}{2}}-a^{-\frac{1}{2}}\right)$

08 $\left(a^{\frac{1}{3}}-b^{\frac{1}{3}}\right)\left(a^{\frac{2}{3}}+a^{\frac{1}{3}}b^{\frac{1}{3}}+b^{\frac{2}{3}}\right)$

09 $\left(a^{\frac{1}{2}}-a^{-\frac{1}{2}}\right)^2-\left(a^{\frac{1}{2}}+a^{-\frac{1}{2}}\right)^2$

10 $\left(5^{\frac{1}{2}}+1\right)\left(5^{\frac{1}{2}}-1\right)\left(8^{\frac{1}{3}}+1\right)\left(8^{\frac{1}{3}}-1\right)$

학교시험 필수예제

11 $x>0$일 때

$\left(x^{\frac{1}{4}}-x^{-\frac{1}{4}}\right)\left(x^{\frac{1}{4}}+x^{-\frac{1}{4}}\right)\left(x^{\frac{1}{2}}+x^{-\frac{1}{2}}\right)\left(x+x^{-1}\right)$을 간단히 하여라.

유형 O12 a^x+a^{-x} 꼴의 식의 값 구하기

주어진 식의 양변을 제곱하여 곱셈 공식의 변형을 이용한다.
- $(a+b)^2=(a-b)^2+4ab$
- $(a-b)^2=(a+b)^2-4ab$

※ $a^{\frac{1}{2}}-a^{-\frac{1}{2}}=2$일 때, 다음 식의 값을 구하여라. (단, $a>1$)

12 $\left(a^{\frac{1}{2}}+a^{-\frac{1}{2}}\right)^2$

13 $a+a^{-1}$

14 $a-a^{-1}$

15 $a^{\frac{3}{2}}+a^{-\frac{3}{2}}$

※ $a^{2x}=4$일 때, 다음 식의 값을 구하여라. (단, $a>0$)

16 $\dfrac{a^x-a^{-x}}{a^x+a^{-x}}$

해설 | 주어진 식의 분모, 분자에 a^x을 곱하면

$$\dfrac{a^x-a^{-x}}{a^x+a^{-x}}=\dfrac{a^{2x}-1}{a^{2x}+1}=\dfrac{\boxed{}-1}{\boxed{}+1}=\boxed{}$$

17 $\dfrac{a^x-a^{-x}}{a^{3x}+a^{-3x}}$

18 $\dfrac{a^{5x}-a^{-7x}}{a^x+a^{-3x}}$

학교시험 필수예제

19 $f(x)=\dfrac{a^x+a^{-x}}{a^x-a^{-x}}$이고 $f(\alpha)=3$, $f(\beta)=2$일 때,

$a^{2\alpha}+a^{2\beta}$의 값을 구하여라. (단, $a>0$)

※ 다음을 구하여라.

20 $\dfrac{2^x-2^{-x}}{2^x+2^{-x}}=-\dfrac{1}{2}$일 때, 4^x+4^{-x}의 값

21 $\dfrac{3^x+3^{-x}}{3^x-3^{-x}}=3$일 때, 9^x-9^{-x}의 값

22 $\dfrac{4^x+4^{-x}}{4^x-4^{-x}}=-3$일 때, 16^x+16^{-x}의 값

23 $\dfrac{5^x-5^{-x}}{5^x+5^{-x}}=\dfrac{1}{4}$일 때, 25^x-25^{-x}의 값

유형 014 관계식이 주어질 때 식의 값 구하기

※ 다음을 구하여라.

24 $2^x=5^y=10$일 때, $\dfrac{1}{x}+\dfrac{1}{y}$의 값

해설| $2^x=5^y=10$에서 $2=\boxed{}^{\frac{1}{x}}$, $5=\boxed{}^{\frac{1}{y}}$

$10^{\frac{1}{x}}\times10^{\frac{1}{y}}=10^{\frac{1}{x}+\frac{1}{y}}=2\cdot5=\boxed{}$

$\therefore \dfrac{1}{x}+\dfrac{1}{y}=\boxed{}$

25 $4^x=9^y=6$일 때, $\dfrac{1}{x}+\dfrac{1}{y}$의 값

26 $2^x=5,\ 5^y=16$일 때, xy의 값

27 $3^x=7,\ 7^y=3\sqrt{3}$일 때, xy의 값

유형 015 지수법칙의 실생활에의 활용

28 어느 방사성 물질 $M(\mathrm{g})$은 일정한 비율로 붕괴되어 x년 후에는 $M\cdot p^{-x}(\mathrm{g})$이 남는다고 한다. 이 방사성 물질이 100년 후에 남는 양이 처음 양의 $\dfrac{1}{2}$이 될 때, 이 방사성 물질 $M(\mathrm{g})$이 500년 후에 남는 양을 구하여라.

(단, $p>0$)

해설| 100년 후에 방사성 물질의 양이 처음 양의 $\dfrac{1}{2}$이 되므로

$$M\cdot p^{-100}=\dfrac{M}{2} \quad \therefore p^{-100}=\dfrac{1}{\boxed{}}$$

따라서 500년 후에 남는 방사성 물질의 양은

$$M\cdot p^{-500}=M(p^{-100})^{\boxed{}}$$

$$=M\Big(\dfrac{1}{2}\Big)^{\boxed{}}=\dfrac{1}{\boxed{}}M(\mathrm{g})$$

29 어느 유산균을 배양하는 데, 배양을 시작하여 t시간이 지난 후의 유산균의 양을 $f(t)$라 하면

$$f(t)=c\Big(\dfrac{25}{7}\Big)^{kt} \quad (c,\ k\text{는 상수})$$

인 관계식이 성립한다고 한다. 이 유산균의 배양을 시작하여 5시간이 지나면 처음 양의 3배가 된다고 할 때, 배양을 시작하여 10시간이 지난 후의 유산균의 양은 처음 양의 몇 배인지 구하여라.

해설| 처음 유산균의 양은

$$f(0)=c\Big(\dfrac{25}{7}\Big)^{k\cdot0}=c$$

5시간이 지난 후 유산균의 양은 처음 양의 3배이므로

$$f(5)=c\Big(\dfrac{25}{7}\Big)^{k\cdot5}=\boxed{}c$$

$$\therefore \Big(\dfrac{25}{7}\Big)^{5k}=\boxed{} \quad\cdots\cdots\ \text{㉠}$$

이때 10시간이 지난 후의 유산균의 양은

$$f(10)=c\Big(\dfrac{25}{7}\Big)^{k\cdot10}=c\Big\{\Big(\dfrac{25}{7}\Big)^{5k}\Big\}^{\boxed{}}$$

$$=c\cdot3^{\boxed{}}=\boxed{}c$$

따라서 10시간이 지난 후의 유산균의 양은 처음 양의 $\boxed{}$배이다.

Tip

$a^x=k,\ b^y=k\ (a>0,\ b>0,\ xy\neq0)$일 때

① $a=k^{\frac{1}{x}},\ b=k^{\frac{1}{y}}$

② $ab=k^{\frac{1}{x}+\frac{1}{y}},\ \dfrac{a}{b}=k^{\frac{1}{x}-\frac{1}{y}}$

07 로그

1. 로그의 정의

$a>0$, $a\neq1$일 때, 양수 N에 대하여 $a^x=N$을 만족시키는 실수 x는 오직 하나 존재한다. 이 수 x를 $x=\log_a N$으로 나타내고, a를 밑으로 하는 N의 로그라 한다. 이때 N을 $\log_a N$의 진수라 한다.

$$a^x=N \Longleftrightarrow x=\log_a N$$

2. 로그의 밑과 진수의 조건

$\log_a N$이 정의되기 위해서는

① 밑의 조건 : $a>0$, $a\neq1$

② 진수의 조건 : $N>0$

유형 016 로그

$a^x=N$이면 $x=\log_a N$임을 이용한다.

※ 다음 등식을 로그를 사용하여 나타내어라.

01 $2^5=32$

02 $3^4=81$

03 $6^3=216$

04 $10^{-2}=0.01$

05 $5^{\frac{1}{3}}=\sqrt[3]{5}$

06 $\left(\dfrac{1}{4}\right)^{-3}=64$

※ 다음 등식을 $a^x=N$의 꼴로 나타내어라.

07 $\log_3 81=4$

08 $\log_4 64=3$

09 $\log_{10} 0.00001=-5$

10 $\log_5 \sqrt{5}=\dfrac{1}{2}$

11 $\log_{\frac{1}{2}} 4=-2$

※ 로그의 정의를 이용하여 다음 값을 구하여라.

12 $\log_3 27$

13 $\log_5 625$

14 $\log_8 4$

15 $\log_{2\sqrt{2}} 32$

16 $\log_{0.5} 16$

17 $\log_{125} \sqrt[3]{25}$

※ 다음 식을 만족시키는 x의 값을 구하여라.

18 $\log_3 x = 2$

19 $\log_{36} x = \dfrac{1}{2}$

20 $\log_x 8 = 3$

21 $\log_x 9 = \dfrac{2}{3}$

22 $\log_5 (\log_5 x) = 0$

23 $\log_2 (\log_3 x) = -1$

로그의 밑은 반드시 1이 아닌 양수이어야 하고 진수는 양수이어야 한다.

※ 다음 로그가 정의되기 위한 실수 x의 값의 범위를 구하여라.

24 $\log_5 (x+2)$

25 $\log_3 (x^2-3x-4)$

26 $\log_{x-4} 7$

27 $\log_{-x^2+1} 32$

28 $\log_{4-x} (x-1)$

29 $\log_{x-1} (-x^2+6x-5)$

※ 다음 로그가 정의되기 위한 모든 정수 x의 값의 합을 구하여라.

30 $\log_5 \{-x(x+4)\}$

31 $\log_2 (-x^2+x+2)$

32 $\log_{6-x} (x-3)$

33 $\log_{x+1} (-x^2+9)$

학교시험 필수예제

34 모든 실수 x에 대하여 $\log_a (x^2-ax+2)$가 정의될 때, 정수 a의 값을 구하여라.

08 로그의 기본 성질

$a > 0$, $a \neq 1$, $M > 0$, $N > 0$이고 k가 실수일 때,

(1) $\log_a 1 = 0$, $\log_a a = 1$

(2) $\log_a MN = \log_a M + \log_a N$

(3) $\log_a \dfrac{M}{N} = \log_a M - \log_a N$

(4) $\log_a M^k = k\log_a M$

- $a^0 = 1 \Leftrightarrow \log_a 1 = 0$
  $a^1 = a \Leftrightarrow \log_a a = 1$

유형 018 로그의 기본 성질

※ 다음 값을 구하여라.

01 $\log_5 1$

02 $\log_{\frac{1}{4}} 1$

03 $\log_{0.5} 1$

04 $\log_2 2$

05 $\log_{\frac{1}{10}} \dfrac{1}{10}$

06 $\log_{\sqrt{3}} \sqrt{3}$

※ □ 안에 알맞은 수를 써넣어라.

07 $\log_5 15 = \log_5 3 + \boxed{}$

08 $\log_7 30 = \log_7 2 + \log_7 \boxed{} + \log_7 5$

09 $\log_2 81 = \boxed{} \log_2 3$

10 $\log_3 \dfrac{1}{125} = \boxed{} \log_3 5$

11 $\log_9 40 = \boxed{} \log_9 2 + \log_9 5$

12 $\log_3 \dfrac{20}{7} = \boxed{} \log_3 2 + \log_3 5 - \log_3 \boxed{}$

로그의 성질을 이용할 수 있도록 식을 적절히 변형한다.
$\log_a M + \log_a N = \log_a MN$

$\log_a M - \log_a N = \log_a \dfrac{M}{N}$

$\log_a M^k = k\log_a M$

※ 다음 값을 구하여라.

13 $\log_2 8 + \log_2 16$

14 $\log_3 27 + \log_3 \dfrac{1}{9}$

15 $\log_2 \dfrac{1}{3} + 2\log_2 \sqrt{12}$

16 $\log_5 125 - \log_5 25$

17 $\log_3 15 - \log_3 \dfrac{5}{9}$

18 $\log_2 \sqrt{6} - \dfrac{1}{2}\log_2 3$

19 $2\log_5 6 - \log_5 \dfrac{12}{5} + \log_5 \dfrac{5}{3}$

20 $2\log_2 \sqrt{8} + 3\log_2 \sqrt[3]{2} + \log_2 \dfrac{\sqrt{2}}{8}$

21 $2\log_{10} 5 + 4\log_{10} \sqrt{2} - 3\log_{10} \sqrt{10}$

22 $\dfrac{1}{2}\log_2 3 - 3\log_2 \dfrac{1}{\sqrt{2}} - \log_2 \sqrt{6}$

유형 020 지수와 로그의 혼합 계산

※ 다음 값을 구하여라.

23 $9^{\frac{5}{2}} + \log_5 125$

24 $27^{\frac{2}{3}} + \log_2 4\sqrt{2}$

25 $\log_3 \sqrt{81} - \sqrt[3]{27}$

26 $\sqrt[4]{256} - \frac{1}{3}\log_2 \sqrt{32}$

27 $9^{\frac{1}{3}} \times 27^{\frac{1}{9}} + \log_2 16$

28 $\sqrt[3]{81} \times 9^{\frac{4}{3}} \div \log_6 216$

유형 021 로그를 합과 차의 꼴로 나타내기

진수를 소인수분해하여 거듭제곱의 꼴로 나타낸 다음 로그의 기본 성질을 이용하여 합과 차로 나타낸다.

※ $\log_{10} 2 = a$, $\log_{10} 3 = b$일 때, 다음을 a, b로 나타내어라.

29 $\log_{10} 36$

30 $\log_{10} 162$

31 $\log_{10} 200$

32 $\log_{10} \frac{3}{4}$

33 $\log_{10} \left(\frac{16}{27}\right)^{\frac{1}{2}}$

34 $\log_{10} 0.006$

※ $\log_a x = A$, $\log_a y = B$, $\log_a z = C$일 때, 다음을 A, B, C로 나타내어라.

35 $\log_a x^2 y^3 z$

36 $\log_a x^3 y^4 z^2$

37 $\log_a x^5 y \sqrt{z}$

38 $\log_a \dfrac{x}{yz^2}$

39 $\log_a \dfrac{x^4 z^3}{y^2}$

40 $\log_a \dfrac{1}{x^3 y^2 z}$

※ $10^a = x$, $10^b = y$, $10^c = z$일 때, 다음을 a, b, c로 나타내어라.

41 $\log_{10} x^2 y z^3$

42 $\log_{10} x \sqrt{y^3 z}$

43 $\log_{10} \dfrac{y^4}{xz^2}$

44 $\log_{10} \sqrt[3]{\dfrac{x^2}{yz^4}}$

학교시험 필수예제

45 $\log_3 18 = a$일 때, $\log_3 12$를 a로 나타내어라.

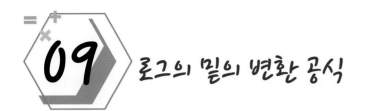

09 로그의 밑의 변환 공식

$a>0$, $a\neq1$, $b>0$, $c>0$, $c\neq1$일 때

(1) $\log_a b=\dfrac{\log_c b}{\log_c a}$

(2) $\log_a b=\dfrac{1}{\log_b a}$ (단, $b\neq1$)

• $\log_a b\cdot\log_b c\cdot\log_c a=1$

유형 O22 로그의 밑의 변환 공식

※ 다음 값을 구하여라.

01 $\log_2 3\cdot\log_3 2$

02 $\log_5 7\cdot\log_7 5$

03 $\log_5 9\cdot\log_3 5$

04 $\log_7 5\cdot\log_5 \sqrt{7}$

05 $\log_4 5\cdot\log_5 6\cdot\log_6 4$

※ $\log_{10} 2=a$, $\log_{10} 3=b$일 때, 다음을 a, b로 나타내어라.

06 $\log_3 2$

07 $\log_9 8$

08 $\log_2 18$

09 $\log_3 \sqrt{8}$

10 $\log_6 2$

※ $10^a=x$, $10^b=y$, $10^c=z$일 때, 다음을 a, b, c로 나타내어라.

11 $\log_x x^2 y$

12 $\log_{xy} xz^2$

13 $\log_{xyz} z^2$

14 $\log_y x^3 y^2 z$

15 $\log_{yz} \dfrac{xy}{z}$

16 $\log_{xz} \dfrac{y}{\sqrt[3]{xz}}$

$\log_a b=\dfrac{\log_c b}{\log_c a}$, $\log_a b=\dfrac{1}{\log_b a}$ (단, $n\neq1$)을 이용하여 로그의 밑을 통일한 후 문제를 해결한다.

※ 다음 식의 값을 구하여라.

17 $\log_4 2+\dfrac{1}{\log_{32} 4}$

18 $\log_2 80-\dfrac{1}{\log_5 2}$

19 $\log_2 \sqrt{2}+\dfrac{1}{\log_{32} 2}-\dfrac{1}{\log_{2\sqrt{2}} 2}$

20 $\log_2 (\log_2 5)+\log_2 (\log_5 4)$

학교시험 **필수예제**

21 $(\log_2 5+\log_5 2)^2-(\log_2 5-\log_5 2)^2$의 값은?

① 1   ② 2   ③ 3
④ 4   ⑤ 5

※ 다음을 구하여라.

22 $8^x=5$, $25^y=2$일 때, xy의 값

23 $25^x=81$, $27^y=625$일 때, xy의 값

24 $\dfrac{\log_5 2}{a}=\dfrac{\log_5 18}{b}=\dfrac{\log_5 36}{c}=\log_5 6$일 때, $a+b+c$의 값

25 $\dfrac{\log_4 9}{a}=\dfrac{\log_4 2}{b}=\dfrac{\log_4 3}{c}=\log_4 6$일 때, $2a+3b-c$의 값

유형 024 로그의 성질의 증명

26 다음은 $a>0$, $a\neq 1$, $x>0$일 때, 실수 n에 대하여 $\log_a x^n=n\log_a x$가 성립함을 증명하는 과정이다. □ 안에 알맞은 것을 써넣어라.

$\log_a x=m$이라 하면 로그의 정의에 의해
$$x=\boxed{}$$
이때 지수법칙에 의하여
$$x^n=(a^m)^n=\boxed{}$$
위의 식의 양변에 a를 밑으로 하는 로그를 취하면
$$\boxed{}=mn$$
$$\therefore \log_a x^n=n\log_a x$$

27 다음은 $a>0$, $a\neq 1$, $x>0$, $y>0$일 때, $\log_a xy=\log_a x+\log_a y$가 성립함을 증명하는 과정이다. □ 안에 알맞은 것을 써넣어라.

$m=\log_a x$, $n=\log_a y$라 하면
로그의 정의에 의해
$$x=\boxed{}, y=\boxed{}$$
이때 지수법칙에 의하여
$$xy=a^m\cdot a^n=\boxed{}$$
위의 식의 양변에 a를 밑으로 하는 로그를 취하면
$$\log_a \boxed{}=m+n$$
$$\therefore \log_a xy=\log_a x+\log_a y$$

10 로그의 여러 가지 성질

$a>0$, $a\neq1$, $b>0$, $c>0$, $c\neq1$일 때

(1) $\log_{a^m} b^n = \dfrac{n}{m}\log_a b$ (단, $m\neq0$)

(2) $a^{\log_c b} = b^{\log_c a}$

(3) $a^{\log_a b} = b$

• $\log_a b^n = n\log_a b$

$\log_{a^m} b = \dfrac{1}{m}\log_a b$

유형 025 로그의 여러 가지 성질

※ □ 안에 알맞은 수를 써넣어라.

01 $\log_{2^3} 3^2 = \dfrac{\square}{\square}\log_2 3$

02 $\log_{5^4} 7^5 = \dfrac{\square}{\square}\log_5 7$

03 $\log_{64} 32 = \dfrac{\square}{\square}$

04 $\log_{625} 512 = \dfrac{\square}{\square}\log_5 2$

05 $\log_{\sqrt{3}} 8 = \square\,\log_3 2$

06 $\log_{32} \sqrt[3]{5^4} = \dfrac{\square}{\square}\log_2 5$

07 $2^{\log_3 10} = \square^{\log_3 2}$

08 $5^{\log_4 3} = \square^{\log_4 5}$

※ 다음 식을 간단히 하여라.

09 $2^{\log_2 5}$

10 $6^{\log_6 13}$

11 $5^{\log_5 2^3}$

12 $2^{\log_4 216}$

※ 다음 식을 간단히 하여라.

13 $\log_4 2 + \log_{32} 8$

14 $\log_2 \dfrac{1}{2} + \log_{27} 3$

15 $\log_5 \dfrac{1}{5} + \log_{\frac{1}{3}} 3$

16 $(\log_3 2 + \log_9 2)(\log_2 3 + \log_8 3)$

17 $\left(\log_5 2 + \log_{25} \dfrac{1}{2}\right)\left(\log_2 5 + \log_4 \dfrac{1}{5}\right)$

※ $a = 5^m$, $b = 5^n$ 일 때, 다음을 m, n으로 나타내어라.

18 $\log_{a^2} b$

19 $\log_{a^3} b^2$

20 $\log_{(ab)^2} b^4$

21 $\log_{\sqrt{a}} b^3$

22 $\log_{\sqrt{a}} \sqrt[3]{b}$

23 $\log_{\sqrt[3]{a^2}} \sqrt[4]{b}$

세 수의 $\log_a x$, $\log_a y$, $\log_a z$ 대소 비교는 로그의 성질을 이용하여 a, b, c 또는 x, y, z를 같게 한다.

※ 다음 수들의 대소를 비교하여라

24 $\log_{16} 27$, $\log_8 9$

25 $\log_3 4$, $\log_4 8$

26 $\log_{\sqrt{2}} 3$, $\log_2 5$, $\log_4 10$

27 $\log_{\frac{1}{2}} 3$, $\log_4 25$, $9^{\log_9 3}$

※ 삼각형 ABC의 세 변의 길이 a, b, c 사이의 관계가 다음과 같을 때, 삼각형 ABC는 어떤 삼각형인지 구하여라.

28 $\log_c (a+b) + \log_c (a-b) = 2$

(단, $a > b$, $c \neq 1$)

해설ㅣ $\log_c (a+b) + \log_c (a-b) = 2$에서

$\log_c (a+b)(\boxed{}) = 2$

$\log_c (a^2 - b^2) = 2 = \log_c \boxed{}$

$a^2 - b^2 = c^2$ ∴ $a^2 = b^2 + c^2$

따라서 삼각형 ABC는 $\angle A = \boxed{}$인 $\boxed{}$

이다.

29 $\log_a (b+c) + \dfrac{1}{\log_{b-c} a} = 2$

(단, $a \neq 1$, $b > c+1$)

30 $\log_{a+b} c + \log_{a-b} c = 2\log_{a+b} c \cdot \log_{a-b} c$

(단, $a > b+1$, $c \neq 1$)

유형 029 이차방정식과 로그

> x에 대한 이차방정식 $ax^2+bx+c=0$의 두 근이 α, β일 때
> $$\alpha+\beta=-\frac{b}{a},\ \alpha\beta=\frac{c}{a}$$

※ 이차방정식 $x^2-16x+8=0$의 두 근을 α, β라 할 때, 다음을 구하여라.

31 $\log_2\left(\dfrac{\alpha\beta}{\alpha+\beta}\right)$

32 $\log_2\left(\alpha^{-1}+\beta^{-1}\right)$

※ 이차방정식 $x^2+ax+b=0$의 두 근이 다음과 같을 때 상수 a, b의 값을 각각 구하여라.

33 $\log_2 5$, 1

34 $\log_2\sqrt{2}$, $\log_2 2\sqrt{2}$

※ 다음 이차방정식의 두 근이 $\log_2 a$, $\log_2 b$일 때, $\log_a b+\log_b a$의 값을 구하여라.

35 $x^2-8x+4=0$

36 $x^2-3x+1=0$

37 $x^2-4x+2=0$

38 $x^2-9x+3=0$

11 상용로그

양수 N에 대하여 10을 밑으로 하는 로그, 즉 $\log_{10} N$을 상용로그라 하며 보통 밑 10을 생략하여 기호 $\log N$과 같이 나타낸다.

$\log 10^n = \log_{10} 10^n = n$이므로 10의 거듭제곱 꼴의 수에 대한 상용로그의 값은 로그의 성질을 이용하여 쉽게 구할 수 있다.

• $\log_{10} N = \log N$

유형 030 상용로그의 정의

로그에서 밑이 생략되어 있으면 상용로그이고, 생략된 밑은 10임을 주의하도록 한다.

※ 다음 상용로그의 값을 구하여라.

01 $\log 100$

02 $\log 10^{-5}$

03 $\log \dfrac{1}{1000}$

04 $\log 0.0001$

05 $\log \sqrt[3]{10^5}$

06 $\log 100\sqrt{10}$

※ 다음 식의 값을 구하여라.

07 $\log 1000 + \log 100$

08 $\log 1000 - \log \sqrt{10}$

09 $\log \dfrac{1}{100} + \log \sqrt{1000}$

10 $\log \sqrt{10} - \log \sqrt[3]{100} + \log \dfrac{1}{10}$

12 상용로그표

1. 상용로그표

0.01의 간격으로 1.00에서 9.99까지의 수에 대한 상용로그의 값을 반올림하여 소수점 아래 넷째 자리까지 나타낸 표

2. 상용로그표를 이용하여 상용로그의 값 구하기

① 정수 부분이 한 자리인 양수의 상용로그의 값

예를 들어 상용로그표에서 $\log 3.45$의 값은 3.4의 행과 5열이 만나는 곳에 있는 수인 0.5378이다.

즉, $\log 3.45 = 0.5378$

수	0	$\cdots$	5	$\cdots$
·	$\cdots$	$\cdots$	· ·	$\cdots$
·	$\cdots$	$\cdots$	·	$\cdots$
3.4	· · ·	· ·	.5378	$\cdots$
·	$\cdots$	$\cdots$	$\cdots$	$\cdots$
·	$\cdots$	$\cdots$	$\cdots$	$\cdots$

② 상용로그표에 나와 있지 않은 양수의 상용로그의 값은 양수 N을 $a \times 10^n$ ($1 \le a < 10$, n은 정수)의 꼴로 변형한 후 로그의 성질과 상용로그표를 이용하여 구한다.

• 상용로그표에 있는 상용로그의 값은 어림한 값이지만 편의상 등호를 사용하여 나타낸다.

유형 031 상용로그

※ $\log 2.54 = 0.4048$을 이용하여 다음 상용로그의 값을 구하여라.

01 $\log 25.4$

해설 | $\log 25.4 = \log \left(2.54 \times \boxed{}\right)$
$= \log 2.54 + \log 10$
$= 0.4048 + 1 = \boxed{}$

02 $\log 2540$

03 $\log 0.254$

04 $\log 0.00254$

※ 아래 상용로그표를 이용하여 다음 값을 구하여라.

수	0	1	2	3	4	5
3.5	0.5441	0.5453	0.5465	0.5478	0.5490	0.5502
3.6	0.5563	0.5575	0.5587	0.5599	0.5611	0.5623
3.7	0.5682	0.5694	0.5705	0.5717	0.5729	0.5740

05 $\log 3.63$

06 $\log (3.71)^2$

 학교시험 필수예제

07 $\log 2 = 0.3010$, $\log 3 = 0.4771$일 때, $\log \dfrac{9}{5}$의 값을 구하여라.

13 상용로그의 성질과 활용

1. 양수 N에 대하여 상용로그의 값은 $\log N = n + \alpha$ (n은 정수, $0 \le \alpha < 1$)와 같이 나타낼 수 있다.

2. **상용로그의 정수 부분과 소수 부분의 성질**

   양수 N에 대하여 $\log N = n + \alpha$ (n은 정수, $0 \le \alpha < 1$)일 때

   ① $n \ge 0$이면 $N \ge 1$이고 N은 정수 부분이 $n+1$자리인 수이다.

   ② $n < 0$이면 $N < 1$이고 N은 소수 $-n$째 자리에서 처음으로 0이 아닌 숫자가 나타나는 수이다.

   ③ 숫자의 배열이 같고 소수점의 위치만 다른 양수는 그 수의 상용로그의 소수 부분인 α가 모두 같다. 즉, 두 양수 M, N에 대하여

   $\log M = m + \alpha$, $\log N = n + \alpha$ (m, n은 정수, $0 \le \alpha < 1$)

   이면 두 수 M, N의 숫자 배열이 같다.

- $\log N = n + \alpha$

  $\log N$의 소수 부분 ↗
  $\log N$의 정수 부분 ↘

- 상용로그의 소수 부분은 0 또는 양수이다.

유형 032 정수 부분과 소수 부분

※ 다음 수의 정수 부분과 소수 부분을 각각 구하여라.

01 $\log x = \dfrac{2}{3}$일 때, $\log x^5$

02 $\log x = \dfrac{3}{7}$일 때, $\log x^3$

03 $\log x = -2.6$일 때, $\log \sqrt[4]{x}$

04 $\log x = -5.22$일 때, $\log \sqrt[3]{x^2}$

유형 033 상용로그의 성질

※ $\log 2.17 = 0.3365$일 때, 다음을 만족시키는 N의 값을 구하여라.

05 $\log N = 2.3365$

06 $\log N = 4.3365$

07 $\log N = -0.6635$

08 $\log N = -2.6635$

상용로그의 정수 부분과 소수 부분

※ $\log 2 = 0.3010$, $\log 3 = 0.4771$일 때, 다음 수는 몇 자리 수인지 구하여라.

09 2^{20}

10 3^{50}

11 6^{30}

12 20^{10}

13 5^{40}

14 12^{20}

※ $\log 2 = 0.3010$, $\log 3 = 0.4771$일 때, 다음 수는 소수점 아래 몇 째 자리에서 처음으로 0이 아닌 숫자가 나타나는지 구하여라.

15 $\left(\dfrac{1}{3}\right)^{20}$

16 6^{-50}

17 $\left(\dfrac{3}{4}\right)^{100}$

18 $\left(\dfrac{2}{9}\right)^{10}$

19 $\log 2 = 0.3010$, $\log 3 = 0.4771$일 때, 3^{30}의 최고 자리 숫자를 구하여라.

해설 | $\log 3^{30} = 30\log 3 = 30 \times 0.4771 = 14.313$

$\log 2 < 0.313 < \log 3$

$\boxed{} + \log 2 < 14.313 < \boxed{} + \log 3$

$\log(10^{14} \times 2) < \log 3^{30} < \log(10^{14} \times 3)$

$\therefore 10^{14} \times 2 < 3^{30} < 10^{14} \times 3$

따라서 3^{30}의 최고 자리의 숫자는 $\boxed{}$이다.

20 $\log 2 = 0.3010$, $\log 3 = 0.4771$, $\log 7 = 0.8451$일 때, 6^{10}의 최고 자리 숫자를 구하여라.

21 $\log 2 = 0.3010$, $\log 3 = 0.4771$일 때, $\left(\dfrac{1}{3}\right)^{10}$의 소수점 아래 처음으로 나타나는 0이 아닌 숫자를 구하여라.

※ 다음 두 수의 소수 부분이 같도록 하는 모든 x의 값을 구하여라.

22 $10 \le x < 100$일 때, $\log x^2$과 $\log x^4$

23 $100 \le x < 1000$일 때, $\log x$와 $\log x^3$

24 $10 \le x < 100$일 때, $\log x^2$과 $\log x^5$

※ 다음 두 수의 소수 부분의 합이 1이 되도록 하는 α의 값을 구하여라.

25 $\log x = 8 + \alpha \ (0 \le \alpha < 1)$일 때, $\log x$와 $\log \sqrt[4]{x}$

26 $\log x = 1 + \alpha \left(0 \le \alpha < \dfrac{1}{2}\right)$일 때, $\log x$와 $\log x^2$

27 $\log x = 3 + \alpha \left(0 \le \alpha < \dfrac{1}{2}\right)$일 때, $\log x$와 $\log \sqrt{x}$

유형 036　상용로그의 실생활에의 활용

28 어떤 세균의 수는 2시간마다 3배가 된다고 한다. 관측한 지 60시간 후에 세균의 수는 처음 세균의 수의 x배가 된다. 이때 x는 몇 자리 정수인지 구하여라.
(단, $\log 2 = 0.3010$, $\log 3 = 0.4771$로 계산한다.)

해설ㅣ 처음 세균의 수를 A라 하면

2시간 후의 세균의 수는 $3A$

4시간 후의 세균의 수는 $3^2 A$

6시간 후의 세균의 수는 $3^3 A$

$\vdots$

60시간 후의 세균의 수는 $\boxed{} A$

따라서 $x = \boxed{}$이므로

$\log x = 30 \log 3 = 30 \times 0.4771 = \boxed{}$

따라서 x는 $\boxed{}$ 자리 정수이다.

학교시험 필수예제

29 전파가 어떤 벽을 투과할 때, 전파의 세기가 A에서 B로 바뀌면 그 벽의 전파감쇄비 F는

$$F = 10 \log \frac{B}{A} \ (\text{데시벨})$$

로 정의한다. 전파감쇄비가 -4(데시벨)인 벽을 투과한 전파의 세기는 투과하기 전 세기의 몇 배인지 구하여라.
(단, $10^{\frac{3}{10}} = 2$로 계산한다.)

14 지수함수의 뜻과 그 그래프

1. **지수함수의 뜻** : $a>0$이고 $a\neq1$일 때, 실수 전체의 집합을 정의역으로 하는 함수 $y=a^x$을 a를 밑으로 하는 지수함수라 한다.

2. **지수함수 $y=a^x(a>0, a\neq1)$의 그래프**

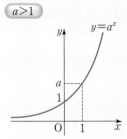

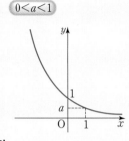

3. **지수함수 $y=a^x(a>0, a\neq1)$의 성질**
   (1) 정의역은 실수 전체의 집합이고, 치역은 양의 실수 전체의 집합이다.
   (2) $a>1$일 때, x의 값이 증가하면 y의 값도 증가한다.
      $0<a<1$일 때, x의 값이 증가하면 y의 값은 감소한다.
   (3) a의 값에 관계없이 점 $(0, 1)$을 지나고, x축을 점근선으로 가진다.
   (4) $y=a^x$의 그래프와 $y=\left(\dfrac{1}{a}\right)^x$의 그래프는 y축에 대하여 대칭이다.

• 지수함수 $y=a^x$에서
$a>1$일 때, $x_1<x_2 \Rightarrow a^{x_1}<a^{x_2}$
$0<a<1$일 때,
$x_1<x_2 \Rightarrow a^{x_1}>a^{x_2}$
이다.
즉, $a>1$이면 그래프가 점점 위로, $0<a<1$이면 그래프가 점점 아래로 향한다.

유형 037 지수함수의 그래프

※ 다음 지수함수의 그래프를 그려라.

01 $y=2^x$

해설| $y=2^x$을 만족시키는 x, y의 값을 표로 나타내면 다음과 같다.

x	$\cdots$	-1	0	1	$\cdots$
y	$\cdots$	□	□	2	$\cdots$

위의 표에서 얻은 순서쌍 (x, y)를 좌표로 하는 점을 좌표평면 위에 나타내고 매끄러운 곡선으로 연결하면 오른쪽 그림과 같다.

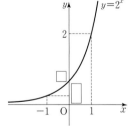

02 $y=\left(\dfrac{1}{2}\right)^x$

※ 다음에서 옳은 것에는 ○, 옳지 않은 것에는 ×표 하여라.

03 밑이 1보다 큰 지수함수는 증가함수이다. (   )

04 $y=2^x$의 그래프와 $y=\left(\dfrac{1}{2}\right)^x$의 그래프는 x축에 대하여 대칭이다. (   )

Tip

함수 $y=f(x)$의 그래프를
  x축에 대하여 대칭이동 : $y=-f(x)$
  y축에 대하여 대칭이동 : $y=f(-x)$

05 함수 $y=a^x (a>0, a\neq1)$의 그래프는 a의 값에 관계없이 항상 점 $(0, a)$를 지난다. (   )

유형 038 지수함수의 평행이동과 대칭이동

※ 주어진 그래프를 이용하여 다음 지수함수의 그래프를 그려라.

06 $y=\left(\dfrac{1}{3}\right)^{x}$

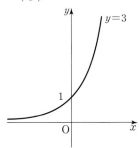

07 $y=-3^{x}$

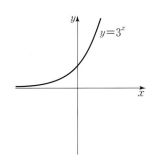

08 $y=-3^{-x}$

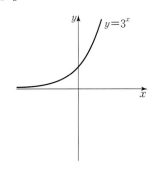

09 $y=3^{x+1}+1$

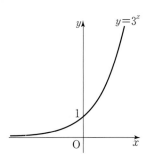

Tip

함수 $y=a^{x-m}+n$의 그래프는
함수 $y=a^{x}$ $(a>0,\ a\neq1)$의 그래프를 x축 방향으로 m만큼, y축 방향으로 n만큼 평행이동한 것이다.

※ 다음 (   ) 안에 알맞은 것을 써넣어라.

10 함수 $y=2^{x-4}+8$의 그래프는 함수 $y=2^{x}$의 그래프를 x축 방향으로 (   )만큼, y축 방향으로 (   )만큼 (   )한 것이다.

11 함수 $y=\left(\dfrac{1}{3}\right)^{x}$의 그래프는 함수 (   )의 그래프를 (   )축에 대하여 대칭이동한 것이다.

12 함수 $y=3^{2x-6}+5$의 그래프는 함수 $y=9^{x}$의 그래프를 x축 방향으로 (   )만큼, y축 방향으로 (   )만큼 평행이동한 것이다.

※ 다음 물음에 답하여라.

13 함수 $f(x)=2^x-5$의 치역을 구하여라.

해설 | 함수 $f(x)=2^x-5$의 정의역은 $f(x)=2^x$의 정의역과 마찬가지로 ☐ 전체의 집합이지만, 그 그래프는 $f(x)=2^x$의 그래프를 y축 방향으로 ☐만큼 평행이동한 것이므로 치역은 $\{y|y>☐\}$이다.

14 함수 $f(x)=3\cdot9^x+1$의 치역을 구하여라.

15 $a>0$, $a\neq1$일 때, 함수 $y=a^x+1$의 그래프는 a의 값에 관계없이 항상 일정한 점을 지난다. 이 점의 좌표를 구하여라.

16 $a>0$, $a\neq1$일 때, 함수 $y=a^{1-x}+4$의 그래프는 a의 값에 관계없이 항상 일정한 점을 지난다. 이 점의 좌표를 구하여라.

17 함수 $y=5^x+2$의 점근선의 방정식이 $y=a$일 때, 상수 a의 값을 구하여라.

18 함수 $y=2^{3-x}-6$의 점근선의 방정식이 $y=a$일 때, 상수 a의 값을 구하여라.

※ 다음 물음에 답하여라.

19 함수 $y=4^x$의 그래프를 x축 방향으로 m만큼, y축 방향으로 n만큼 평행이동하면 함수 $y=2(4^x-2)$의 그래프가 된다. 이때, 두 실수 m, n의 곱 $m \times n$의 값을 구하여라.

해설ㅣ $y=4^x=2^{2x}$이고

$$y=2(4^x-2)=2 \cdot \boxed{}^{2x}-4$$

$$=2^{2x+1}-4=2^{2\left(x+\boxed{}\right)}-4$$

즉, 함수 $y=4^x$의 그래프를 x축 방향으로 $\boxed{}$만큼, y축 방향으로 $\boxed{}$만큼 평행이동하면, 함수 $y=2(4^x-2)$의 그래프가 된다.

$$\therefore m=\boxed{}, \ n=\boxed{}$$

따라서 구하는 값은 $m \times n=\boxed{}$

20 함수 $y=27^x$의 그래프를 x축 방향으로 m만큼, y축 방향으로 n만큼 평행이동하면 함수 $y=9 \cdot 3^{3x}+9$의 그래프가 된다. 이때, 두 실수 m, n의 곱 $m \times n$의 값을 구하여라.

21 함수 $y=3^x$의 그래프를 x축 방향으로 m만큼, y축 방향으로 n만큼 평행이동시킨 그래프가 두 점 $(-2, \ 1)$, $(0, \ 25)$를 지난다. 이때, 두 실수 m, n의 곱 $m \times n$의 값을 구하여라.

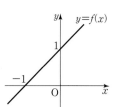
학교시험 필수예제

22 오른쪽 그림은 일차함수 $y=f(x)$의 그래프이다. 함수 $y=2^{2-f(x)}$의 그래프의 개형으로 알맞은 것은?

① 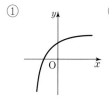 ② 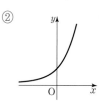 ③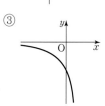

④ 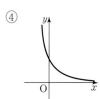 ⑤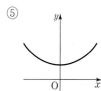

15 지수함수의 최대 · 최소

1. $y=a^{f(x)}$ $(a>0, a\neq1)$ 꼴의 최대 · 최소

(i) $a>1$이면 $f(x)$가 최대일 때 y도 최대, $f(x)$가 최소일 때 y도 최소이다.

(ii) $0<a<1$이면 $f(x)$가 최대일 때 y는 최소, $f(x)$가 최소일 때 y는 최대이다.

2. a^x 꼴이 반복되는 함수의 최대 · 최소

$a^x=t$ $(t>0)$로 치환하여 t의 값의 범위 내에서 최대 · 최소를 구한다.

• 지수함수 $y=a^{f(x)}$의 그래프는 $a>1$일 때 $f(x)$의 값이 증가하면 y의 값도 증가하고 $0<a<1$일 때 $f(x)$의 값이 증가하면 y의 값은 감소한다. 따라서 밑이 같은 거듭제곱의 꼴로 나타낸 후 대소를 비교한다.

유형 040 지수함수를 이용한 대소 비교

밑이 같은 거듭제곱의 꼴로 나타낸 후 대소를 비교한다.

$a>1$일 때 $x_1<x_2$이면 $a^{x_1}<a^{x_2}$

$0<a<1$일 때 $x_1<x_2$이면 $a^{x_1}>a^{x_2}$

※ 다음 수의 대소를 비교하여라.

01

$$3^{0.5}, \sqrt[4]{27}, \sqrt[3]{9}$$

02

$$\left(\frac{1}{3}\right)^{-2}, 9^{0.75}, \sqrt[4]{27}$$

03

$$\sqrt[3]{4}, 0.5^{-\frac{1}{3}}, \sqrt{2}$$

학교시험 필수예제

04 다음 중에서 가장 큰 수를 M, 두 번째로 큰 수를 m이라 할 때, $\dfrac{M}{m}=5^k$이라 한다. 이때, 실수 k의 값을 구하여라.

$$\sqrt[3]{5}, \ 25^{-\frac{1}{3}}, \ \sqrt{\sqrt[3]{125}}, \ 0.2^{0.25}$$

유형 041 지수함수의 최대 · 최소

※ 다음 물음에 답하여라.

05 정의역이 $\{x \mid 1 \leq x \leq 4\}$일 때, $y = 2^{x-1} + 3$의 최댓값을 m, 최솟값을 n이라 한다. 이때, $m+n$의 값을 구하여라.

해설ㅣ 그래프를 그려 보면 다음과 같다.

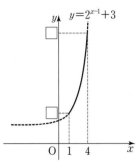

함수 $y = 2^{x-1} + 3$은 x값이 증가할수록 y값도 증가하는 증가함수이다.

따라서 최댓값은 $x=4$일 때이므로

$2^{4-1} + 3 = \boxed{}$

또한 최솟값은 $x=1$일 때이므로

$2^{1-1} + 3 = \boxed{}$

따라서 구하는 값은 $m+n = \boxed{}$

06 정의역이 $\{x \mid -1 \leq x \leq 4\}$일 때, $y = 2^{x-1} + 8$의 최댓값을 m, 최솟값을 n이라 한다. 이때, 두 수의 곱 mn의 값을 구하여라.

07 정의역이 $\{x \mid -3 \leq x \leq 1\}$일 때, $y = 2^{-x+2} - 4$의 최댓값을 m, 최솟값을 n이라 한다. 이때, 두 실수의 차 $|m-n|$을 구하여라.

08 정의역이 $\{x \mid -1 \leq x \leq 2\}$일 때, $y = 2^{1-x} + 2$의 최댓값을 m, 최솟값을 n이라 한다. 이때, 두 수의 곱 mn의 값을 구하여라.

※ 주어진 범위에서 다음 함수의 최댓값과 최솟값을 구하여라.

09 $1 \le x \le 4$, $y = 4^x - 2^{x+4} + 30$

해설 | 지수법칙을 이용하여 주어진 식을 변형하면

$$y = 4^x - 2^{x+4} + 30 = (2^2)^x - 2^x \cdot 2^4 + 30$$
$$= (2^x)^2 - 16 \cdot 2^x + 30$$

$2^x = t$로 놓으면 $1 \le x \le 4$에서

$2^1 \le 2^x \le 2^4$ $\therefore 2 \le t \le 16$

이때, 주어진 함수는

$$y = t^2 - 16t + 30$$
$$= (t - \square)^2 - 34$$

이고, 그 그래프는 오른쪽과 같다.

따라서 최댓값은

$t = \square$ 일 때이므로

$\square$

또한 최솟값은 $t = \square$ 일 때이므로 $\square$

10 $-1 \le x \le 1$, $y = 2 \cdot 3^x - 9^x$

※ 다음 물음에 답하여라.

11 지수함수 $f(x) = a^x$에 대한 설명 중 옳은 것을 모두 골라라. (단, $a > 0$, $a \ne 1$)

┌─ 보기 ├─

ㄱ. $f(-x) = \dfrac{1}{f(x)}$ ㄴ. $f(x^2) = 2f(x)$

ㄷ. $f(3x) = \{f(x)\}^3$ ㄹ. $f(x) = \sqrt{\sqrt{f(4x)}}$

해설 | 지수함수 $f(x) = a^x$에 대하여

ㄱ. $f(-x) = a^{-x} = \left(\dfrac{1}{a}\right)^x = \dfrac{1}{\square} = \dfrac{1}{f(x)}$ 이므로 옳다.

ㄴ. $f(x^2) = a^{x^2} = (\square)^x = \{f(x)\}^x \ne 2f(x)$ 이므로 옳지 않다.

ㄷ. $f(3x) = a^{3x} = (a^x)^3 = \{f(x)\}^3$ 이므로 옳다.

ㄹ. $\sqrt{\sqrt{f(4x)}} = \sqrt{\sqrt{a^{4x}}} = \left((a^{4x})^{\frac{1}{2}}\right)^{\frac{1}{2}}$
$= a^{4x \cdot \frac{1}{2} \cdot \frac{1}{2}} = a^x = f(x)$ 이므로 옳다.

따라서 옳은 것은 ㄱ, ㄷ, ㄹ이다.

12 지수함수 $f(x) = a^x$, $g(x) = b^x$ ($a > b > 1$, x는 실수)에 대하여 〈보기〉에서 옳은 것을 모두 골라라.

┌─ 보기 ├─

ㄱ. $f(x) - g(x) > 0$

ㄴ. $abf(x)g(x) = f(x+1)g(x+1)$

ㄷ. $x < y$일 때 $f(-2x)g(x) < f(-2y)g(y)$

Tip

a^x꼴이 반복되는 함수의 최대·최소
$\Rightarrow a^x = t$로 치환한다.

13 집합 $G=\{(x, y)\,|\,y=4^x, x$는 실수$\}$에 대하여 〈보기〉에서 옳은 것을 모두 골라라.

┌ 보기 ├
ㄱ. $(a, b)\in G$이면 $\left(\dfrac{a}{2}, \sqrt{b}\right)\in G$이다.

ㄴ. $(-a, b)\in G$이면 $\left(\dfrac{1}{a}, b\right)\in G$이다.

ㄷ. $(a, b)\in G$, $(c, d)\in G$이면
$(a+c, b+d)\in G$이다.

14 실수 전체의 집합에서 정의된 함수 $f(x)=2^{x+a}+b$가 다음 두 조건을 모두 만족시킬 때, $|a-b|$의 값을 구하여라. (단, a, b는 양수이다.)

┌ 조건 ├
(가) $f(1)=12$
(나) $f(x)\cdot f(-x)=b\{f(x)+f(-x)\}$

15 함수
$y=k\cdot 3^x\ (0<k<1)$의 그래프가 두 함수 $y=3^{-x}$, $y=-4\cdot 3^x+8$의 그래프와 만나는 점을 각각 P, Q 라 하자. 점 P와 점 Q의 x 좌표의 비가 $1:2$일 때, $35k$의 값을 구하여라.

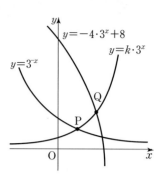

해설 | 점 P의 x좌표를 α라 하면
$k\cdot 3^\alpha=3^{-\alpha}$

$\therefore 3^{2\alpha}=\boxed{}$ ...... ㉠

이때, 점 Q의 x좌표는 2α이므로
$k\cdot 3^{2\alpha}=-4\cdot 3^{2\alpha}+8$
$k\cdot\dfrac{1}{k}=-4\cdot\dfrac{1}{k}+8\ (\because ㉠)$

$1=-\dfrac{4}{k}+8 \therefore k=\boxed{}$

$35k=35\cdot\boxed{}=\boxed{}$

16 그림과 같이 두 함수 $y=4^x$, $y=2x$의 그래프와 좌표축에 평행한 직선들로 만들어진 점 P에 대하여 x 축에 내린 수선의 발을 점 Q라 할 때, 삼각형 OPQ 의 넓이를 구하여라.

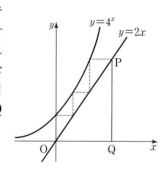

로그함수의 뜻과 그 그래프

1. **로그함수의 뜻** : 지수함수 $y=a^x$의 역함수 $y=\log_a x\,(a>0,\ a\neq 1)$를 a를 밑으로 하는 로그함수라 한다.

2. **로그함수 $y=\log_a x\,(a>0,\ a\neq 1)$의 그래프**

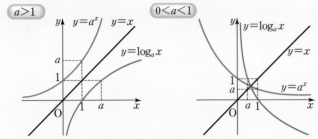

3. **로그함수 $y=\log_a x\,(a>0,\ a\neq 1)$의 성질**
   (1) 정의역은 양의 실수 전체의 집합이고, 치역은 실수 전체의 집합이다.
   (2) $a>1$일 때, x의 값이 증가하면 y의 값도 증가한다.
   　$0<a<1$일 때, x의 값이 증가하면 y의 값은 감소한다.
   (3) 그래프는 점 $(1,\ 0)$을 지나고, y축을 점근선으로 가진다.
   (4) 지수함수 $y=a^x$의 그래프와 직선 $y=x$에 대하여 대칭이다.

- 증가하는 함수의 역함수는 증가하는 함수이고, 감소하는 함수의 역함수는 감소하는 함수이다.
  따라서
  $a>1$일 때
  $y=a^x$이 증가함수이므로
  $y=\log_a x$도 증가함수
  $0<a<1$일 때
  $y=a^x$이 감소함수이므로
  $y=\log_a x$도 감소함수
- $y=a^x$의 그래프가 점 $(0,\ 1)$을 지나고 점근선은 x축이므로, 역함수인 $y=\log_a x$의 그래프는 점 $(1,\ 0)$을 지나고 점근선은 y축이 된다.

유형 044 로그함수의 그래프

※ **다음 로그함수의 그래프를 그려라.**

01 $y=\log_2 x$

해설ㅣ 로그함수 $y=\log_2 x$의 그래프는 지수함수 $y=2^x$의 〔　〕이므로 로그함수 $y=\log_2 x$의 그래프는 지수함수 $y=2^x$의 그래프를 직선 〔　〕에 대하여 대칭이동한 것이다. 따라서 로그함수 $y=\log_2 x$의 그래프는 오른쪽 그림과 같다.

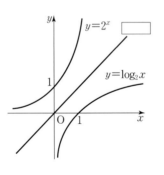

02 $y=\log_{\frac{1}{2}} x$

※ **다음에서 옳은 것에는 ○, 옳지 않은 것에는 ×표 하여라.**

03 밑이 1보다 작은 로그함수는 증가함수이다. (　　　)

04 로그함수 $y=\log_a x$는 지수함수 $y=a^x$의 역함수이므로, 정의역은 양의 실수 전체의 집합이고, 치역은 실수 전체의 집합이다. (　　　)

05 함수 $y=\log_a x\,(a>0,\ a\neq 1)$의 그래프는 a의 값에 관계없이 점 $(1,\ a)$를 지난다. (　　　)

유형 045 로그함수의 평행이동과 대칭이동

※ 다음 로그함수의 그래프를 그려라.

06 $y = \log_3 (x+1)$

해설 | $y = \log_3 (x+1)$의 그래프는 $y = \log_3 x$의 그래프를 x
축 방향으로 □ 만큼 평행이동한 것이다.

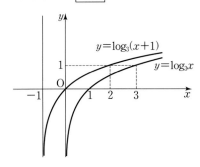

07 $y = \log_2 x + 3$

08 $y = \log_2 (-x)$

09 $y = -\log_3 x$

10 $y = \log_2 (3-x) + 6$

Tip

함수 $y = \log_a x$의 그래프를
(ⅰ) x축 방향으로 m만큼, y축 방향으로 n만큼 평행이동 :
　　$y = \log_a (x-m) + n$
(ⅱ) y축에 대하여 대칭이동 : $y = \log_a (-x)$
(ⅲ) x축에 대하여 대칭이동 : $y = -\log_a x$
(ⅳ) 원점에 대하여 대칭이동 : $y = -\log_a (-x)$

※ 다음 ( ) 안에 알맞은 것을 써넣어라.

11 함수 $y=\log_2 \dfrac{1}{x}$ 의 그래프는 함수 ( )의 그래프를 ( )축에 대하여 대칭이동한 것이다.

12 함수 $y=\log_3 (x+4)-5$ 의 그래프는 함수 $y=\log_3 x$ 의 그래프를 x 축 방향으로 ( )만큼, y 축 방향으로 ( )만큼 평행이동한 것이다.

13 함수 $y=\log_5 (125x-625)$ 의 그래프는 함수 $y=\log_5 x$ 의 그래프를 x 축 방향으로 ( )만큼, y 축 방향으로 ( )만큼 평행이동한 것이다.

※ 다음 물음에 답하여라.

14 $\log_{(x-3)} (-x^2+7x-6)$ 이 정의되도록 하는 정수 x 의 값을 구하여라.

15 곡선 $y=\log_2 (x-2)$ 의 점근선이 직선 $x=k$ 라 할 때, k^2 의 값을 구하여라.

학교시험 필수예제

16 함수 $y=\log_4 x$ 의 그래프를 x 축 방향으로 a 만큼 평행이동시킨 그래프와 함수 $y=\log_b x$ 의 그래프가 점 $(4,\ 2)$ 에서 만날 때, $|a+b|$ 의 값은?

① 6   ② 8   ③ 10
④ 12   ⑤ 14

17 로그함수의 최대·최소

1. $y=\log_a f(x)$ $(a>0,\ a\neq1)$꼴의 최대·최소
   (i) $a>1$이면 $f(x)$가 최대일 때 y도 최대, $f(x)$가 최소일 때 y도 최소이다.
   (ii) $0<a<1$이면 $f(x)$가 최대일 때 y는 최소, $f(x)$가 최소일 때 y는 최대이다.

2. $\log_a x$꼴이 반복되는 함수의 최대·최소
   $\log_a x=t$로 치환하여 t의 값의 범위 내에서 최대·최소를 구한다.

• 로그함수 $y=\log_a f(x)$의 그래프는 $a>1$일 때 $f(x)$의 값이 증가하면 y의 값도 증가하고 $0<a<1$일 때 $f(x)$의 값이 증가하면 y의 값은 감소한다. 따라서 주어진 로그의 밑을 같게 나타낸 후 대소를 비교한다.

유형 046 로그함수를 이용한 대소 비교

로그의 밑을 통일한 후 대소를 비교한다.
$a>1$일 때 $x_1<x_2$이면 $\log_a x_1<\log_a x_2$
$0<a<1$일 때 $x_1<x_2$이면 $\log_a x_1>\log_a x_2$

※ 다음 수의 대소를 비교하여라.

01

$$3,\ 2\log_2 3,\ \log_4 70$$

해설ㅣ 주어진 수를 밑이 2인 로그로 나타내면
$3=\log_2 2^3=\log_2 8,$
$2\log_2 3=\log_2 3^2=\log_2 9,$
$\log_4 70=\dfrac{1}{2}\log_2 70=\log_2 70^{\frac{1}{2}}=\log_2 \sqrt{70}$

이때, $y=\log_2 x$의 그래프는 x의 값이 증가하면 y의 값도 증가하고, $8<\sqrt{70}<9$이므로

$\log_2 \boxed{}<\log_2 \boxed{}<\log_2 \boxed{}$

$\therefore 3<\boxed{}<\boxed{}$

02

$$2\log_3 2,\ \log_9 120,\ 2,\ \log_3 8+1$$

03

$$\dfrac{1}{2}\log_2 5,\ \log_4 81,\ 3\log_4 3,\ 1$$

학교시험 필수예제

04 세 수 $\log_{\frac{1}{3}} 5$, -2, $\dfrac{1}{2}\log_{\frac{1}{3}} 36$에서 가장 큰 수를 m, 두 번째 큰 수를 n이라 할 때, $\dfrac{m}{n}$은?

① $\log_6 5$ ② $2\log_6 5$ ③ $3\log_6 10$

④ $\log_5 8$ ⑤ $2\log_5 8$

※ 주어진 범위에서 다음 함수의 최댓값과 최솟값을 구하여라.

05 $2 \leq x \leq 6$, $y = \log_2(3x-2)$

해설 | 밑이 1보다 큰 로그함수 $y = \log_2(3x-2)$의 그래프는 $(3x-2)$의 값이 증가하면 y의 값도 $\boxed{}$ 한다.

따라서 $2 \leq x \leq 6$에서 함수 $y = \log_2(3x-2)$는

$x = \boxed{}$ 일 때 최대이고, 최댓값은

$y = \log_2(3 \cdot \boxed{} - 2) = \log_2 \boxed{} = \boxed{}$

$x = \boxed{}$ 일 때 최소이고, 최솟값은

$y = \log_2(3 \cdot \boxed{} - 2) = \log_2 \boxed{} = \boxed{}$

06 $4 \leq x \leq 8$, $y = \log_2 x + 4$

07 $1 \leq x \leq 11$, $y = \log_2(3x-1) - 4$

08 $-6 \leq x \leq 1$, $y = \log_2(-x+2) + 2$

09 $6 \leq x \leq 10$, $y = \log_4\{x(x-4)+4\}$

Tip

로그함수 $y = \log_a f(x)$의 그래프는 $a > 1$일 때 $f(x)$의 값이 증가하면 y의 값도 증가하고 $0 < a < 1$일 때 $f(x)$의 값이 증가하면 y의 값은 감소한다.

유형 **048** 치환을 이용한 로그함수의 최대·최소

※ 주어진 범위에서 다음 함수의 최댓값과 최솟값을 구하여라.

10 $1 \leq x \leq 8$, $y = (\log_2 4x)^2 - 3\log_2 (8x)^2 + 20$

해설ㅣ 로그의 성질을 이용하여 주어진 식을 변형하면

$y = (\log_2 4x)^2 - 3\log_2 (8x)^2 + 20$

$\quad = (\log_2 4x)^2 - 6\log_2 8x + 20$

$\quad = (\log_2 4 + \log_2 x)^2 - 6(\log_2 8 + \log_2 x) + 20$

$\quad = (2 + \log_2 x)^2 - 6(3 + \log_2 x) + 20$

$\log_2 x = t$로 놓으면 $1 \leq x \leq 8$에서

$\log_2 1 \leq \log_2 x \leq \log_2 8$ ∴ $\boxed{} \leq t \leq \boxed{}$

이때, 주어진 함수는

$y = (2 + t)^2 - 6(3 + t) + 20$

$\quad = t^2 + 4t + 4 - \boxed{} - 6t + 20$

$\quad = t^2 - 2t + \boxed{} = (t - 1)^2 + 5$

따라서 $\boxed{} \leq t \leq \boxed{}$에서 함수 $y = (t-1)^2 + 5$는

$t = \boxed{}$일 때 최대이고,

최댓값은 $y = (\boxed{} - 1)^2 + 5 = \boxed{}$

$t = \boxed{}$일 때 최소이고,

최솟값은 $y = (\boxed{} - 1)^2 + 5 = \boxed{}$

11 $3 \leq x \leq 81$, $y = (\log_3 x)^2 - \log_3 x^4 - 2$

유형 **049** 지수함수와 로그함수의 관계

※ 다음 함수의 역함수를 구하여라.

12 $y = 3 \cdot 2^{x-1}$

13 $y = \log_2 (x - 3) + 1$

14 $y = \log_3 (x + 1) - 2$

Tip

$\log_a x$가 반복되는 경우의 최대·최소는 $\log_a x = t$로 치환하여

(ⅰ) t의 값의 범위를 구한다.

(ⅱ) t의 값의 범위 내에서 y의 최댓값과 최솟값을 구한다.

15 함수 $y=a^{x+b}$의 그래프가 다음과 같다. 이 함수의 역함수를 $y=g(x)$라 할 때, $g(9)$의 값을 구하여라.

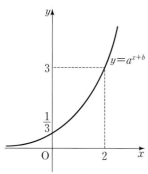

해설| 함수 $y=a^{x+b}$는 두 점 $\left(0,\ \dfrac{1}{3}\right)$, $(2,\ 3)$을 지나므로

각각 대입하면

$\left(0,\ \dfrac{1}{3}\right)$에서 $\dfrac{1}{3}=a^b$ ...... ㉠

$(2,\ 3)$에서 $3=a^{2+b}$ ...... ㉡

㉡과 ㉠을 변끼리 나누면 $\boxed{}=a^2$이므로

$a=3$, $b=-1$

따라서 주어진 함수는 $y=3^{x-1}$이다. ...... (★)

이때, 역함수는 x와 y를 서로 바꾸면 $x=3^{y-1}$이다.

양변에 밑을 3으로 하는 로그를 취하면

$\log_3 x=\log_3 3^{y-1}=y-\boxed{}$

$\therefore y=\log_3 x+1$

$g(x)=\log_3 x+1$이므로

$g(9)=\log_3 9+1=\log_3 3^2+1=\boxed{}+1=\boxed{}$

[다른 풀이]

주어진 함수 (★)로부터 역함수를 구해서 함숫값을 구하는 것보다는 역함수의 성질

$$f(a)=b \Longleftrightarrow a=f^{-1}(b)$$

를 이용하는 것이 편리하다.

따라서 주어진 함수 (★)를 $y=f(x)$라 하면

$g(9)=k$에서 $f(k)=\boxed{}$이므로

$f(k)=3^{k-1}=9$

$3^{k-1}=3^2$

$k-1=2$

$k=3$

$\therefore g(9)=\boxed{}$

16 함수 $y=\log_2(x-1)-3$의 역함수를 $y=g(x)$라 할 때, $g(3)$의 값을 구하여라.

17 함수 $y=4^{-x+2}-5$의 역함수를 $y=g(x)$라 할 때, $g(3)$의 값을 구하여라.

학교시험 필수예제

18 함수 $f(x)=\log_5 x$의 역함수를 $y=g(x)$라고 한다. $g(a)=\dfrac{1}{4}$, $g(b)=2$일 때, $g(a+b)$의 값은?

① $\dfrac{1}{4}$ 　　　② $\dfrac{1}{2}$ 　　　③ 1

④ 2 　　　⑤ 4

※ 다음 물음에 답하여라.

19 곡선 $y=\log_2(ax+b)$가 점 $(-2,\ 0)$과 점 $(0,\ 4)$를 지날 때, 두 상수 a, b의 곱 ab의 값을 구하여라.

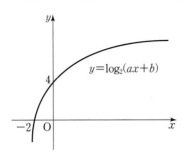

20 함수 $y=\log_7 x$의 그래프가 다음과 같을 때, $a+b$의 값을 구하여라.

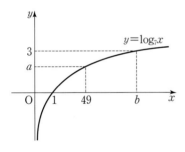

21 다음 그림은 함수 $y=\log_a x$의 그래프이다. 이때, r를 p, q로 나타내어라.

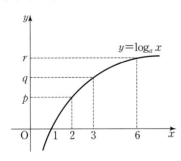

22 두 곡선 $y=9^x$과 $y=3^x$이 직선 $y=4$와 만나는 점을 각각 P, Q라고 할 때, 선분 PQ의 길이를 구하여라.

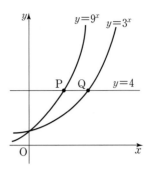

23 다음 그림은 로그함수 $y=\log_2 x$의 그래프이다. 점 Q는 선분 PO를 2 : 1로 내분하는 점이다. 이때, α의 값을 구하여라.

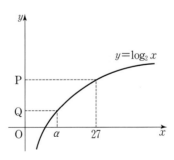

18 지수방정식

1. **지수방정식** : $2^x=8$, $3^{-x}=2^{x+1}$, $9^x-2 \cdot 3^x-3=0$과 같이 지수에 미지수를 포함하는 방정식

2. **지수방정식의 풀이**

  (1) 항이 2개인 경우

   ① 밑을 같게 할 수 있을 때 : 밑을 같게 한 다음 지수를 비교한다.

$$a^{f(x)}=a^{g(x)} \Longleftrightarrow f(x)=g(x)\ (a>0,\ a\neq 1)$$

   ② 지수를 같게 할 수 있을 때 : 지수를 같게 한 다음 밑을 비교하거나 지수가 0임을 이용한다.

$$a^{f(x)}=b^{f(x)} \Longleftrightarrow a=b\ 또는\ f(x)=0\ (a>0,\ a\neq 1,\ b>0,\ b\neq 1)$$

   ③ 밑도 지수도 같게 할 수 없을 때 :

$$a^{f(x)}=b^{g(x)}\ (a>0,\ a\neq 1,\ b>0,\ b\neq 1,\ a\neq b)$$의 양변에 상용로그를 취하여 $\log a^{f(x)}=\log b^{g(x)}$를 푼다.

  (2) 항이 3개 이상인 경우

   $9^x-2 \cdot 3^x-3=0$과 같이 a^x꼴이 반복될 때, $a^x=t\ (t>0)$로 치환하여 t에 대한 방정식으로 푼다.

[주의]
$a^x=t\ (t>0)$로 치환하여 방정식을 푼 경우, 치환한 방정식에서 구한 t의 값을 다시 처음의 변수 x로 바꾸어 해를 구해야 한다.

유형 050 지수방정식 - 밑을 같게 하는 경우

※ 다음 방정식을 풀어라.

01 $2^{x-1}=\dfrac{1}{8}$

해설ㅣ 주어진 방정식의 양변을 지수의 밑이 2로 같도록 변형하면

$$2^{x-1}=2^{\boxed{}}$$

이때, 밑이 같으므로

$$x-1=\boxed{} \quad \therefore x=\boxed{}$$

02 $\left(\dfrac{1}{3}\right)^x=27$

03 $2^{2x+1}=32$

04 $\dfrac{4^x}{2}=2^{x+3}$

05 $4^{1-x}=32$

06 $5^{3x-2}=625$

07 $\left(\dfrac{1}{2}\right)^{-x+2}=2^{2x}$

08 $\left(\dfrac{3}{2}\right)^{2x-3}=\left(\dfrac{2}{3}\right)^{x-1}$

※ 다음 물음에 답하여라.

09 4의 세제곱근 중 실수인 것을 a라 할 때, 지수방정식 $\left(\dfrac{1}{2}\right)^{x+1}=a$의 해를 구하여라.

10 양수 x가 $2^{3x^2-4x-9}=\dfrac{1}{4}$을 만족시킬 때, x의 값을 구하여라.

유형 051 지수방정식 - 지수가 같은 경우

※ 다음 방정식을 풀어라.

11 $(x-2)^{x-3}=4^{x-3}$ (단, $x>2$)

해설 지수가 같으므로 밑이 같거나 지수가 $\boxed{}$ 이어야 한다.

(ⅰ) $x-2=\boxed{}$ 이면 $x=\boxed{}$

(ⅱ) $x-3=\boxed{}$, 즉 $x=\boxed{}$ 이면 $1^0=4^0$이므로 성립한다.

(ⅰ), (ⅱ)에서 주어진 방정식의 해는

$x=\boxed{}$ 또는 $x=\boxed{}$

12 $(x+1)^x=2^x$ (단, $x>-1$)

13 $(x-1)^{x-2}=4^{x-2}$ (단, $x>1$)

14 $(x+3)^x=4^x$ (단, $x>-3$)

15 $(3x+4)^{x-2}=(x+6)^{x-2}$ $\left(단, x>-\dfrac{4}{3}\right)$

※ 다음 방정식을 풀어라.

16 $3^{2x-1}=4^{x+1}$

해설ㅣ $3^{2x-1}=4^{x+1}$의 양변에 상용로그를 취하면

$$\log \boxed{}^{2x-1}=\log \boxed{}^{x+1}$$

$$(2x-1)\log \boxed{}=(x+1)\log \boxed{}$$

$$(2\log 3-\log 4)x=\log 4+\log 3$$

$$\therefore x=\boxed{}$$

17 $3^{x-3}=7^{2x+1}$

18 $5^x-3^{x+2}=0$

a^x꼴이 반복되는 지수방정식 ⇒ $a^x=t$로 치환한다.

※ 다음 방정식을 풀어라.

19 $4^x-3\cdot 2^{x+2}+32=0$

해설ㅣ 주어진 방정식을 변형하면

$$(2^2)^x-3\cdot 2^2\cdot 2^x+32=0$$

$$(2^x)^2-3\cdot 2^2\cdot 2^x+32=0$$

이때, $2^x=t\ (t>0)$로 놓으면

$$t^2-\boxed{}t+32=0$$

이므로 t에 대한 이차방정식을 푼다.

$$(t-4)(t-\boxed{})=0$$

$t=2^x>0$이므로 $t=4$ 또는 $t=\boxed{}$

따라서 $2^x=4=2^2$ 또는 $2^x=\boxed{}=2^{\boxed{}}$이므로

$x=2$ 또는 $x=\boxed{}$

20 $4^x+2^{x+3}-128=0$

21 $3^{2x}=6\cdot 3^x+3^{x+1}$

유형 054 지수방정식의 응용

※ 다음 최솟값을 구하여라.

22 두 정수 a, b가 $a+2b=16$을 만족할 때, 2^a+4^b의 최솟값

해설│ 2^a+4^b에서 $2^a>0$, $4^b>0$이므로

산술평균과 기하평균의 관계에 의해

$2^a+4^b\geq\boxed{}\sqrt{2^a\cdot4^b}$

$2^a\cdot4^b=2^a\cdot2^{2b}=2^{a+2b}=2^{16}\ (\because a+2b=16$이므로$)$

$2^a+4^b\geq\boxed{}\sqrt{2^a\cdot4^b}=\boxed{}\sqrt{2^{16}}=\boxed{}\cdot2^8=2^{\boxed{}}$

따라서 구하는 최솟값은 $2^a=4^b$일 때 $2^{\boxed{}}=\boxed{}$

23 두 실수 p, q가 $2p+q-1=0$을 만족할 때, 9^p+3^{q+3}의 최솟값

Tip

산술평균과 기하평균의 관계

$a>0$, $b>0$일 때, $\dfrac{a+b}{2}\geq\sqrt{ab}$이므로

$a+b\geq2\sqrt{ab}$ (단, 등호는 $a=b$일 때 성립한다.)

※ 다음 물음에 답하여라.

24 방정식 $4^x-5\cdot2^x+2=0$이 서로 다른 두 실근 α, β를 가질 때, $\alpha+\beta$의 값을 구하여라.

25 방정식 $16^x-4^{x+2}+100=0$의 두 실근을 α, β라 할 때, $2^{\alpha+\beta}$의 값을 구하여라.

26 방정식 $9^x-3^{x+1}+2=0$의 두 실근을 α, β라 할 때, $3^\alpha+3^\beta$의 값을 구하여라.

27 방정식 $4^x-2^{x+1}+k=0$이 서로 다른 두 실근을 가질 때, 실수 k의 값의 범위를 구하여라.

19 지수부등식

1. **지수부등식** : $2^x < 8$, $3^{-x} \le 2^{x+1}$, $4^x - 2^x - 3 > 0$과 같이 지수에 미지수를 포함하는 부등식

2. **지수부등식의 풀이**

   (1) 항이 2개인 경우

   ① 밑을 같게 할 수 있을 때 밑을 같게 한 다음 지수를 비교한다.

   (i) $a > 1$일 때, $a^{f(x)} < a^{g(x)} \Longleftrightarrow f(x) < g(x)$

   (ii) $0 < a < 1$일 때, $a^{f(x)} < a^{g(x)} \Longleftrightarrow f(x) > g(x)$

   ② 밑이 같지 않을 때

   $a^{f(x)} < b^{g(x)}$ $(a > 0,\ a \ne 1,\ b > 0,\ b \ne 1,\ a \ne b)$의 양변에 상용로그를 취하여 $\log a^{f(x)} < \log b^{g(x)}$를 푼다.

   (2) 항이 3개 이상인 경우

   $4^x - 2^x - 3 > 0$과 같이 a^x꼴이 반복될 때, $a^x = t$ $(t > 0)$로 치환하여 t에 대한 부등식으로 푼다.

밑을 같게 할 수 있을 때

$\begin{cases} (밑) > 1 \Rightarrow \text{지수의 부등호 방향 그대로로} \\ 0 < (밑) < 1 \Rightarrow \text{지수의 부등호 방향 반대로} \end{cases}$

[주의]

$a^x = t$ $(t > 0)$로 치환하여 부등식을 푼 경우, 치환한 부등식에서 구한 t의 값을 다시 처음의 변수 x로 바꾸어 해를 구해야 한다.

유형 055 지수부등식 - 밑을 같게 하는 경우

※ 다음부등식을 풀어라.

01 $2^x \ge \sqrt{2}$

해설ㅣ 주어진 부등식의 양변을 지수의 밑이 2로 같도록 변형하면 $2^x \ge 2^{\frac{1}{2}}$

이때, 밑이 $\boxed{}$ 보다 크므로 $x \boxed{} \dfrac{1}{2}$

02 $8^{2-x} < 32$

03 $2 \cdot 5^x > 250$

04 $\left(\dfrac{1}{2}\right)^x \le \left(\dfrac{1}{16}\right)^{x-1}$

05 $\left(\dfrac{1}{3}\right)^{x+1} > \left(\dfrac{1}{27}\right)^{2x+1}$

06 $\left(\dfrac{1}{5}\right)^{x+1} > 125$

유형 056 지수부등식 - 밑이 같지 않은 경우

※ 다음부등식을 풀어라.

07 $5^{2x-1} < 3^{x+2}$

해설 | $5^{2x-1} < 3^{x+2}$의 양변에 상용로그를 취하면

$\log 5^{2x-1} < \log 3^{x+2}$

$(\boxed{})\log 5 < (\boxed{})\log 3$

$(2\log 5 - \log 3)x < 2\log 3 + \log 5$

이때, $2\log 5 - \log 3$ $\boxed{}$ 0이므로

$x \boxed{} \dfrac{2\log 3 + \log 5}{2\log 5 - \log 3}$

08 $2 \cdot 2^x \le 3^{2x+1}$

09 $(\sqrt{8})^x < (\sqrt{27})^{x+2}$

유형 057 지수부등식 - $a^x = t$로 치환하는 경우

※ 다음부등식을 풀어라.

10 $5^{2x} - 3 \cdot 5^x - 10 \ge 0$

해설 | $5^{2x} - 3 \cdot 5^x - 10 \ge 0$에서 $5^x = t\ (t>0)$로 놓으면 주어진 부등식은

$t^2 - 3t - 10 \ge 0$

$(t-5)(t+2) \ge 0$

$\therefore t \le \boxed{}$ 또는 $t \ge \boxed{}$

그런데 $t \boxed{} 0$이므로 $t \ge \boxed{}$

즉, $5^x \ge 5$

$\therefore x \ge \boxed{}$

11 $9^x + 2 \cdot 3^{x+1} > 16$

12 $3^{2x} - 9 \cdot 3^x + 1 \le 3^{x-2}$

※ 다음 물음에 답하여라.

13 부등식 $9^x - 3^{x+2} + 18 < 0$의 해가 $\alpha < x < \beta$일 때, $\alpha + 9^\beta$의 값을 구하여라.

14 지수부등식 $2^{x^2} < 4 \cdot 2^x$의 해가 $\alpha < x < \beta$일 때, $\alpha + \beta$의 값을 구하여라.

15 지수부등식 $\left(\dfrac{1}{2}\right)^{x^2+1} > \left(\dfrac{1}{4}\right)^{x+2}$의 해가 $\alpha < x < \beta$일 때, 두 실수 α, β의 차 $|\alpha - \beta|$를 구하여라.

16 부등식 $\left(\dfrac{1}{3}\right)^{x-4} \geq \sqrt{\sqrt[3]{3^6}}$을 만족시키는 정수 x의 최댓값을 구하여라.

17 지수부등식 $\dfrac{1}{9^x} - \dfrac{2}{3^{x-1}} - 27 \leq 0$을 만족하는 정수 x의 최솟값을 구하여라.

18 부등식 $\left(2^x - \dfrac{1}{4}\right)(2^x - 1) < 0$을 만족시키는 정수 x의 값을 구하여라.

19 x에 대한 부등식 $(2^{x+3}-1)(2^{x-p}-1)<0$을 만족시키는 정수 x의 개수가 20일 때, 자연수 p의 값을 구하여라.

20 모든 실수 x에 대하여 $3^{2x}-2\cdot3^{x+1}+k>0$을 만족시키는 정수 k의 최솟값을 구하여라.

21 일차함수 $y=f(x)$의 그래프가 그림과 같고 $f(-6)=0$이다. 부등식 $3^{f(x)}\leq81$의 해가 $x\leq-4$일 때, $f(0)$의 값을 구하여라.

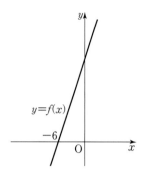

유형 059 지수함수의 활용

22 어느 플랑크톤의 개체 수는 2일마다 10 %씩 증가한다고 한다. 현재 개체수가 100마리일 때, 같은 환경에서 20일 후의 개체수를 구하여라.

　　　　（단, $1.1^{10}=2.59$, $1.1^{20}=6.73$으로 계산한다.）

23 어느 은행에 A만원을 저축할 때, t년 후의 이자 $P(t)$만원은 $P(t)=A\left(\dfrac{2}{5}\right)^{\frac{t}{2}}$이 된다고 한다. 처음 저축액이 2000만원이고 t년 후의 이자는 320만원이라 할 때, t의 값을 구하여라.

24 어떤 바다의 수면에서의 빛의 세기가 $840\ \text{W/m}^2$일 때, 수심 $h\text{m}$인 곳에서 빛의 세기 $A(h)$는

$$A(h)=840\left(\dfrac{1}{2}\right)^{\frac{h}{2}}\ (\text{W/m}^2)$$

로 나타내어진다고 한다. 이 바다에서 수심이 $10\ \text{m}$인 곳에서의 빛의 세기는 수심이 $50\ \text{m}$인 곳에서의 빛의 세기의 a^k배라 한다. 이때, $a+k$의 값을 구하여라.

(단, $a,\ k$는 양의 정수)

25 어느 필름의 사진 농도를 P, 입사하는 빛의 세기를 Q, 투과하는 빛의 세기를 R라 하면 다음과 같은 관계식이 성립한다고 한다.

$$R=Q\times 10^{-P}$$

두 필름 A, B에 입사하는 빛의 세기가 서로 같고, 두 필름 A, B의 사진 농도가 각각 p, $p+5$라 한다. 이때, 필름 A의 투과하는 빛의 세기 R_A는 필름 B의 투과하는 빛의 세기 R_B의 세기의 몇 배인지 구하여라. (단, $p>0$)

26 지난 n년 동안 매출액이 p원에서 q원으로 변했을 때, 연평균 성장률 G는

$$G=\left(\dfrac{q}{p}\right)^{\frac{1}{n}}-1$$

로 나타낸다. 두 회사 A, B의 2006년 말 매출액은 각각 150억 원, 250억 원이었고, 2016년 말 매출액은 각각 600억 원, 750억 원이었다. 이때, 2006년 말부터 2016년 말까지 10년 동안 A회사의 연평균 성장률은 B회사의 연평균 성장률의 몇 배지 구하여라.

(단, $2^{\frac{11}{10}}=2.14$, $3^{\frac{11}{10}}=3.35$로 계산한다.)

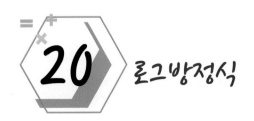

로그방정식

1. **로그방정식** : $\log_3 x = 2$, $x^{\log x} = x^2$, $(\log_2 x)^2 - \log_2 x = 0$과 같이 로그의 진수 또는 밑에 미지수를 포함하는 방정식

2. **로그방정식의 풀이**

   (1) $\log_a f(x) = b$일 때 : $\log_a f(x) = b \Longleftrightarrow f(x) = a^b$ (단, $f(x) > 0$)

   (2) 밑이 같을 때 : 진수가 같음을 이용하여 푼다.
   $\log_a f(x) = \log_a g(x) \Longleftrightarrow f(x) = g(x)$ (단, $f(x) > 0$, $g(x) > 0$)

   (3) 밑이 같지 않을 때 : 로그의 밑 변환 공식을 이용하여 밑을 통일하여 푼다.

   (4) $\log_a x$의 꼴이 반복될 때 : $\log_a x = t$로 치환하여 t에 대한 방정식을 푼다.

   (5) 지수에 로그 $\log_a x$가 있을 때 : 양변에 a를 밑으로 하는 로그를 취하여 푼다.

   (6) 진수가 같을 때 : 밑이 같거나 진수가 1이다.
   $\log_a f(x) = \log_b f(x) \Longleftrightarrow a = b$ 또는 $f(x) = 1$

로그방정식을 풀 때에는 구한 해가 로그의 정의 및 조건에 맞는지 반드시 확인한다.

(밑) > 0, (밑) $\neq 1$, (진수) > 0

유형 060 로그방정식 - $\log_a f(x) = b$

※ 다음 로그방정식을 풀어라.

01 $\log_3 (2x + 1) = 2$

해설 | 로그의 진수는 양수이므로

$2x + 1 > 0$ $\therefore x > \boxed{}$ …… ㉠

로그의 정의에 의해 주어진 방정식은

$2x + 1 = 3^2$ $\therefore x = \boxed{}$

이것은 진수 조건 ㉠을 만족하므로, 구하는 해는

$x = \boxed{}$

02 $\log_3 (5x + 1) = 4$

03 $\log x + \log (x - 3) = 1$

학교시험 필수예제

04 로그방정식 $\log (x-1)16 = 2$를 풀어라.

※ 다음 로그방정식을 풀어라.

05 $\log_2 (2x+1) = \log_2 5$

해설 | 로그의 진수는 양수이므로

$2x+1 > 0$

$\therefore x > \boxed{}$

$\log_2 (2x+1) = \log_2 5$에서 밑이 같으므로

$2x+1 = 5$ $\therefore x = \boxed{}$

이것은 진수 조건 $x > \boxed{}$ 을 만족하므로, 구하는 해는

$x = \boxed{}$

06 $2\log_3 x = \log_3 (x-2) + 2$

07 $\log_2 x + \log_2 (x+2) = 3$

※ 다음 로그방정식을 풀어라.

08 $\log_3 (x-1) = \log_9 (3-x)$

해설 | 로그의 진수는 양수이므로

$x-1 > 0, \; 3-x > 0$

$\therefore 1 < x < 3$

로그의 성질을 이용하여 주어진 방정식을 변형하면

$\log_9 (x-1)^2 = \log_9 (3-x)$

$(x-1)^2 = 3-x, \; x^2 - x - \boxed{} = 0,$

$(x + \boxed{})(x - \boxed{}) = 0$

$\therefore x = \boxed{}$ 또는 $x = \boxed{}$

진수 조건에서 $1 < x < 3$이므로, 구하는 해는

$x = \boxed{}$

09 $\log_2 (x-2) = \log_4 x$

10 $\log_2 x + \log_4 (x^2 + 6x + 9) = 2$

유형 063 로그방정식 - $\log_a x = t$로 치환하는 경우

※ 다음 로그방정식을 풀어라.

11 $(\log_3 x)^2 + \log_3 x^2 - 3 = 0$

해설ㅣ 로그의 진수는 양수이므로 $x > 0$, $x^2 > 0$
∴ $x > 0$
주어진 방정식 $(\log_3 x)^2 + \log_3 x^2 - 3 = 0$에서
$\log_3 x = t$로 놓으면
$t^2 + \boxed{}t - 3 = 0$, $(t - \boxed{})(t + 3) = 0$
∴ $t = \boxed{}$ 또는 $t = -3$
따라서 $\log_3 x = \boxed{}$ 또는 $\log_3 x = -3$이므로
$x = 3^1$ 또는 $x = 3^{-3}$
∴ $x = \boxed{}$ 또는 $x = \dfrac{1}{27}$
이것은 진수 조건 $x > 0$을 만족하므로, 구하는 해는
$x = \boxed{}$ 또는 $x = \dfrac{1}{27}$

12 $(\log_3 x)^2 + 8 = \log_3 x^6$

13 $(\log_2 x)^2 - 4\log_2 x = 12$

유형 064 로그방정식 - 지수에 로그가 있는 경우

※ 다음 로그방정식을 풀어라.

14 $x^{\log_2 x} = 4x$

해설ㅣ 로그의 진수는 양수이므로 $x > 0$
주어진 방정식의 양변에 2를 밑으로 하는 로그를 취하면
$\log_2 x^{\log_2 x} = \log_2 4x$
$(\log_2 x)^2 = \log_2 4 + \log_2 x$
$\log_2 x = t$로 놓으면
$t^2 - t - \boxed{} = 0$, $(t+1)(t - \boxed{}) = 0$
∴ $t = -1$ 또는 $t = \boxed{}$
따라서 $\log_2 x = -1$ 또는 $\log_2 x = \boxed{}$이므로
$x = 2^{-1}$ 또는 $x = 2^{\boxed{}}$
∴ $x = \dfrac{1}{2}$ 또는 $x = \boxed{}$
이것은 진수 조건 $x > 0$을 만족하므로, 구하는 해는
$x = \dfrac{1}{2}$ 또는 $x = \boxed{}$

15 $x^{\log_2 x} = 8x^2$

※ 다음 물음에 답하여라.

16 방정식 $(\log_3 x)^2 - 3\log_3 x - 1 = 0$의 두 근을 α, β라 할 때, $\alpha\beta$의 값을 구하여라.

해설| $(\log_3 x)^2 - 3\log_3 x - 1 = 0$에서 $\log_3 x = t$로 놓으면

$t^2 - 3t - 1 = 0$ ······ ㉠

이때, 주어진 방정식의 두 근이 α, β이므로 ㉠의 두 근은 $\log_3 \alpha$, $\log_3 \beta$이다.

따라서 근과 계수의 관계에 의해

$\log_3 \alpha + \log_3 \beta = \boxed{}$, $\log_3 \alpha\beta = \boxed{}$

$\therefore \alpha\beta = \boxed{}$

17 방정식 $(\log_2 x)^2 - 5\log_2 x + 2 = 0$의 두 근을 α, β라 할 때, $\alpha\beta$의 값을 구하여라.

18 방정식 $\log x - 6\log_x 10 + a = 0$의 두 근의 곱이 10일 때, 상수 a의 값을 구하여라.

19 방정식 $\log_3 x = 3\log_x 3 + 2$의 두 근을 α, β라 할 때, $\dfrac{\alpha}{\beta}$의 값을 구하여라. ($\alpha > \beta$)

20 x에 대한 이차방정식
$$x^2 - x\log_2 a + \log_2 a + 3 = 0$$
이 실근을 갖지 않도록 하는 a의 범위를 $\alpha < a < \beta$라고 한다. 이때, 두 실수 α, β의 곱 $\alpha\beta$의 값을 구하여라.

21 로그부등식

1. **로그부등식** : $\log_3 x > 1$, $\log_6 x + \log_6 (5-x) < 1$, $x^{\log_2 x} > 4$와 같이 로그의 진수 또는 밑에 미지수를 포함하는 부등식

2. **로그부등식의 풀이** :
   (1) 밑이 같을 때 : 진수를 비교한다.
   $\begin{cases} (밑) > 1$이면 진수의 부등호 방향은 그대로 \\ 0 < (밑) < 1$이면 진수의 부등호 방향은 반대로 \end{cases}$
   (2) 밑이 같지 않을 때 : 로그의 밑 변환 공식을 이용하여 밑을 통일하여 푼다.
   (3) $\log_a x$의 꼴이 반복될 때 : $\log_a x = t$로 치환하여 t에 대한 부등식을 푼다.
   (4) 지수에 $\log_a x$가 있을 때 : 양변에 a를 밑으로 하는 로그를 취하여 푼다.

> 로그방정식과 마찬가지로 로그부등식을 풀 때에도 구한 해가 로그의 정의 및 조건에 맞는지 반드시 확인한다.
> (밑) > 0, (밑) ≠ 1, (진수) > 0

유형 066 로그부등식 - 밑이 같은 경우

※ 다음 로그부등식을 풀어라.

01 $\log_2 (x-4) < 3$

해설| 진수는 양수이므로 $x-4 > 0$
∴ $x > 4$ ...... ㉠
주어진 부등식에서
$\log_2 (x-4) < \log_2 \boxed{}^3$
이때, (밑) > 1이므로
$x-4 < \boxed{}$
∴ $x < \boxed{}$ ...... ㉡
㉠, ㉡의 공통 범위를 구하면 $\boxed{} < x < \boxed{}$

02 $\log_{\frac{1}{3}} 2x \le \log_{\frac{1}{3}} (x-2)$

03 $\log_3 x + \log_3 (x+8) \le 2$

04 $\log_6 x + \log_6 (5-x) < 1$

※ 다음 로그부등식을 풀어라.

05 $\log_{\frac{1}{2}}(x-1) < \log_{\frac{1}{4}}(x-1)$

해설ㅣ 진수는 양수이므로 $x-1>0$

$\therefore x>1$ ...... ㉠

주어진 부등식에서

$\log_{\frac{1}{2}}(x-1) < \boxed{} \log_{\frac{1}{2}}(x-1)$

$\boxed{} \log_{\frac{1}{2}}(x-1) < \log_{\frac{1}{2}}(x-1)$

$\log_{\frac{1}{2}}(x-1)^2 < \log_{\frac{1}{2}}(x-1)$

이때, $0 < (밑) < 1$이므로

$(x-1)^2 > x-1$, $x^2-3x+\boxed{}>0$,

$(x-\boxed{})(x-\boxed{})>0$

$\therefore x<\boxed{}$ 또는 $x>\boxed{}$ ...... ㉡

㉠, ㉡의 공통 범위를 구하면 $x>\boxed{}$

06 $\log_3(x-4) \geq \log_9(x-2)$

07 $\log_2(x-2) < \log_4(x+6)+1$

※ 다음 로그부등식을 풀어라.

08 $(\log_3 x)^2 + 6 < \log_3 x^5$

해설ㅣ 진수는 양수이므로 $x>0$, $x^5>0$

$\therefore x>0$ ...... ㉠

주어진 부등식에서

$(\log_3 x)^2 + 6 < 5\log_3 x$

이때, $\log_3 x = t$로 놓으면

$t^2+6 < 5t$, $t^2-5t+6<0$, $(t-2)(t-3)<0$

$\therefore 2<t<3$

따라서 $\boxed{} < \log_3 x < \boxed{}$이므로

$\log_3 3^2 < \log_3 x < \log_3 3^3$

$\therefore \boxed{} < x < \boxed{}$ ...... ㉡

㉠, ㉡의 공통 범위를 구하면 $\boxed{} < x < \boxed{}$

09 $(\log x)^2 - 2 < \log x$

학교시험 필수예제

10 부등식 $(\log_2 2x)^2 - 3\log_2 x < 7$의 해가 $\alpha < x < \beta$ 일 때, 두 실수 α, β에 대하여 $4\alpha+\beta$의 값을 구하여라.

유형 069   로그부등식 - 지수에 로그가 있는 경우

※ 다음 로그부등식을 풀어라.

11 $8x^{\log_2 x} < x^4$

해설 | 진수는 양수이므로 $x > 0$　　　⋯⋯ ㉠

주어진 부등식의 양변에 2를 밑으로 하는 로그를 취하면 $\log_2 8x^{\log_2 x} < \log_2 x^4$

$\log_2 \boxed{} + \log_2 x \cdot \log_2 x < 4\log_2 x$

$(\log_2 x)^2 - 4\log_2 x + \boxed{} < 0$

이때, $\log_2 x = t$로 놓으면

$t^2 - 4t + \boxed{} < 0$, $(t-1)(t - \boxed{}) < 0$

$\therefore 1 < t < \boxed{}$

따라서 $1 < \log_2 x < \boxed{}$이므로

$2 < x < \boxed{}$　　　⋯⋯ ㉡

㉠, ㉡의 공통 범위를 구하면

$2 < x < \boxed{}$

12 $x^{\log x} > x^2$

13 $100x^{\log x} < x^3$

유형 070   로그부등식의 응용

※ 다음 물음에 답하여라.

14 함수 $f(x) = \log_3 x$에 대하여 $(f \circ f)(x) \leq 1$을 만족하는 자연수 x의 개수를 구하여라.

15 두 집합
$$A = \{x \mid \log_4 (\log_2 x) \leq 1\},$$
$$B = \{x \mid x^2 - 5ax + 4a^2 < 0\}$$
에 대하여 $A \cap B = B$를 만족시키는 자연수 a의 개수를 구하여라.

16 어떤 농장에서 기르는 닭의 수는 3개월마다 2배로 증가한다고 한다. 현재 닭의 수는 80마리일 때, 500마리 이상 되는 달은 현재부터 몇 개월 후인지 구하여라.
(단, $\log 2 = 0.30$, $\log 3 = 0.48$로 계산한다.)

17 어느 공장에서 조립용 로봇이 N개의 부품을 조립하는데 걸리는 시간을 t(분)이라 할 때, 다음과 같은 식을 만족한다.

$$t = 1 - a\log\left(1 - \frac{N}{200}\right) \ (단, \ 0 < N < 200)$$

부품 120개를 조립하기까지 걸린 시간이 부품 40개를 조립하기까지 걸린 시간의 1.5배가 된다고 할 때, 실수 a의 값을 구하여라. (단, $\log 2 = 0.30$, $\log 3 = 0.48$로 계산한다.)

18 어떤 약물을 사람의 정맥에 일정한 속도로 주입하기 시작한 지 t분 후 정맥에서의 약물 농도가 $C(\mathrm{ng/mL})$일 때, 다음 식이 성립한다고 한다.
$$\log(10 - C) = 1 - kt \ (단, \ C < 10, \ k는 \ 양의 \ 상수이다.)$$
이 약물을 사람의 정맥에 일정한 속도로 주입하기 시작한 지 30분 후 정맥에서의 약물 농도는 $2(\mathrm{ng/mL})$이고, 주입하기 시작한 지 60분 후 정맥에서의 약물 농도가 $a(\mathrm{ng/mL})$일 때, a의 값을 구하여라.

19 화재가 발생한 건물의 온도는 시간에 따라 변한다. 어느 건물의 초기 온도를 $T_0\,℃$, 화재가 발생한 지 x분 후의 온도를 $f(x)\,℃$라고 하면
$$f(x) = T_0 + k\log(8x + 1) \ (k는 \ 상수)$$
이 성립한다고 한다. 초기 온도가 $20\,℃$인 이 건물에서 화재가 발생한 지 $\dfrac{9}{8}$분만에 온도가 $180℃$까지 올랐다고 할 때, 화재가 발생한 후 온도가 $340\,℃$ 이상이 되는 데 걸리는 최소 시간을 구하여라.

 # Ⅰ. 지수함수와 로그함수

1. 지수

(1) 지수법칙

a, b가 실수이고, m, n이 양의 정수일 때,

① $a^m a^n = a^{\boxed{①}}$ ② $(a^m)^n = a^{mn}$ ③ $(ab)^n = a^n b^n$

④ $\left(\dfrac{a}{b}\right)^n = \dfrac{a^n}{b^n}$ (단, $b \neq 0$) ⑤ $a^m \div a^n = \begin{cases} a^{m-n} & (m > n) \\ \boxed{②} & (m = n) \\ \dfrac{1}{a^{n-m}} & (m < n) \end{cases}$

- a^n에서 n은 지수, a는 밑이라 한다.
  ① $a^m + a^n \neq a^{m+n}$
  ② $a^m \times a^n \neq a^{mn}$

(2) 거듭제곱근

n이 2 이상의 정수일 때, 실수 a에 대하여 n제곱하여 a가 되는 수, 즉 방정식 $x^n = a$를 만족시키는 x를 a의 n제곱근이라 한다.

a의 제곱근, 세제곱근, 네제곱근, …을 통틀어 a의 거듭제곱근이라 한다.

(3) a의 실수인 n제곱근

실수 a의 n제곱근 중 실수인 것을 기호 $\sqrt[n]{a}$를 이용하여 다음과 같이 나타낸다.

	$a > 0$	$a = 0$	$a < 0$
n이 홀수	$\sqrt[n]{a}$	0	$\sqrt[n]{a}$
n이 짝수	$\sqrt[n]{a}$, $-\sqrt[n]{a}$	0	없다.

(4) 거듭제곱근의 성질

$a > 0$, $b > 0$이고, m, n이 2 이상의 자연수일 때,

① $\sqrt[n]{a}\,\sqrt[n]{b} = \boxed{③}$ ② $\dfrac{\sqrt[n]{a}}{\sqrt[n]{b}} = \sqrt[n]{\dfrac{a}{b}}$

③ $(\sqrt[n]{a})^m = \sqrt[n]{a^m}$ ④ $\sqrt[m]{\sqrt[n]{a}} = \sqrt[mn]{a} = \sqrt[n]{\sqrt[m]{a}}$

⑤ $\sqrt[np]{a^{mp}} = \sqrt[n]{a^m}$ (단, p는 양의 정수)

(5) 지수의 확장

① 0 또는 음의 정수인 지수

$a \neq 0$이고, n이 양의 정수일 때

① $a^0 = \boxed{④}$ ② $a^{-n} = \dfrac{1}{a^n}$

② 유리수인 지수

$a > 0$이고 m은 정수, n은 2 이상의 정수일 때

① $a^{\frac{1}{n}} = \sqrt[n]{a}$ ② $a^{\frac{m}{n}} = \boxed{⑤}$

- $a > 0$일 때, $a^{\frac{1}{n}}$은 n제곱하여 a가 되는 수이다.

③ 지수가 실수일 때의 지수법칙

$a > 0$, $b > 0$이고, 임의의 실수 x, y에 대하여

① $a^x a^y = a^{x+y}$ ② $a^x \div a^y = a^{x-y}$ ③ $(a^x)^y = a^{xy}$ ④ $(ab)^x = a^x b^x$

① $m+n$ ② 1 ③ $\sqrt[n]{ab}$ ④ 1 ⑤ $\sqrt[n]{a^m}$

2. 로그

(1) 로그

① 로그의 정의

$a>0$, $a \ne 1$일 때, $a^x=N \iff x=$ ⑥

② 로그의 밑과 진수의 조건

$\log_a N$이 정의되기 위해서는

① $a>0$, $a \ne 1$　　　　② $N>0$

(2) 로그의 성질

① 로그의 기본 성질

$a>0$, $a \ne 1$, $M>0$, $N>0$이고 k가 실수일 때,

(ⅰ) $\log_a 1=0$, $\log_a a=1$　　　　② $\log_a MN=\log_a M+\log_a N$

(ⅱ) $\log_a \dfrac{M}{N}=\log_a M-\log_a N$　④ $\log_a M^k=k\log_a M$

② 로그의 밑의 변환 공식

$a>0$, $a \ne 1$, $b>0$, $c>0$, $c \ne 1$일 때

・$\log_a b=\dfrac{\log_c b}{\log_c a}$　　② $\log_a b=\dfrac{1}{\boxed{⑦}}$　(단, $b \ne 1$)

③ 로그의 여러 가지 성질

$a>0$, $a \ne 1$, $b>0$, $c>0$, $c \ne 1$일 때

(ⅰ) $\log_{a^m} b^n=\dfrac{n}{m}\log_a b$ (단, $m \ne 0$)

(ⅱ) $a^{\log_c b}=b^{\log_c a}$

(ⅲ) $a^{\log_a b}=$ ⑧

(3) 상용로그

① 상용로그의 뜻

양수 N에 대하여 10을 밑으로 하는 로그, 즉 $\log_{10} N=\log N$

② 상용로그의 성질

양수 N에 대하여 $\log N=n+\alpha$ (n은 정수, $0 \le \alpha < 1$)일 때

(ⅰ) $n \ge 0$이면 $N \ge 1$이고 N은 정수 부분이 ⑨ 자리인 수이다.

(ⅱ) $n<0$이면 $N<1$이고 N은 소수 $-n$째 자리에서 처음으로 0이 아닌 숫자가 나타나는 수이다.

(ⅲ) 숫자의 배열이 같고 소수점의 위치만 다른 양수는 그 수의 상용로그의 소수 부분인 α가 모두 같다. 즉, 두 양수 M, N에 대하여

$\log M=m+\alpha$, $\log N=n+\alpha$ (m, n은 정수, $0 \le \alpha < 1$)

이면 두 수 M, N의 숫자 배열이 같다.

개념 **window**

・$\log_a N$　진수

밑

・특별한 언급 없이 $\log_a N$으로 쓸 때는 $a>0$, $a \ne 1$, $N>0$을 모두 만족시키는 것으로 본다.

⑥ $\log_a N$　⑦ $\log_b a$　⑧ b　⑨ $n+1$

3. 지수함수

(1) $a>0$이고 $a\neq1$일 때, 실수 전체의 집합을 정의역으로 하는 함수 $y=a^x$을 a를 밑으로 하는 지수함수라 한다.

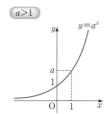 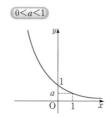

개념 window

지수함수 $y=a^x$에서
$a>1$일 때, $x_1<x_2\Rightarrow a^{x_1}<a^{x_2}$
$0<a<1$일 때,
$x_1<x_2\Rightarrow a^{x_1}>a^{x_2}$
이다.
즉, $a>1$이면 그래프가 점점 위로, $0<a<1$이면 그래프가 점점 아래로 향한다.

(2) 지수함수 $y=a^x$ $(a>0, a\neq1)$의 성질

① 정의역은 실수 전체의 집합이고, 치역은 [⑩   ] 전체의 집합이다.

② $a>1$일 때, x의 값이 증가하면 y의 값도 증가한다.

   $0<a<1$일 때, x의 값이 증가하면 y의 값은 [⑪   ] 한다.

③ a의 값에 관계없이 점 [⑫   ]을 지나고, [⑬   ]을 점근선으로 가진다.

④ $y=a^x$의 그래프와 $y=\left(\dfrac{1}{a}\right)^x$의 그래프는 y축에 대하여 대칭이다.

(3) 지수함수의 최대·최소

① $y=a^{f(x)}$ $(a>0, a\neq1)$꼴의 최대·최소

  (ⅰ) $a>1$이면 $f(x)$가 최대일 때 y도 최대, $f(x)$가 최소일 때 y도 최소이다.

  (ⅱ) $0<a<1$이면 $f(x)$가 최대일 때 y는 최소, $f(x)$가 최소일 때 y는 최대이다.

② a^x꼴이 반복되는 함수의 최대·최소

  $a^x=t$ $(t>0)$로 치환하여 t의 값의 범위 내에서 최대·최소를 구한다.

지수함수 $y=a^{f(x)}$의 그래프는 $a>1$일 때 $f(x)$의 값이 증가하면 y의 값도 증가하고 $0<a<1$일 때 $f(x)$의 값이 증가하면 y의 값은 감소한다.

4. 로그함수

(1) 지수함수 $y=a^x$의 역함수 $y=\log_a x$ $(a>0, a\neq1)$를 a를 밑으로 하는 로그함수라 한다.

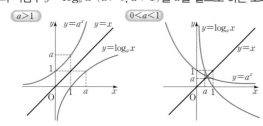

증가하는 함수의 역함수는 증가하는 함수이고, 감소하는 함수의 역함수는 감소하는 함수이다. 따라서
$a>1$일 때
$y=a^x$이 증가함수이므로
$y=\log_a x$도 증가함수
$0<a<1$일 때
$y=a^x$이 감소함수이므로
$y=\log_a x$도 감소함수

⑩ 양의 실수   ⑪ 감소   ⑫ $(0, 1)$ ⑬ x축

(2) 로그함수 $y=\log_a x\,(a>0,\,a\neq1)$의 성질

    ① 정의역은 ⑭ ☐ 전체의 집합이고, 치역은 실수 전체의 집합이다.

    ② $a>1$일 때, x의 값이 증가하면 y의 값도 증가한다.

       $0<a<1$일 때, x의 값이 증가하면 y의 값은 ⑮ ☐ 한다.

    ③ 그래프는 점 ⑯ ☐ 을 지나고, ⑰ ☐ 을 점근선으로 가진다.

    ④ 지수함수 $y=a^x$의 그래프와 직선 $y=x$에 대하여 대칭이다.

> **개념 window**
>
> $y=a^x$의 그래프가 점 $(0,\ 1)$을 지나고, 점근선은 x축이므로, 역함수인 $y=\log_a x$의 그래프는 점 $(1,\ 0)$을 지나고, 점근선은 y축이 된다.

(3) 로그함수의 최대·최소

    ① $y=\log_a f(x)\,(a>0,\,a\neq1)$꼴의 최대·최소

      (i) $a>1$이면 $f(x)$가 최대일 때 y도 최대, $f(x)$가 최소일 때 y도 최소이다.

      (ii) $0<a<1$이면 $f(x)$가 최대일 때 y는 ⑱ ☐ , $f(x)$가 최소일 때 y는 ⑲ ☐ 이다.

    ② $\log_a x$ 꼴이 반복되는 함수의 최대·최소

      $\log_a x=t$로 치환하여 t의 값의 범위 내에서 최대·최소를 구한다.

> 로그함수 $y=\log_a f(x)$의 그래프는 $a>1$일 때 $f(x)$의 값이 증가하면 y의 값도 증가하고 $0<a<1$일 때 $f(x)$의 값이 증가하면 y의 값은 감소한다. 따라서 주어진 로그의 밑을 같게 나타낸 후 대소를 비교한다.

5. 지수함수와 로그함수의 활용

(1) 지수방정식의 풀이

    ① 항이 2개인 경우

      (i) 밑을 같게 할 수 있을 때 : 밑을 같게 한 다음 지수를 비교한다.

         $a^{f(x)}=a^{g(x)}\Longleftrightarrow f(x)=g(x)\,(a>0,\,a\neq1)$

      (ii) 지수를 같게 할 수 있을 때 : 지수를 같게 한 다음 밑을 비교하거나 지수가 0임을 이용한다.

         $a^{f(x)}=b^{f(x)}\Longleftrightarrow a=b$ 또는 $f(x)=0\,(a>0,\,a\neq1,\,b>0,\,b\neq1)$

      (iii) 밑도 지수도 같게 할 수 없을 때 : $a^{f(x)}=b^{g(x)}\,(a>0,\,a\neq1,\,b>0,\,b\neq1,\,a\neq b)$의 양변에 상용로그를 취하여 $\log a^{f(x)}=\log b^{g(x)}$를 푼다.

    ② 항이 3개 이상인 경우

      a^x 꼴이 반복될 때, $a^x=t\,(t>0)$로 치환하여 t에 대한 방정식으로 푼다.

> **[주의]** $a^x=t\,(t>0)$로 치환하여 방정식을 푼 경우, 치환한 방정식에서 구한 t의 값을 다시 처음의 변수 x로 바꾸어 해를 구해야 한다.

⑭ 양의 실수　⑮ 감소　⑯ $(1,\ 0)$　⑰ y축　⑱ 최소　⑲ 최대

(2) 지수부등식의 풀이

① 항이 2개인 경우

(ⅰ) 밑을 같게 할 수 있을 때 : 밑을 같게 한 다음 지수를 비교한다.

• $a>1$일 때, $a^{f(x)}<a^{g(x)} \Longleftrightarrow f(x)$ ⑳ $g(x)$

• $0<a<1$일 때, $a^{f(x)}<a^{g(x)} \Longleftrightarrow f(x)$ ㉑ $g(x)$

(ⅱ) 밑이 같지 않을 때 : $a^{f(x)}<b^{g(x)}$ $(a>0,\ a\neq1,\ b>0,\ b\neq1,\ a\neq b)$의 양변에 상용로그를 취하여 $\log a^{f(x)}<\log b^{g(x)}$를 푼다.

② 항이 3개 이상인 경우

a^x 꼴이 반복될 때, $a^x=t\ (t>0)$로 치환하여 t에 대한 부등식으로 푼다.

개념 window

■ 밑을 같게 할 수 있을 때

$\begin{cases} (밑)>1 \Rightarrow 지수의\ 부등호\ 방향 \\ \qquad\qquad 그대로 \\ 0<(밑)<1 \Rightarrow 지수의\ 부등호 \\ \qquad\qquad 방향\ 반대로 \end{cases}$

■ **[주의]** $a^x=t\ (t>0)$로 치환하여 부등식을 푼 경우, 치환한 부등식에서 구한 t의 값을 다시 처음의 변수 x로 바꾸어 해를 구해야 한다.

(3) 로그방정식의 풀이

① $\log_a f(x)=b$일 때 : $\log_a f(x)=b \Longleftrightarrow f(x)=a^b$ (단, $f(x)>0$)

② 밑이 같을 때 : 진수가 같음을 이용하여 푼다.

$\log_a f(x)=\log_a g(x) \Longleftrightarrow f(x)=g(x)$ (단, $f(x)>0,\ g(x)>0$)

③ 밑이 같지 않을 때 : 로그의 밑 변환 공식을 이용하여 밑을 통일하여 푼다.

④ $\log_a x$의 꼴이 반복될 때 : $\log_a x=t$로 치환하여 t에 대한 방정식을 푼다.

⑤ 지수에 로그 $\log_a x$가 있을 때 : 양변에 a를 밑으로 하는 로그를 취하여 푼다.

⑥ 진수가 같을 때 : 밑이 같거나 진수가 1이다.

$\log_a f(x)=\log_b f(x) \Longleftrightarrow a=b$ 또는 $f(x)=1$

■ 로그방정식을 풀 때에는 구한 해가 로그의 정의 및 조건에 맞는지 반드시 확인한다.

$(밑)>0,\ (밑)\neq1,\ (진수)>0$

(4) 로그부등식의 풀이

① 밑을 같을 때 : 진수를 비교한다.

$\begin{cases} (밑)>1이면\ 진수의\ 부등호\ 방향은\ 그대로 \\ 0<(밑)<1이면\ 진수의\ 부등호\ 방향은\ 반대로 \end{cases}$

② 밑이 같지 않을 때 : 로그의 밑 변환 공식을 이용하여 밑을 통일하여 푼다.

③ $\log_a x$의 꼴이 반복될 때 : $\log_a x=t$로 치환하여 t에 대한 부등식을 푼다.

④ 지수에 $\log_a x$가 있을 때 : 양변에 a를 밑으로 하는 로그를 취하여 푼다.

■ 로그방정식과 마찬가지로 로그부등식을 풀 때에도 구한 해가 로그의 정의 및 조건에 맞는지 반드시 확인한다.

$(밑)>0,\ (밑)\neq1,\ (진수)>0$

⑳ $<$　　㉑ $>$

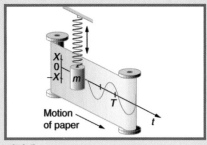

지진계
스프링을 당겼다가 놓았을 때와 같이, 단진동하는 물체의 운동에서 삼각함수의 주기를 발견할 수 있다.

성문 분석
사람의 목소리 분석에도 삼각함수가 이용된다.

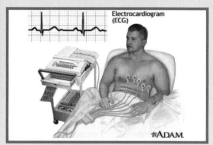

심전도 검사
우리 몸의 심장 박동에 따른 미세한 파동에서도 주기적인 진동을 찾아볼 수 있다.

왜?
타코마 다리는 종이장처럼 휘청거리며 붕괴되었을까?

그 답은 바로
삼각함수의 주기성에 있다.

미국 워싱턴 주 타코마 시에 있는 타코마 다리는 설계 당시 강한 바람에 잘 견디게끔 설계되었지만, 바람이 만들어내는 진동에 의해 붕괴되고 말았다. 이는 '플러터 현상'이라고 하는데, 바람이 만들어낸 진동 에너지를 타코마 다리가 흡수하여 감소시키지 못하고, 여러 주기의 진동 에너지가 증폭되어 결국 다리가 견딜 수 있는 한계를 넘어섰기 때문에 다리가 붕괴된 것이다.

이처럼 진동으로 인한 기계 장치의 고장이나 건축물의 붕괴를 막기 위해 진동을 해석할 필요가 있다. 진동 현상의 물리적 의미는 위치 에너지와 운동 에너지의 상호작용을 말한다. 따라서 진동 해석은 동역학의 원리를 적용해야 하며 이 과정에서 반드시 수학을 사용해야한다. 그 근본이 되는 수학이 바로 '삼각함수'이다.

진동 현상을 비롯해 대부분의 주기함수는 삼각함수를 이용하여 해석한다.

Ⅱ 삼각함수

01 일반각과 호도법

1. 일반각

시초선 OX에 대하여 동경 OP가 나타내는
∠XOP의 크기 중 하나를 $a°$라 할 때, 동경
OP가 나타내는 각의 크기

$$360° \times n + a° \ (n \text{은 정수})$$

를 동경 OP가 나타내는 일반각이라 한다.

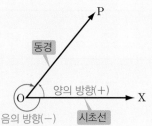

2. 호도법

(1) 호도법 : 각의 크기 $\dfrac{180°}{\pi}$를 1라디안이라

하고, 이것을 단위로 각의 크기를 나타내는 방법

(2) 호도법과 육십분법의 관계 : 1라디안 $= \dfrac{180°}{\pi}$, $1° = \dfrac{\pi}{180}$ 라디안

3. 부채꼴의 호의 길이와 넓이

반지름의 길이가 r, 중심각의 크기가 θ라디안인 부채
꼴의 호의 길이를 l, 넓이를 S라고 하면

$$l = r\theta, \ S = \frac{1}{2}r^2\theta = \frac{1}{2}rl$$

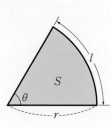

• 일반각

─ 주어진 동경이 나타내는 임의의
각의 크기는 $360° \times n + a°$ (n은
정수)로 나타내어진다.

─ 여기서 $a°$는 주어진 동경이 나타
내는 어떠한 각이라도 무방하지만
일반적으로 $0° \leq a° < 360°$ 또는
$-180° \leq a° < 180°$인 것을 택한다.

─ 정수 n은 동경 OP의 회전 방향
과 회전수를 나타낸다.

• $60° = 60 \times 1° = 60 \times \dfrac{\pi}{180}$ 라디안

  $= \dfrac{\pi}{3}$ 라디안

• $\dfrac{2}{3}\pi$ 라디안 $= \dfrac{2}{3}\pi \times 1$ 라디안

  $= \dfrac{2}{3}\pi \times \dfrac{180°}{\pi}$

  $= 120°$

유형 **072** 일반각

※ 다음 각을 나타내는 시초선과 동경의 위치를 그림으로 나타내
어라.

01 $-120°$

02 $235°$

03 $-400°$

04 $420°$

※ 다음 각은 제 몇 사분면의 각인지 써라.

05 $400°$

해설ㅣ $400°=360°×1+\boxed{}$이므로 $400°$는 제$\boxed{}$사분면의 각이다.

06 $640°$

07 $-150°$

08 $-700°$

학교시험 필수예제

09 다음 │보기│에서 각을 나타내는 동경의 위치가 제3사분면에 있는 것을 모두 골라라.

┌─│ 보기 │────────────────────
│ ㄱ. $1020°$ ㄴ. $-120°$ ㄷ. $-240°$
│ ㄹ. $440°$ ㅁ. $-520°$ ㅂ. $210°$
└──────────────────────────────

유형 **073** 호도법

호도법과 육십분법의 관계

1라디안$=\dfrac{180°}{\pi}$, $1°=\dfrac{\pi}{180}$라디안

※ 다음 각을 호도법으로 나타내어라.

10 $0°$

11 $60°$

12 $90°$

13 $120°$

14 $210°$

15 $270°$

※ 다음 각의 동경이 나타내는 일반각을 $2n\pi+\theta$의 꼴로 나타내어라. (단, n은 정수, $0\le\theta<2\pi$)

16 7π

17 $\dfrac{14}{3}\pi$

18 -15π

19 $-\dfrac{7}{10}\pi$

※ 다음 물음에 답하여라.

20 다음 |보기|에서 각을 나타내는 동경의 위치가 제2사분면에 있는 것을 모두 골라라.

┌ 보기 ├──────────────────────────┐
│ ㄱ. $\dfrac{7}{4}\pi$ ㄴ. $\dfrac{11}{12}\pi$ ㄷ. $-\dfrac{3}{16}\pi$ │
│ ㄹ. $\dfrac{17}{4}\pi$ ㅁ. $-\dfrac{8}{3}\pi$ ㅂ. $-\dfrac{21}{4}\pi$ │
└──────────────────────────────────┘

21 θ가 제3사분면의 각일 때, $\dfrac{\theta}{2}$를 나타내는 동경이 존재할 수 있는 사분면을 모두 구하여라.

해설┃ θ가 제3사분면의 각이므로 일반각으로 나타내면

$$2n\pi+\pi<\theta<2n\pi+\frac{3}{2}\pi \text{ (단, } n\text{은 정수)}$$

$$\therefore\ n\pi+\frac{\pi}{2}<\frac{\theta}{2}<n\pi+\frac{3}{4}\pi$$

위의 식에 $n=0,\ 1,\ 2,\ 3,\ \cdots$을 차례로 대입하여 $\dfrac{\theta}{2}$를 나타내는 동경의 위치를 찾으면

(i) $n=0$일 때,

$$\frac{\pi}{2}<\frac{\theta}{2}<\frac{3}{4}\pi \ \Rightarrow\ \frac{\theta}{2}\text{는 제2사분면의 각}$$

(ii) $n=1$일 때,

$$\boxed{}<\frac{\theta}{2}<\boxed{}\ \Rightarrow\ \frac{\theta}{2}\text{는 제}\boxed{}\text{사분면의 각}$$

$n=2,\ 3,\ 4,\ \cdots$에 대해서도 동경의 위치가 제2사분면, 제$\boxed{}$사분면으로 반복된다. 따라서 $\dfrac{\theta}{2}$를 나타내는 동경이 존재할 수 있는 사분면은 제2사분면, 제$\boxed{}$사분면이다.

22 θ가 제1사분면의 각일 때, $\dfrac{\theta}{3}$를 나타내는 동경이 존재할 수 있는 사분면을 모두 구하여라.

유형 074 두 동경의 위치 관계

※ 다음 물음에 답하여라.

23 각 θ를 나타내는 동경과 각 9θ를 나타내는 동경이 서로 일치할 때, 각 θ의 크기를 구하여라.

$$\left(\text{단, } \pi<\theta<\frac{3}{2}\pi\right)$$

해설 | 각 θ를 나타내는 동경과 각 9θ를 나타내는 동경이 일치하므로

$9\theta-\theta=2n\pi$ (n은 정수)

$8\theta=2n\pi$ ∴ $\theta=\dfrac{n}{4}\pi$ ······ ㉠

이때, 각 θ의 범위가 $\pi<\theta<\dfrac{3}{2}\pi$이므로

$\pi<\dfrac{n}{4}\pi<\dfrac{3}{2}\pi$, $\boxed{}<n<\boxed{}$

n은 정수이므로 $n=\boxed{}$

이 값을 ㉠에 대입하면 $\theta=\boxed{}$

24 각 θ를 나타내는 동경과 각 7θ를 나타내는 동경이 일직선 위에 있고 방향이 서로 반대일 때, 각 θ의 크기를 구하여라. $\left(\text{단, } \dfrac{\pi}{2}<\theta<\pi\right)$

25 각 θ를 나타내는 동경과 각 5θ를 나타내는 동경이 x축에 대하여 서로 대칭일 때, 각 θ의 크기를 구하여라.

$$\left(\text{단, } \frac{\pi}{2}<\theta<\pi\right)$$

26 각 θ를 나타내는 동경과 각 4θ를 나타내는 동경이 y축에 대하여 서로 대칭일 때, 각 θ의 크기를 구하여라.

$$\left(\text{단, } 0<\theta<\frac{\pi}{2}\right)$$

Tip

두 동경의 위치	일치	일직선상에 있고 방향이 반대	x축에 대하여 대칭	y축에 대하여 대칭
두 동경의 위치에 따른 그래프				
α, β의 관계식	$\beta-\alpha=2n\pi$	$\beta-\alpha=2n\pi+\pi$	$\beta+\alpha=2n\pi$	$\beta+\alpha=2n\pi+\pi$

※ 다음 물음에 답하여라.

27 반지름의 길이가 $8\,\mathrm{cm}$이고, 중심각의 크기가 $45°$인 부채꼴의 호의 길이와 넓이를 각각 구하여라.

해설ㅣ $45° = \boxed{}$ 이므로

    호의 길이는 $l = 8 \cdot \boxed{} = \boxed{}\,(\mathrm{cm})$

    넓이는 $S = \dfrac{1}{2} \cdot 8^2 \cdot \boxed{} = \boxed{}\,(\mathrm{cm}^2)$

28 중심각의 크기가 4라디안이고 넓이가 32인 부채꼴의 호의 길이를 구하여라.

29 반지름의 길이가 4이고 둘레의 길이가 32인 부채꼴의 넓이를 구하여라.

30 둘레의 길이가 20인 부채꼴의 최대 넓이를 S라 하고, 이때의 반지름의 길이를 r라 할 때, $S+2r$의 값을 구하여라.

31 다음 그림은 길이가 $50\,\mathrm{cm}$인 어느 자동차의 와이퍼가 $\dfrac{4}{5}\pi$만큼 회전한 모양을 나타낸 것이다. 이 와이퍼에서 유리창을 닦는 고무판의 길이가 $40\,\mathrm{cm}$일 때, 이 와이퍼의 고무판이 회전하면서 닦는 부분의 넓이를 구하여라.

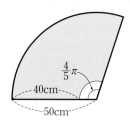

02 삼각함수

1. 삼각함수의 정의

사인함수: $\sin \theta = \dfrac{y}{r}$

코사인함수: $\cos \theta = \dfrac{x}{r}$

탄젠트함수: $\tan \theta = \dfrac{y}{x} \ (x \neq 0)$

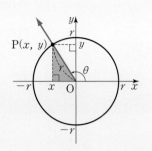

2. 삼각함수의 값의 부호

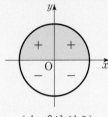

⟨sin θ의 부호⟩

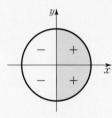

⟨cos θ의 부호⟩

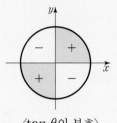

⟨tan θ의 부호⟩

- 프랑스의 수학자 푸리에는 좌표를 사용하여 삼각함수의 개념을 일반화하였다.
- 각 사분면에서 삼각함수의 값의 부호가 +인 것을 나타내면 다음과 같다.

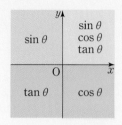

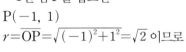

유형 076 삼각함수의 정의

※ 다음 각 θ에 대하여 $\sin \theta$, $\cos \theta$, $\tan \theta$의 값을 각각 구하여라.

01 $\theta = \dfrac{3}{4}\pi$

해설| 그림과 같이 $\theta = \dfrac{3}{4}\pi$를 나타내는 동경 위에 x좌표가 -1인 점 P를 잡으면

$P(-1,\ 1)$

$r = \overline{OP} = \sqrt{(-1)^2 + 1^2} = \sqrt{2}$ 이므로

$\sin \dfrac{3}{4}\pi = \dfrac{\boxed{}}{r} = \boxed{}$, $\cos \dfrac{3}{4}\pi = \dfrac{x}{\boxed{}} = \boxed{}$,

$\tan \dfrac{3}{4}\pi = \dfrac{y}{\boxed{}} = \boxed{}$

02 $\theta = \dfrac{4}{3}\pi$

03 $\theta = -\dfrac{\pi}{6}$

※ 크기가 θ인 각을 나타내는 동경과 원점 O를 중심으로 하는 원의 교점 P가 다음과 같을 때, $\sin \theta$, $\cos \theta$, $\tan \theta$의 값을 각각 구하여라.

04 $P(-4,\ 3)$

05 $P(-\sqrt{5}, -2)$

06 $P(-5, 12)$

07 원점 O와 점 $P(3, -4)$를 이은 선분을 동경으로 하는 각을 θ라 할 때, $\cos\theta - \sin\theta$의 값을 구하여라.

※ 다음 삼각함수의 값의 부호를 + 또는 −로 나타내어라.

08 $\sin\dfrac{2}{5}\pi$

해설| $0 < \dfrac{2}{5}\pi < \dfrac{\pi}{2}$이므로 $\dfrac{2}{5}\pi$는 제$\boxed{}$사분면의 각이다.

$\therefore \sin\dfrac{2}{5}\pi \boxed{} 0$

따라서 주어진 삼각함수의 값의 부호는 $\boxed{}$

09 $\cos\dfrac{4}{3}\pi$

10 $\tan\left(-\dfrac{5}{7}\pi\right)$

11 $\cos\dfrac{5}{4}\pi$

※ 다음 조건을 동시에 만족시키는 각 θ는 제 몇 사분면의 각인지 구하여라.

12 $\sin\theta\cos\theta>0$, $\sin\theta\tan\theta<0$

해설| (ⅰ) $\sin\theta\cos\theta>0$에서

$\sin\theta>0$, $\cos\theta>0$ 또는 $\sin\theta<0$, $\cos\theta<0$

이므로

θ는 제1사분면 또는 제$\boxed{}$사분면의 각이다.

(ⅱ) $\sin\theta\tan\theta<0$에서

$\sin\theta>0$, $\tan\theta<0$ 또는 $\sin\theta<0$, $\tan\theta>0$

이므로

θ는 제2사분면 또는 제$\boxed{}$사분면의 각이다.

(ⅰ), (ⅱ)에서 주어진 조건을 동시에 만족시키는 θ는 제 $\boxed{}$사분면의 각이다.

13 $\sin\theta\cos\theta>0$, $\sin\theta+\cos\theta<0$

※ 다음 물음에 답하여라.

14 $\dfrac{1}{2}\pi<\theta<\pi$일 때, $|\sin\theta|+|\cos\theta-\sin\theta|$를 간단히 하여라.

해설| $\dfrac{1}{2}\pi<\theta<\pi$에서 θ는 제$\boxed{}$사분면의 각이므로

$\sin\theta>0$, $\cos\theta<0$

따라서 $\cos\theta-\sin\theta\boxed{}0$이다.

$|\sin\theta|+|\cos\theta-\sin\theta|$

$=\sin\theta\boxed{}\cos\theta\boxed{}\sin\theta$

$=\boxed{}$

15 $\pi<\theta<\dfrac{3}{2}\pi$일 때, $|\sin\theta|+\sqrt{(\sin\theta-\tan\theta)^2}$ 을 간단히 하여라.

Tip

조건을 만족하는 삼각함수의 값의 부호

각각의 조건을 만족시키는 θ가 제 몇 사분면의 각인지 조사한 후 모든 조건을 동시에 만족시키는 경우를 찾는다.

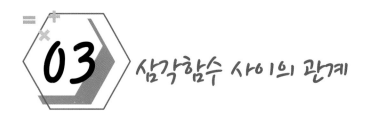

(1) $\tan \theta = \dfrac{\sin \theta}{\cos \theta}$

(2) $\sin^2 \theta + \cos^2 \theta = 1$

(3) $1 + \tan^2 \theta = \dfrac{1}{\cos^2 \theta}$

(2) $\sin^2 \theta$, $\cos^2 \theta$는 각각 $(\sin \theta)^2$, $(\cos \theta)^2$ 을 뜻한다.

(3) $\sin^2 \theta + \cos^2 \theta = 1$의 양변을 $\cos^2 \theta$로 나누면 $\tan^2 \theta + 1 = \dfrac{1}{\cos^2 \theta}$

유형 078 삼각함수 사이의 관계

※ 다음 물음에 답하여라.

01 각 θ가 제3사분면의 각이고 $\sin \theta = -\dfrac{1}{2}$일 때, $\cos \theta$, $\tan \theta$의 값을 각각 구하여라.

해설 | $\sin^2 \theta + \cos^2 \theta = \boxed{}$이므로

$\cos^2 \theta = \boxed{} - \sin^2 \theta = \boxed{} - \left(-\dfrac{1}{2}\right)^2 = \boxed{}$

이때, 각 θ가 제3사분면의 각이므로 $\cos \theta < 0$

$\cos \theta = \boxed{}$

$\tan \theta = \dfrac{\sin \theta}{\cos \theta} = \dfrac{-\dfrac{1}{2}}{\boxed{}} = \boxed{}$

02 각 θ가 제2사분면의 각이고 $\cos \theta = -\dfrac{1}{2}$일 때, $\sin \theta$, $\tan \theta$의 값을 각각 구하여라.

03 $\dfrac{1}{2}\pi < \theta < \pi$이고 $\cos \theta = -\dfrac{5}{8}$일 때, $\sin \theta$, $\tan \theta$의 값을 각각 구하여라.

04 $\dfrac{3}{2}\pi < \theta < 2\pi$이고 $\cos \theta = \dfrac{5}{13}$일 때, $\sin \theta$, $\tan \theta$의 값을 각각 구하여라.

※ $\sin\theta + \cos\theta = \dfrac{1}{2}$ 일 때, 다음 식의 값을 구하여라.

05 $\sin\theta\cos\theta$

06 $\dfrac{\cos\theta}{\sin\theta} + \dfrac{\sin\theta}{\cos\theta}$

07 $\sin^3\theta + \cos^3\theta$

08 $\sin\theta - \cos\theta$

해설 | $(\sin\theta - \cos\theta)^2 = \sin^2\theta - 2\sin\theta\cos\theta + \cos^2\theta$

$\qquad\qquad\qquad = 1 - 2\sin\theta\cos\theta$

$\qquad\qquad\qquad = 1 - 2\cdot\left(\boxed{}\right) = \boxed{}$

$\qquad \therefore \sin\theta - \cos\theta = \boxed{}$ 또는 $\sin\theta - \cos\theta = \boxed{}$

※ **다음 물음에 답하여라.**

09 각 θ는 제3사분면의 각이고 $\sin\theta\cos\theta = \dfrac{1}{6}$일 때, $\sin\theta + \cos\theta$의 값을 구하여라.

10 각 θ는 제2사분면의 각이고 $\sin\theta\cos\theta = -\dfrac{1}{4}$일 때, $\cos\theta - \sin\theta$의 값을 구하여라.

11 $\sin\theta+\cos\theta=\dfrac{4}{3}$일 때, $\tan\theta+\dfrac{1}{\tan\theta}$의 값을 구하여라.

13 이차방정식 $4x^2+3x+k=0$의 두 근이 $\sin\theta$, $\cos\theta$일 때, 상수 k의 값을 구하여라.

12 각 θ가 제4사분면의 각이고 $\cos\theta=\dfrac{3}{5}$일 때, $\dfrac{1}{1+\tan\theta}+\dfrac{1}{1-\tan\theta}$의 값을 구하여라.

14 이차방정식 $x^2-2x+k=0$의 두 근이 $\sin\theta+\cos\theta$, $\sin\theta-\cos\theta$일 때, 상수 k의 값을 구하여라.

삼각함수의 그래프

1. 삼각함수 $y=\sin\theta$

(1) 정의역은 실수 전체의 집합이고, 치역은 $\{y\,|\,-1\le y\le 1\}$이다.

(2) 그래프는 원점에 대하여 대칭이다.

$\sin(-\theta)=-\sin\theta$

(3) 주기가 2π인 주기함수이다.

$\sin(2n\pi+\theta)=\sin\theta\ (n$은 정수$)$

2. 삼각함수 $y=\cos\theta$

(1) 정의역은 실수 전체의 집합이고, 치역은 $\{y\,|\,-1\le y\le 1\}$이다.

(2) 그래프는 y축에 대하여 대칭이다.

$\cos(-\theta)=\cos\theta$

(3) 주기가 2π인 주기함수이다.

$\cos(2n\pi+\theta)=\cos\theta\ (n$은 정수$)$

3. 삼각함수 $y=\tan\theta$

(1) 정의역은 $n\pi+\dfrac{\pi}{2}\ (n$은 정수$)$를 제외한 실수 전체의 집합이고,

치역은 실수 전체의 집합이다.

(2) 그래프는 원점에 대하여 대칭이다.

$\tan(-\theta)=-\tan\theta$

(3) 주기가 π인 주기함수이다.

$\tan(n\pi+\theta)=\tan\theta\ (n$은 정수$)$

(4) 그래프의 점근선은 직선 $x=n\pi+\dfrac{\pi}{2}\ (n$은 정수$)$이다.

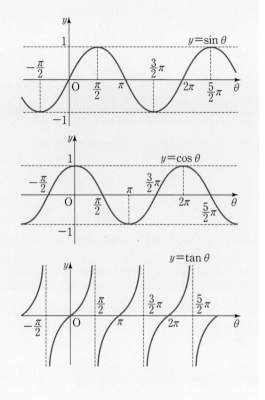

|참고| 1. 일반적으로 함수의 정의역의 원소를 x로 나타내므로 함수 $y=\sin\theta$에서 θ를 x로 바꾸어 $y=\sin x$로 나타내기로 하자. $y=\cos\theta$, $y=\tan\theta$에 대해서도 마찬가지이다.

2. 함수 $f(x)$에서 정의역에 속하는 모든 x에 대하여 $f(x+p)=f(x)$를 만족하는 0이 아닌 상수 p가 존재할 때, 함수 f를 주기함수라 하고 p의 값 중에서 최소인 양수를 함수 f의 주기라 한다. 예를 들어 $\sin(x+2\pi)=\sin x$, $\sin(x+4\pi)=\sin x$, $\sin(x+6\pi)=\sin x$, …에서 $\sin(x+p)=\sin x$를 만족하는 최소인 양수 p는 2π이다.

유형 ▶ 079 사인함수의 그래프

※ 다음 삼각함수의 값을 구하여라.

01 $\sin\left(-\dfrac{\pi}{3}\right)$

02 $\sin\dfrac{7}{3}\pi$

03 $\sin\dfrac{13}{6}\pi$

※ 다음 함수의 주기와 치역을 각각 구하고, 그 그래프를 그려라.

04 $y=\dfrac{1}{3}\sin x$

해설| $f(x)=\dfrac{1}{3}\sin x$라 하면

$f(x)=\dfrac{1}{3}\sin x=\dfrac{1}{3}\sin(x+2\pi)=f(x+\boxed{})$

즉 $f(x)=f(x+\boxed{})$이므로 주기는 $\boxed{}$이다.

이때, $-1\le\sin x\le 1$에서 $-\dfrac{1}{3}\le\dfrac{1}{3}\sin x\le\dfrac{1}{3}$이므

로 치역은 $\left\{y\,\Big|\,-\dfrac{1}{3}\le y\le\dfrac{1}{3}\right\}$이다.

따라서 $y=\dfrac{1}{3}\sin x$의 그래프는 다음과 같다.

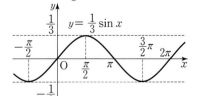

05 $y=2\sin 3x$

07 $y=2\sin\left(x-\dfrac{\pi}{4}\right)$

08 $y=1+3\sin 2x$

06 $y=3\sin\dfrac{1}{2}x$

Tip

$y=a\sin(bx+c)+d$의 그래프는 $y=a\sin bx$의 그래프를 x축의 방향으로 $-\dfrac{c}{b}$만큼, y축의 방향으로 d만큼 평행이동한 것이다.

※ 다음 삼각함수의 값을 구하여라.

09 $\cos\left(-\dfrac{\pi}{3}\right)$

10 $\cos\dfrac{17}{4}\pi$

11 $\cos\left(-\dfrac{13}{6}\pi\right)$

※ 다음 함수의 주기와 치역을 각각 구하고, 그 그래프를 그려라.

12 $y=2\cos x$

13 $y=\cos 2x$

14 $y=\cos 3x$

※ 다음 삼각함수의 주기와 최댓값, 최솟값을 각각 구하여라.

15 $y=2\cos 6x$

16 $y=3\cos \dfrac{1}{2}x$

17 $y=4-\cos 3x$

※ 다음 삼각함수의 값을 구하여라.

18 $\tan\left(-\dfrac{\pi}{3}\right)$

19 $\tan \dfrac{5}{4}\pi$

20 $\tan\left(-\dfrac{13}{6}\pi\right)$

※ 다음 함수의 주기를 구하고, 그 그래프를 그려라. 또, 점근선을 구하여라.

21 $y=\tan \dfrac{1}{2}x$

해설| $f(x)=\tan \dfrac{1}{2}x$라 하면

$$f(x)=\tan \dfrac{1}{2}x=\tan\left(\dfrac{1}{2}x+\boxed{}\right)$$

$$=\tan \dfrac{1}{2}\left(x+\boxed{}\right)=f\left(x+\boxed{}\right)$$

즉 $f(x)=f\left(x+\boxed{}\right)$이므로 주기는 $\boxed{}$이다.

따라서 그래프는 다음 그림과 같고, 점근선은

$x=2n\pi+\boxed{}$ (n은 정수)이다.

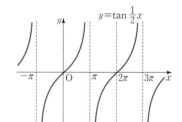

Tip

삼각함수의 최대·최소와 주기

삼각함수	최댓값	최솟값	주기
$y=a\sin(bx+c)+d$	$\lvert a\rvert+d$	$-\lvert a\rvert+d$	$\dfrac{2\pi}{\lvert b\rvert}$
$y=a\cos(bx+c)+d$	$\lvert a\rvert+d$	$-\lvert a\rvert+d$	$\dfrac{2\pi}{\lvert b\rvert}$
$y=a\tan(bx+c)+d$	없다.	없다.	$\dfrac{\pi}{\lvert b\rvert}$

※ 다음 함수의 주기와 점근선을 구하여라.

22 $y=\tan 3x$

해설 | $f(x)=\tan 3x$라 하면

$f(x)=\tan 3x=\tan (3x+\pi)$

$\qquad =\tan 3\left(x+\dfrac{\pi}{3}\right)=f\left(x+\dfrac{\pi}{3}\right)$

$f(x)=f\left(x+\dfrac{\pi}{3}\right)$이므로 주기는 $\boxed{}$이다.

따라서 $y=\tan 3x$의 그래프는 $\dfrac{\pi}{3}$ 간격으로 그 모양이 반복된다. 즉 $y=\tan 3x$의 그래프는 $y=\tan x$의 그래프를 x축 방향으로 $\boxed{}$배한 것이므로, 점근선은

$x=\boxed{}\left(n\pi+\dfrac{\pi}{2}\right)=\dfrac{n}{\boxed{}}\pi+\dfrac{\pi}{\boxed{}}$ (n은 정수)

23 $y=\tan 4x$

24 $y=\tan \dfrac{1}{3}x$

25 $y=\tan \left(x-\dfrac{\pi}{4}\right)$

26 $y=\tan \left(x-\dfrac{\pi}{2}\right)+4$

Tip

$y=\tan x$의 그래프
주기가 π이므로 π 간격으로 그 모양이 반복되고, 점근선은 직선 $x=n\pi+\dfrac{\pi}{2}$ (n은 정수)이다.

27 $y=\tan(2x-2\pi)$

29 함수 $f(x)=a\cos x+2$의 최댓값을 M, 최솟값을 n이라 하자. $M-m=4$일 때, 양수 a의 값을 구하여라.

30 그림과 같이 함수 $y=\tan x$의 그래프와 x축 및 직선 $y=k$로 둘러싸인 부분의 넓이가 6π일 때, 양의 상수 k의 값을 구하여라. $\left(\text{단, } 0\leq x<\dfrac{3}{2}\pi\right)$

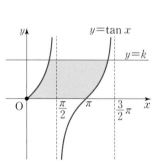

유형 082 삼각함수의 그래프와 계수의 결정

※ 다음 물음에 답하여라.

28 그림과 같이 함수 $y=\sin x$의 그래프와 두 직선 $y=k$, $y=-k$로 둘러싸인 부분의 넓이가 $\dfrac{\pi}{2}$일 때, 양의 상수 k의 값을 구하여라.

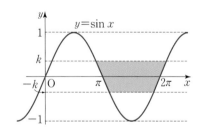

31 함수 $f(x)$의 주기가 2이고, $f(2)=4$일 때, $f(16)$의 값을 구하여라.

05 삼각함수의 성질

1. **각 $2n\pi+\theta$의 삼각함수 (단, n은 정수)**
   $\sin(2n\pi+\theta)=\sin\theta$, $\cos(2n\pi+\theta)=\cos\theta$, $\tan(2n\pi+\theta)=\tan\theta$

2. **각 $-\theta$의 삼각함수**
   $\sin(-\theta)=-\sin\theta$, $\cos(-\theta)=\cos\theta$, $\tan(-\theta)=-\tan\theta$

3. **각 $\pi\pm\theta$의 삼각함수**
   $\sin(\pi\pm\theta)=\mp\sin\theta$, $\cos(\pi\pm\theta)=-\cos\theta$,
   $\tan(\pi\pm\theta)=\pm\tan\theta$ (복부호 동순)

4. **각 $\dfrac{\pi}{2}\pm\theta$의 삼각함수**
   $\sin\left(\dfrac{\pi}{2}\pm\theta\right)=\cos\theta$, $\cos\left(\dfrac{\pi}{2}\pm\theta\right)=\mp\sin\theta$,
   $\tan\left(\dfrac{\pi}{2}\pm\theta\right)=\mp\dfrac{1}{\tan\theta}$ (복부호 동순)

- 왼쪽의 공식은 항상 성립하므로 θ가 다른 사분면의 각이더라도 이 공식을 기억할 때에는 θ를 제1사분면의 각으로 취급하여 기억하면 쉽다.

- 3, 4를 한 가지로 하여 $\dfrac{n}{2}\pi\pm\theta$로 기억하고, 부호는 왼쪽의 방법에 따른다.
   n이 짝수이면 함수는 그대로
   n이 홀수이면 $\begin{cases} \sin\rightarrow\cos \\ \cos\rightarrow\sin \\ \tan\rightarrow\dfrac{1}{\tan\theta} \end{cases}$

유형 083 삼각함수의 성질

※다음 삼각함수의 값을 구하여라

01 $\sin\dfrac{7}{3}\pi$

해설ㅣ $\sin\dfrac{7}{3}\pi=\sin\left(2\pi+\dfrac{\pi}{3}\right)=\sin\boxed{}=\boxed{}$

02 $\cos\left(-\dfrac{11}{6}\pi\right)$

03 $\tan\dfrac{17}{4}\pi$

04 $\sin\left(-\dfrac{\pi}{4}\right)$

05 $\cos\left(-\dfrac{\pi}{6}\right)$

06 $\tan\left(-\dfrac{\pi}{3}\right)$

07 $\sin\dfrac{4}{3}\pi$

08 $\cos 225°$

09 $\cos\dfrac{5}{6}\pi$

10 $\tan\dfrac{5}{4}\pi$

11 $\tan\left(-\dfrac{5}{4}\pi\right)$

12 $\sin\dfrac{2}{3}\pi$

13 $\cos\dfrac{2}{3}\pi$

14 $\cos\dfrac{3}{4}\pi$

15 $\tan\dfrac{3}{4}\pi$

16 $\tan 120°$

※ 다음 물음에 답하여라.

17 다음 |보기|에서 $\sin \theta$의 값과 같은 것을 모두 골라라.

┤ 보기 ├
ㄱ. $\cos(-\theta)$ ㄴ. $\cos\left(\dfrac{\pi}{2}+\theta\right)$ ㄷ. $\cos(\pi+\theta)$

ㄹ. $\cos\left(\dfrac{3}{2}\pi+\theta\right)$ ㅁ. $\cos\left(\dfrac{\pi}{2}-\theta\right)$ ㅂ. $\cos(\pi-\theta)$

18 임의의 각 θ에 대하여 |보기|에서 항상 옳은 것을 모두 골라라.

┤ 보기 ├
ㄱ. $\sin(\pi+\theta)=\cos\left(\dfrac{\pi}{2}+\theta\right)$

ㄴ. $\cos(\pi+\theta)=\sin\left(\dfrac{\pi}{2}+\theta\right)$

ㄷ. $\sin(\pi-\theta)=\cos\left(\dfrac{\pi}{2}-\theta\right)$

19 $\cos^2 1°+\cos^2 2°+\cos^2 3°+\cdots+\cos^2 89°$의 값을 구하는 과정이다. □ 안에 알맞은 수를 써라.

$\cos(90°-\theta)=\sin\theta$이므로
$\cos^2\theta+\cos^2(90°-\theta)=$ ┌(가)┐
$\cos^2 1°+\cos^2 2°+\cos^2 3°+\cdots+\cos^2 89°=$ ┌(나)┐

20 $\sin\left(\dfrac{\pi}{2}+\theta\right)+\cos(\pi+\theta)-\tan\theta\tan\left(\dfrac{\pi}{2}-\theta\right)$
를 간단히 하여라.

21 $\theta=10°$일 때, $\sin\theta+\sin 2\theta+\cdots+\sin 36\theta$의 값을 구하여라.

06 삼각함수의 활용

1. **삼각방정식의 풀이**
   (1) 주어진 방정식을 $\sin x = k$ (또는 $\cos x = k$, $\tan x = k$)의 꼴로 변형한다.
   (2) 함수 $y = \sin x$ (또는 $y = \cos x$, $y = \tan x$)의 그래프와 직선 $y = k$의 교점의 x좌표를 구한다.

2. **삼각부등식의 풀이**
   (1) 부등호를 등호로 바꾸어 삼각방정식을 푼다.
   (2) 삼각함수의 그래프를 이용하여 주어진 부등식을 만족하는 미지수의 값의 범위를 구한다.

각의 크기가 미지수인 삼각함수를 포함한 방정식과 부등식은 삼각함수의 그래프나 단위원과 동경을 이용하여 풀 수 있다.

유형 084 삼각방정식

※ $0 \le \theta < 2\pi$일 때, 다음 방정식의 해를 구하여라.

01 $\sin x = \dfrac{\sqrt{3}}{2}$

02 $2\sin x = -\sqrt{3}$

03 $\cos x = -\dfrac{\sqrt{3}}{2}$

04 $\sqrt{2}\cos x = 1$

05 $\tan x = \sqrt{3}$

06 $\sqrt{3} \tan x = 1$

※ $0 \leq \theta < 2\pi$일 때, 다음 부등식의 해를 구하여라.

07 $\sin x > \dfrac{1}{2}$

08 $\sqrt{2} \sin x \geq 1$

09 $\cos x \le \dfrac{1}{2}$

10 $2\cos x - \sqrt{3} > 0$

11 $\tan x \le \sqrt{3}$

12 $\tan x + 1 < 0$

유형 086 삼각방정식과 삼각부등식의 응용

※ 다음 물음에 답하여라.

13 방정식 $\sin \pi x = \dfrac{1}{3} x$의 실근의 개수를 구하여라.

15 함수 $y = f(x)$의 그래프가 그림과 같을 때, 방정식 $f(\cos x) = 0$의 서로 다른 실근의 개수를 구하여라.
(단, $0 \le x \le 2\pi$)

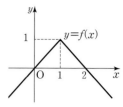

14 $0 \le \theta < 2\pi$에서 모든 실수 x에 대하여 부등식 $x^2 - 2x \sin \theta + 2 \sin \theta > 0$이 항상 성립하도록 하는 θ의 범위를 구하여라.

16 방정식 $\sin x = \dfrac{1}{2}$을 만족하는 양수 x를 작은 것부터 크기순으로 나열할 때, 6번째 수를 구하여라.

07 사인법칙

1. 사인법칙

$\triangle ABC$의 반지름의 길이를 R라 할 때,

$$\frac{a}{\sin A} = \frac{b}{\sin B} = \frac{c}{\sin C} = 2R$$

2. 사인법칙의 변형

(1) $\sin A = \dfrac{a}{2R}$, $\sin B = \dfrac{b}{2R}$, $\sin C = \dfrac{c}{2R}$

(2) $a = 2R \sin A$, $b = 2R \sin B$, $c = 2R \sin C$

(3) $\sin A : \sin B : \sin C = a : b : c$

• 삼각형의 6 요소

삼각형의 세 각의 크기와 세 변의 길이를 삼각형의 6요소라 한다. 이때 삼각형 ABC에서 세 각의 크기를 각각 $\angle A$, $\angle B$, $\angle C$ 또는 A, B, C로 나타내고 이들의 대변 BC, CA, AB의 길이를 각각 a, b, c로 나타낸다.

유형 087 사인법칙

※ $\triangle ABC$에 대하여 다음을 구하여라.

01 $c=4$, $A=45°$, $C=60°$일 때, a의 값

해설| 사인법칙에 의하여 $\dfrac{a}{\sin \boxed{}} = \dfrac{4}{\sin \boxed{}}$ 이므로

$a \sin \boxed{} = 4 \sin \boxed{}$, $\dfrac{\sqrt{3}}{2} a = \boxed{}$

$\therefore a = \boxed{}$

02 $c=5$, $B=30°$, $C=45°$일 때, b의 값

03 $b=12$, $A=30°$, $B=120°$일 때, c의 값

04 $a=1$, $c=\sqrt{2}$, $C=135°$일 때, A의 값

05 $a=2$, $b=2\sqrt{2}$, $A=30°$일 때, B의 값

06 $b=2$, $c=\sqrt{6}$, $B=45°$일 때, C의 값

유형 O88 사인법칙과 삼각형의 외접원

※ 다음 조건을 만족하는 △ABC의 외접원의 반지름의 길이 R 의 값을 구하여라.

07 $a=\sqrt{3}$, $A=60°$

해설ㅣ 사인법칙에 의하여 $\dfrac{\sqrt{3}}{\sin 60°}=\boxed{}$

$\therefore R=\dfrac{\sqrt{3}}{\dfrac{\sqrt{3}}{2}}\cdot\boxed{}=\boxed{}$

08 $a=12$, $A=150°$

09 $a=6$, $B=100°$, $C=50°$

10 $b=2$, $c=2$, $A=120°$

※ △ABC에 대하여 다음을 구하여라.

11 $\sin A+\sin B+\sin C=\dfrac{3}{2}$이 성립할 때, $a+b+c$의 값 (외접원의 반지름의 길이는 10이다.)

12 $5\sin(A+B)\sin C=4$가 성립할 때, c의 값 (외접원의 반지름의 길이는 $\sqrt{5}$이다.)

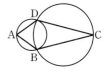
학교시험 필수예제

13 오른쪽 그림과 같은 사각형 ABCD의 세 꼭짓점 A, B, D를 지나는 원의 반지름의 길이가 3이고, 세 꼭짓점 B, C, D를 지나는 원의 반지름의 길이가 6일 때, $\dfrac{\sin A}{\sin C}$의 값을 구하여라.

※ △ABC에 대하여 다음을 구하여라.

14 $A:B:C=1:2:3$일 때, $a:b:c$의 값

해설 | $A+B+C=180°$이고, $A:B:C=1:2:3$이므로

$$A=180°\times\frac{1}{\boxed{}}=\boxed{}$$

$$B=180°\times\frac{2}{\boxed{}}=\boxed{}$$

$$C=180°\times\frac{3}{\boxed{}}=\boxed{}$$

$$\therefore \sin A:\sin B:\sin C$$

$$=\frac{1}{2}:\frac{\sqrt{3}}{2}:\boxed{}=1:\sqrt{3}:\boxed{}$$

따라서 사인법칙에 의하여

$$a:b:c=\sin A:\sin B:\sin C=1:\sqrt{3}:\boxed{}$$

15 $\sin A:\sin B:\sin C=2:\sqrt{5}:1$ 일 때,

$\dfrac{a^2+b^2+c^2}{ac}$의 값

16 △ABC에서

$\sin(A+B):\sin(B+C):\sin(C+A)=5:4:7$

일 때, $a:b:c$는?

① $4:5:7$ ② $4:8:6$ ③ $4:7:5$

④ $5:4:7$ ⑤ $5:4:8$

※ 다음 조건을 만족시키는 △ABC는 어떤 삼각형인지 구하여라.

17 $a\sin A+b\sin B=c\sin(A+B)$

해설 | $A+B+C=180°$이므로 $A+B=\boxed{}$

$$\therefore a\sin A+b\sin B=c\sin(A+B)$$

$$=c\sin(180°-C)$$

$$=c\sin C \qquad\cdots\cdots\text{㉠}$$

삼각형 ABC의 외접원의 반지름의 길이를 R라고 하면 사인법칙에 의하여

$$\sin A=\frac{\boxed{}}{2R},\ \sin B=\frac{\boxed{}}{2R},\ \sin C=\frac{\boxed{}}{2R}$$

이것을 ㉠에 대입하면 $\dfrac{a\cdot a}{2R}+\dfrac{b\cdot b}{2R}=\dfrac{c\cdot c}{2R}$

$$\therefore a^2+b^2=c^2$$

따라서 삼각형 ABC는 $C=\boxed{}$인 $\boxed{}$이다.

18 $a\sin A=b\sin B$

19 $(b-c)\sin A=b\sin B-c\sin C$

08 코사인법칙

1. **코사인법칙**

삼각형 ABC의 세 변의 길이 a, b, c와 세 각의 크기 A, B, C 사이에는 다음의 코사인법칙이 성립한다.

$a^2=b^2+c^2-2bc\cos A$, $b^2=c^2+a^2-2ca\cos B$, $c^2=a^2+b^2-2ab\cos C$

2. **코사인법칙의 변형**

$\cos A=\dfrac{b^2+c^2-a^2}{2bc}$, $\cos B=\dfrac{c^2+a^2-b^2}{2ca}$, $\cos C=\dfrac{a^2+b^2-c^2}{2ab}$

코사인법칙

• 두 변의 길이와 한 각의 크기가 주어진 경우에 이용

코사인법칙의 변형

• 세 변의 길이가 주어진 경우에 이용

유형 090 코사인법칙

※ △ABC에 대하여 다음을 구하여라.

01 $b=5$, $c=7$, $A=60°$일 때, a의 값

해설 | 코사인법칙에 의하여

$a^2=5^2+7^2-2\cdot5\cdot7\cos\boxed{}$

$=25+49-2\cdot5\cdot7\cdot\boxed{}=\boxed{}$

이때 $a>0$이므로 $a=\boxed{}$

02 $a=6$, $c=3$, $B=60°$일 때, b의 값

03 $a=12$, $b=6$, $C=120°$일 때, c의 값

04 $a=\sqrt{2}$, $b=\sqrt{6}$, $c=2\sqrt{2}$일 때, A의 값

05 $a=2\sqrt{3}$, $b=2$, $c=2$일 때, B의 값

06 $a=3$, $b=5$, $c=7$일 때, C의 값

학교시험 필수예제

07 △ABC에서 $a=6$, $c=3$, $B=60°$일 때, △ABC의 외접원의 넓이는?

① 5π ② 7π ③ 9π

④ 11π ⑤ 13π

※ △ABC에 대하여 다음을 구하여라.

08 $\overline{AB}=\sqrt{5}$, $\overline{CA}=\sqrt{2}$, $\angle C=45°$일 때, $\sin A$의 값

해설 | 주어진 조건을 그림으로 나타내면 그림과 같다.

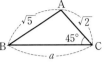

이때 △ABC에서 코사인법칙에 의하여

$(\sqrt{5})^2=(\sqrt{2})^2+a^2-2\sqrt{2}a\cos 45°$

$5=2+a^2-2\sqrt{2}a\times\dfrac{1}{\sqrt{2}}$

$a^2-2a-\boxed{}=0$, $(a+1)(a-\boxed{})=0$

$\therefore a=\boxed{}$ $(\because a>0)$

따라서 △ABC에서 사인법칙에 의하여

$\dfrac{3}{\sin A}=\dfrac{\sqrt{5}}{\sin 45°}$, $\sqrt{5}\sin A=3\sin 45°$

$\therefore \sin A=\boxed{}$

09 $a=\sqrt{6}+\sqrt{2}$, $B=45°$, $c=2$일 때, b, A, C의 값

유형 091 코사인법칙의 변형

※ △ABC에 대하여 다음을 구하여라.

10 $\sin A:\sin B:\sin C=13:7:8$일 때, A의 값

해설 | 사인법칙에 의하여 $\sin A:\sin B:\sin C=a:b:c$ 이므로

$a:b:c=13:7:8$

$a=13k$, $b=7k$, $c=8k$ $(k>0)$라고 하면

$\cos A=\dfrac{b^2+c^2-a^2}{2bc}=\dfrac{(7k)^2+(8k)^2-(13k)^2}{2\cdot 7k\cdot 8k}$

$=\boxed{}$

$0°<A<180°$이므로 $A=\boxed{}$

11 $\sin A:\sin B:\sin C=3:5:7$일 때, C의 값

12 $\sin A:\sin B:\sin C=1:\sqrt{2}:\sqrt{3}$일 때, $\cos B$의 값

13 $6\sin A=2\sqrt{3}\sin B=3\sin C$일 때, A의 값

14 $(a+b):(b+c):(c+a)=5:7:6$일 때, $\cos A$의 값

유형 O92 삼각형의 최대각과 최소각

※ △ABC에 대하여 다음을 구하여라.

17 세 변의 길이가 7, 8, 13인 삼각형의 가장 큰 각

해설ㅣ $a=7$, $b=8$, $c=13$이라 하면 가장 큰 각은 변 $c=13$의 대각이다.

이때 코사인법칙의 변형 공식에 의하여

$$\cos C = \frac{a^2+b^2-c^2}{2ab} = \frac{7^2+8^2-13^2}{2\cdot7\cdot8} = \boxed{}$$

$0°<C<180°$이므로 $C=\boxed{}$

18 세 변의 길이가 3, 5, 7인 삼각형의 가장 큰 각

15 $a=4$, $b=5$, $c=7$인 △ABC의 외접원의 반지름의 길이

19 세변의 길이가 $\sqrt{6}$, 2, $\sqrt{3}+1$인 삼각형의 가장 작은 각

학교시험 **필수예제**

16 오른쪽 그림의 직육면체에서 $\overline{AB}=\overline{AD}=3$, $\overline{BF}=6$ 이다.

∠FCH=θ라고 할 때, $\cos\theta$의 값을 구하여라.

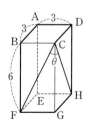

20 △ABC의 세 변의 길이 a, b, c에 대하여

$$\frac{2a-b}{2} = \frac{2b-c}{3} = \frac{4c-5a}{5}$$

가 성립할 때, △ABC의 최소각의 크기를 θ라고 하자. 이때 $\cos\theta$의 값을 구하여라.

※ 다음 등식을 만족하는 삼각형 ABC는 어떤 삼각형인지 말하여라.

21 $2\sin A \cos C = \sin B$

해설 | $2\sin A \cos C = \sin B$에서

$$2 \cdot \boxed{} \cdot \frac{a^2+b^2-c^2}{2ab} = \boxed{}$$

$a^2+b^2-c^2=b^2,\ a^2=c^2$

$\therefore a=c\,(\because a>0,\ c>0)$

따라서 $a=c$인 $\boxed{}$이다.

22 $a\cos B = b\cos A + c$

23 $\sin A = 2\sin B \cos C$

24 $a\cos C = c\cos A$

25 $a\cos B - b\cos A = c$

26 $\sin A + \sin B = \sin C(\cos A + \cos B)$

27 $\sin A = 2\sin\left(\dfrac{A-B+C}{2}\right)\sin C$

Tip

삼각형의 모양은 사인법칙의 변형 공식, 코사인법칙의 변형 공식을 이용하여 각의 크기 사이의 관계를 변의 길이 사이의 관계로 고치면 알 수 있다.

09 도형의 넓이

1. 삼각형의 넓이

(1) 삼각형 ABC에서 이웃하는 두 변을 a, b라 하고 두 변 사이의 끼인각을 θ라 할 때 삼각형의 넓이를 S라 하면

$$S=\frac{1}{2}ab\sin C=\frac{1}{2}bc\sin A=\frac{1}{2}ca\sin B$$

(2) △ABC의 내접원의 반지름의 길이가 r일 때,

$$S=\frac{1}{2}r(a+b+c)$$

(3) 헤론의 공식 : 세 변의 길이가 주어질 때,

$$S=\sqrt{s(s-a)(s-b)(s-c)}\left(\text{단, } s=\frac{a+b+c}{2}\right)$$

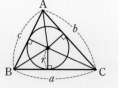

2. 평행사변형의 넓이

이웃하는 두 변의 길이가 a, b이고 그 끼인각의 크기가 θ일 때

$$S=ab\sin\theta$$

△ABC의 외접원의 반지름의 길이가 R일 때, △ABC의 넓이는

$$S=\frac{abc}{4R}$$
$$=2R^2\sin A\sin B\sin C$$

일반 사각형의 넓이

두 대각선의 길이가 a, b이고, 두 대각선이 이루는 각의 크기가 θ일 때

$$S=\frac{1}{2}ab\sin\theta$$

유형 094 삼각형의 넓이

※ 다음 조건을 만족하는 △ABC의 넓이를 구하여라.

01 $a=8$, $b=12$, $C=30°$

해설ㅣ △ABC의 넓이를 S라고 하면

$$S=\boxed{}\cdot 8\cdot 12\cdot\sin 30°=\boxed{}\cdot 8\cdot 12\cdot\frac{1}{2}=\boxed{}$$

02 $a=6$, $c=5$, $B=120°$

03 $a=5$, $b=8$, $c=9$

※ △ABC에 대하여 다음을 구하여라.

04 세 변의 길이의 합이 20이고, 내접원의 반지름의 길이가 $\sqrt{3}$일 때, △ABC의 넓이

05 넓이가 18인 △ABC의 세 변의 길이의 합이 18일 때, 내접원의 반지름의 길이

06 $b=4$, $A=135°$인 △ABC의 넓이가 2일 때, a의 값

※ 다음 조건을 만족하는 평행사변형 ABCD의 넓이를 구하여라.

07 $\overline{AB}=2$, $\overline{BC}=3$, $D=60°$

해설 | $B=D=60°$이므로

$$\square ABCD=2 \cdot 3 \cdot \sin \boxed{}=2 \cdot 3 \cdot \boxed{}=\boxed{}$$

08 $\overline{AB}=6$, $\overline{BC}=9$, $D=120°$

09 $\overline{AB}=3$, $\overline{AD}=4$, $B=135°$

학교시험 **필수예제**

10 오른쪽 그림과 같이 $\overline{AB}=2$, $\overline{BC}=4$인 평행사변형 ABCD의 넓이가 $4\sqrt{2}$일 때, A의 값은?
(단, $90°<A<180°$)

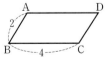

① $105°$　　② $120°$　　③ $125°$
④ $135°$　　⑤ $150°$

※ 다음을 구하여라.

11 사각형 ABCD에서 두 대각선의 길이가 10, 14이고 그 끼인각의 크기가 120°일 때, 사각형 ABCD의 넓이

해설 | $\square ABCD=\boxed{} \cdot 10 \cdot 14 \cdot \sin 120°=\boxed{} \cdot 10 \cdot 14 \cdot \dfrac{\sqrt{3}}{2}$
$=\boxed{}$

12 사각형 ABCD에서 두 대각선의 길이가 4, 11이고 두 대각선이 이루는 각의 크기가 150°일 때, 사각형 ABCD의 넓이

13 사각형 ABCD에서 두 대각선의 길이가 6, 8이고 두 대각선이 이루는 각의 크기가 45°일 때, 사각형 ABCD의 넓이

학교시험 **필수예제**

14 사각형 ABCD의 두 대각선의 길이의 합이 8이고, 두 대각선이 이루는 예각의 크기가 60°일 때, 이 사각형의 넓이의 최댓값은?

① $3\sqrt{3}$　　② $4\sqrt{3}$　　③ 4
④ 8　　⑤ $8\sqrt{3}$

 Ⅱ. 삼각함수

1. 일반각과 호도법

(1) 일반각

시초선 OX에 대하여 동경 OP가 나타내는 ∠XOP의 크기 중 하나를 $\alpha°$라 할 때, 동경 OP가 나타내는 각의 크기

   $360° \times n + \alpha°$ (n은 정수)

를 동경 OP가 나타내는 일반각이라 한다.

(2) 호도법

① 호도법 : 각의 크기 $\dfrac{180°}{\pi}$를 1라디안이라 하고, 이것을 단위로 각의 크기를 나타내는 방법

② 호도법과 육십분법의 관계 : 1라디안 $= \dfrac{180°}{\pi}$, $1° = $ ❶

③ 부채꼴의 호의 길이와 넓이

반지름의 길이가 r, 중심각의 크기가 θ라디안인 부채꼴의 호의 길이를 l, 넓이를 S라고 하면

$l = r\theta$, $S = \dfrac{1}{2}r^2\theta = \dfrac{1}{2}rl$

2. 삼각함수

(1) 삼각함수의 정의

$\sin\theta = \dfrac{y}{r}$, $\cos\theta = $ ❷, $\tan\theta = \dfrac{y}{x}$ ($x \neq 0$)

(2) 삼각함수의 값의 부호

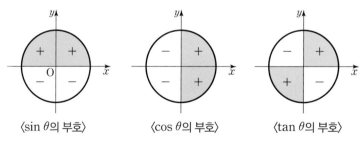

⟨$\sin\theta$의 부호⟩   ⟨$\cos\theta$의 부호⟩   ⟨$\tan\theta$의 부호⟩

3. 삼각함수 사이의 관계

(1) $\tan\theta = \dfrac{\sin\theta}{\cos\theta}$ (2) $\sin^2\theta + \cos^2\theta = $ ❸   (3) $1 + \tan^2\theta = \dfrac{1}{\cos^2\theta}$

- $60° = 60 \times 1°$

  $= 60 \times \dfrac{\pi}{180}$ 라디안

  $= \dfrac{\pi}{3}$ 라디안

- $\dfrac{2}{3}\pi$ 라디안 $= \dfrac{2}{3}\pi \times 1$ 라디안

  $= \dfrac{2}{3}\pi \times \dfrac{180°}{\pi}$

  $= 120°$

각 사분면에서 삼각함수의 값의 부호가 $+$인 것을 나타내면 다음과 같다.

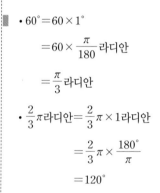

$\sin^2\theta + \cos^2\theta = 1$의 양변을 $\cos^2\theta$로 나누면

$\tan^2\theta + 1 = \dfrac{1}{\cos^2\theta}$

---

❶ $\dfrac{\pi}{180}$ 라디안   ❷ $\dfrac{x}{r}$ ❸ 1

4. 삼각함수의 그래프

(1) 삼각함수 $y=\sin\theta$

① 정의역은 실수 전체의 집합이고, 치역은 $\{y\,|\,$❹$\}$이다.

② 그래프는 ❺에 대하여 대칭이다. $\sin(-\theta)=-\sin\theta$

③ 주기가 ❻인 주기함수이다. $\sin(2n\pi+\theta)=\sin\theta$ (n은 정수)

(2) 삼각함수 $y=\cos\theta$

① 정의역은 실수 전체의 집합이고, 치역은 $\{y\,|-1\leq y\leq 1\}$이다.

② 그래프는 ❼에 대하여 대칭이다. $\cos(-\theta)=\cos\theta$

③ 주기가 2π인 주기함수이다. $\cos(2n\pi+\theta)=\cos\theta$ (n은 정수)

(3) 삼각함수 $y=\tan\theta$

① 정의역은 ❽ (n은 정수)를 제외한 실수 전체의 집합이고, 치역은 실수 전체의 집

합이다.

② 그래프는 원점에 대하여 대칭이다. $\tan(-\theta)=$ ❾

③ 주기가 ❿인 주기함수이다. $\tan(n\pi+\theta)=\tan\theta$ (n은 정수)

④ 그래프의 점근선은 직선 $x=n\pi+\dfrac{\pi}{2}$ (n은 정수)이다.

> 참고 함수 $f(x)$에서 정의역에 속하는 모든 x에 대하여 $f(x+p)=f(x)$를 만족하는 0이 아닌 상수 p가 존
> 재할 때, 함수 f를 주기함수라 하고 p의 값 중에서 최소인 양수를 함수 f의 주기라 한다.

5. 삼각함수의 성질

(1) 각 $2n\pi+\theta$의 삼각함수 (단, n은 정수)

$\sin(2n\pi+\theta)=\sin\theta$, $\cos(2n\pi+\theta)=\cos\theta$, $\tan(2n\pi+\theta)=\tan\theta$

(2) 각 $-\theta$의 삼각함수

$\sin(-\theta)=-\sin\theta$, $\cos(-\theta)=$ ⓫, $\tan(-\theta)=-\tan\theta$

(3) 각 $\pi\pm\theta$의 삼각함수

$\sin(\pi\pm\theta)=$ ⓬, $\cos(\pi\pm\theta)=-\cos\theta$, $\tan(\pi\pm\theta)=\pm\tan\theta$ (복부호 동순)

(4) 각 $\dfrac{\pi}{2}\pm\theta$의 삼각함수

$\sin\left(\dfrac{\pi}{2}\pm\theta\right)=\cos\theta$, $\cos\left(\dfrac{\pi}{2}\pm\theta\right)=$ ⓭, $\tan\left(\dfrac{\pi}{2}\pm\theta\right)=\mp\dfrac{1}{\tan\theta}$ (복부호 동순)

6. 삼각함수의 활용

(1) 삼각방정식의 풀이 : 주어진 방정식을 $\sin x=k$ (또는 $\cos x=k$, $\tan x=k$)의 꼴로 변형한
후 함수 $y=\sin x$ (또는 $y=\cos x$, $y=\tan x$)의 그래프와 직선 $y=k$의 교점의 x좌표를 구
한다.

(2) 삼각부등식의 풀이 : 부등호를 등호로 바꾸어 삼각방정식을 푼 후 삼각함수의 그래프를 이용하
여 주어진 부등식을 만족하는 미지수의 값의 범위를 구한다.

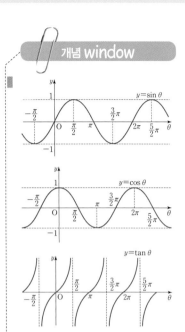
❹ $-1\leq y\leq 1$ ❺ 원점 ❻ 2π ❼ y축 ❽ $n\pi+\dfrac{\pi}{2}$ ❾ $-\tan\theta$ ❿ π ⓫ $\cos\theta$ ⓬ $\mp\sin\theta$ ⓭ $\mp\sin\theta$

7. 사인법칙

(1) 사인법칙

$\triangle ABC$의 반지름의 길이를 R라 할 때,

$$\frac{a}{\sin A} = \frac{b}{\sin B} = \frac{c}{\sin C} = \boxed{⑭}$$

(2) 사인법칙의 변형

① $\sin A = \dfrac{a}{2R}$, $\sin B = \dfrac{b}{2R}$, $\sin C = \dfrac{c}{2R}$

② $a = 2R \sin A$, $b = 2R \sin B$, $c = 2R \sin C$

③ $\sin A : \sin B : \sin C = a : b : c$

8. 코사인법칙

(1) 코사인법칙

삼각형 ABC의 세 변의 길이 a, b, c와 세 각의 크기 A, B, C 사이에는 다음의 코사인법칙이 성립한다.

$$a^2 = b^2 + c^2 - \boxed{⑮}, \quad b^2 = c^2 + a^2 - 2ca \cos B, \quad c^2 = a^2 + b^2 - 2ab \cos C$$

(2) 코사인법칙의 변형

$$\cos A = \frac{b^2 + c^2 - a^2}{2bc}, \quad \cos B = \frac{c^2 + a^2 - b^2}{2ca}, \quad \cos C = \frac{a^2 + b^2 - c^2}{2ab}$$

9. 도형의 넓이

(1) 삼각형의 넓이

① 삼각형 ABC에서 이웃하는 두 변을 a, b라 하고 두 변 사이의 끼인각을 θ라 할 때 삼각형의 넓이를 S라 하면

$$S = \frac{1}{2}ab \sin C = \frac{1}{2}bc \sin A = \frac{1}{2}ca \sin B$$

② $\triangle ABC$의 내접원의 반지름의 길이가 r일 때,

$$S = \frac{1}{2}r(\boxed{⑯})$$

③ 헤론의 공식 : 세 변의 길이가 주어질 때,

$$S = \sqrt{s(s-a)(s-b)(s-c)} \left(\text{단, } s = \boxed{⑰}\right)$$

(2) 평행사변형의 넓이

이웃하는 두 변의 길이가 a, b이고 그 끼인각의 크기가 θ일 때 $S = ab \sin \theta$

개념 window

삼각형의 6 요소

삼각형의 세 각의 크기와 세 변의 길이를 삼각형의 6요소라 한다. 이때 삼각형 ABC에서 세 각의 크기를 각각 $\angle A$, $\angle B$, $\angle C$ 또는 A, B, C로 나타내고 이들의 대변 BC, CA, AB의 길이를 각각 a, b, c로 나타낸다.

코사인법칙

• 두 변의 길이와 한 각의 크기가 주어진 경우에 이용

코사인법칙의 변형

• 세 변의 길이가 주어진 경우에 이용

$\triangle ABC$의 외접원의 반지름의 길이가 R일 때, $\triangle ABC$의 넓이는

$$S = \frac{abc}{4R}$$
$$= 2R^2 \sin A \sin B \sin C$$

일반 사각형의 넓이

두 대각선의 길이가 a, b이고, 두 대각선이 이루는 각의 크기가 θ일 때 $S = \dfrac{1}{2}ab \sin \theta$

⑭ $2R$　⑮ $2bc \cos A$　⑯ $a+b+c$　⑰ $\dfrac{a+b+c}{2}$

황금비율

앵무조개 껍질의 나선에서 황금비를 찾을 수 있다.

해바라기 씨의 배열

해바라기 씨의 배열에서 규칙성을 찾을 수 있다.

원리합계

수열을 이용하여 원리합계를 구할 수 있다.

어떻게?
수열을 자연 현상에서도 찾을 수 있을까?

그 답은 바로
자연 현상은 일정한 수의 규칙으로 이루어져 있기 때문!

수에 대한 이론은 수학의 가장 오래된 분야 중의 하나로 수의 성질과 규칙성은 고대에서부터 많이 연구되어 왔다. 이에 인류는 오래 전부터 자연 현상이나 사회 현상을 관찰하면서 규칙에 따라 나열된 수들에 많은 관심을 가져왔고 그 결과 오늘날 수열의 개념은 수학의 중요한 연구 대상일 뿐만 아니라 자연 현상이나 사회 현상을 수학적으로 나타낼 수 있는 중요한 도구가 되었다.

달력에서 같은 요일의 날짜들, 올림픽이 개최되는 연도, 그리고 일정하게 분열하는 세포의 수에서도 규칙을 찾아 볼 수 있다.

또한, 꽃의 종류에 따라 작은 것부터 나열한 꽃잎의 수, 손가락의 각각의 마디의 비율, 앵무조개의 껍질 또는 르네상스의 대표화가 레오나르도 다빈치의 그림 등에서 볼 수 있는 황금나선 등은 일정한 규칙이 존재한다.

이와 같이 우리 주변의 현상을 잘 관찰하면 어떤 규칙을 찾아낼 수 있는 경우가 많이 있다. 특히, 수의 배열과 관련된 규칙을 잘 이해하고 응용하면 자연이나 사회의 많은 현상들을 효과적으로 이해하는 데에 도움이 된다.

현대 수학에서 중요한 분야 중의 하나가 수의 규칙성을 통하여 미래를 예측하는 것이다. 수의 배열 규칙을 식으로 나타내고 탐구하는 수열의 이론을 활용하면 이러한 현상들을 관찰하여 규칙을 알아내어 여러 가지 문제(적립금의 합, 생물의 세포 분열, 인구의 증가 등)와 관련된 계산을 할 수 있다.

III 수열

01 수열의 뜻

1. **수열** : 어떤 규칙에 따라 늘어놓은 수의 열
2. **항** : 수열을 이루는 각각의 수
3. **수열을 나타내는 방법** : $a_1, a_2, a_3, \cdots, a_n, \cdots$ 또는 $\{a_n\}$
4. **일반항** : 수열 $a_1, a_2, a_3, \cdots, a_n, \cdots$을 앞에서부터 차례로 첫째항, 둘째항, 셋째항, $\cdots$, n째항, 또는 제1항, 제2항, 제3항, $\cdots$, 제n항, $\cdots$이라고 한다. 이때 제n항 a_n을 수열의 일반항이라고 한다.

• 수열의 규칙에는 일정한 수를 더하거나 곱하는 경우 등이 있다.

유형 097 수열의 일반항

※ 어떤 수열의 일반항이 다음과 같을 때 [ ] 안에 주어진 항을 구하여라.

01 $a_n = n + 7$ [제6항]

02 $a_n = 3n - 4$ [제4항]

03 $a_n = \dfrac{5n-1}{2}$ [제8항]

※ 어떤 수열의 일반항이 다음과 같을 때 제1항과 제4항의 차를 구하여라.

04 $a_n = n^2 + 1$

05 $a_n = \dfrac{1}{2n}$

※ 다음 수열의 일반항 a_n을 구하여라.

06 $0, 1, 2, 3, \cdots$

07 $\dfrac{1}{2}, \dfrac{1}{4}, \dfrac{1}{6}, \dfrac{1}{8}, \cdots$

08 $1, -1, 1, -1, \cdots$

09 $1 \cdot 3, 2 \cdot 4, 3 \cdot 5, 4 \cdot 6, \cdots$

학교시험 필수예제

10 다음 수열의 규칙을 찾아 일반항 a_n을 구하여라.

$$1, 8, 27, 64, \cdots$$

02 등차수열

1. **등차수열** : 수열 $\{a_n\}$의 각 항이 바로 앞의 항에 일정한 수를 더하여 얻어지는 수열
2. **공차** : 등차수열에서 더하는 일정한 수를 공차라 하고 d로 나타낸다.
   공차가 d인 등차수열 $\{a_n\}$에서
   $a_{n+1}=a_n+d$, $a_{n+1}-a_n=d$ $(n=1, 2, 3, \cdots)$
3. **등차수열의 일반항** : 첫째항이 a, 공차가 d인 등차수열의 일반항
   $a_n=a+(n-1)d$

- 수열 $\{a_n\}$이 3, 5, 7, 9, $\cdots$일 때,
  $5-3=7-5=9-7=2$이므로
  수열 $\{a_n\}$은 공차가 2인 등차수열
  이다.
- a_1을 a로 표현하기도 한다.

유형 098 등차수열과 일반항

※ 다음 수열이 등차수열일 때, 첫째항을 구하여라.

01 $\square$, 5, 9, 13, 17, $\cdots$

02 $\square$, -1, $-\dfrac{3}{2}$, -2, $-\dfrac{5}{2}$, $\cdots$

※ 다음 수열이 등차수열을 이루도록 $\square$ 안에 알맞은 수를 써넣어라.

03 $\square$, 2, 4, 6, $\square$, $\cdots$

04 6, $\square$, $\square$, -3, -6, $\cdots$

※ 다음 등차수열의 일반항 a_n을 구하여라.

05 첫째항이 -3, 공차가 -4

06 첫째항이 -1, 공차가 $\dfrac{1}{3}$

※ 등차수열 $\{a_n\}$이 다음을 만족시킬 때, 공차를 구하여라.

07 $a_1=3$, $a_7=45$

08 $a_1=18$, $a_9=-22$

Tip
등차수열에서는 첫째항과 공차를 알면 계산이 편리하다.

※ 다음 수열의 일반항 a_n을 구하여라.

09 $1, 4, 7, 10, 13, \cdots$

10 $3, 9, 15, 21, 27, \cdots$

11 $-2, -4, -6, -8, -10, \cdots$

12 $\dfrac{1}{5}, \dfrac{3}{5}, 1, \dfrac{7}{5}, \dfrac{9}{5}, \cdots$

13 $9, 5, 1, -3, -7, \cdots$

유형 **099** 등차수열의 항 구하기

첫째항과 공차, 또는 두 항 사이의 차를 이용한다.
첫째항이 a, 공차가 d인 등차수열의 일반항은
$$a_n = a + (n-1)d$$

14 등차수열 $\{a_n\}$의 첫째항이 -8이고, 공차가 4일 때, a_{10}을 구하여라.

※ 등차수열 $\{a_n\}$이 다음과 같을 때, a_8을 구하여라.

15 $-1, 4, 9, 14, 19, \cdots$

16 $1, -5, -11, -17, -23, \cdots$

17 $-\dfrac{1}{3}, -1, -\dfrac{5}{3}, -\dfrac{7}{3}, -3, \cdots$

학교시험 필수예제

18 등차수열 $\{a_n\}$에서 $a_2=8$, $a_6=16$일 때, 일반항 a_n을 구하여라.

Tip

등차수열의 일반항 a_n은 $a_n = pn + q$ (p, q는 상수)와 같이 n의 일차식으로 나타낼 수 있다.

03 등차중항

세 수 a, b, c가 이 순서대로 등차수열을 이룰 때, b를 a와 c의 등차중항이라고 한다.

b가 a와 c의 등차중항이면 $b-a=c-b$이므로 $b=\dfrac{a+c}{2}$가 성립한다.

• b가 a와 c의 등차중항이기 위한 필요충분조건은 $2b=a+c$, 즉
$$b=\frac{a+c}{2}$$
이다.

유형 100 등차중항

※ 다음 수가 순서대로 등차수열을 이룰 때, x, y, z의 값을 구하여라.

01 5, x, 13

02 -4, x, -10

03 x, 3, $2x$

04 1, x, 5, y, 9

05 -1, x, -11, y, -21

06 4, 11, x, y, 32

07 x, 6, y, 14, z

학교시험 필수예제

08 세 수 30, a^2+a, $-2a$가 이 순서대로 등차수열을 이룰 때, 모든 a의 값의 합을 구하여라.

04 등차수열을 이루는 수

첫째항이 a이고 공차가 d인 등차수열에서
① 등차수열을 이루는 세 수는 $a-d$, a, $a+d$로 놓고 식을 세운다.
② 등차수열을 이루는 네 수는 $a-3d$, $a-d$, $a+d$, $a+3d$로 놓고 식을 세운다.

유형 101 등차수열을 이루는 수

※ 등차수열을 이루는 세 수가 있다. 다음 물음에 답하여라.

01 세 수의 합이 6이고 곱이 -10일 때 이들 세 수를 구하여라.

해설ㅣ 구하는 세 수를 $a-d$, $\boxed{}$, $a+d$로 놓으면

$(a-d)+a+(a+d)=6$ ⋯ ㉠

$(a-d)\times a\times(a+d)=\boxed{}$ ⋯ ㉡

㉠에서 $3a=\boxed{}$ $\therefore a=\boxed{}$

$a=2$를 ㉡에 대입하면

$(2-d)\cdot 2\cdot(2+d)=\boxed{}$

$4-d^2=-5$, $d^2=9$ $\therefore d=\boxed{}$ 또는 $d=\boxed{}$

따라서 구하는 세 수는 $\boxed{}$, 2, $\boxed{}$이다.

02 세 수의 합이 15이고 곱이 45일 때, 이들 세 수를 구하여라.

※ 네 수 w, x, y, z가 이 순서대로 등차수열을 이룬다. 다음 물음에 답하여라.

03 네 수의 합이 56이고 w와 z의 곱이 52일 때, 네 수 중 가장 큰 수를 구하여라.

04 네 수의 합이 32이고 x와 y의 곱이 60일 때, w와 z의 곱을 구하여라.

학교시험 필수예제

05 삼차방정식 $x^3-6x^2+kx+10=0$의 세 근이 등차수열을 이룰 때, 상수 k의 값을 구하여라.

Tip

삼차방정식 $x^3+ax^2+bx+c=0$의 세 근의 합은 $-a$이다.

05 등차수열의 합

등차수열의 첫째항부터 제n항까지의 합을 S_n이라 하면

① 첫째항이 a, 제n항이 l일 때, $S_n = \dfrac{n(a+l)}{2}$

② 첫째항이 a, 공차가 d일 때, $S_n = \dfrac{n\{2a+(n-1)d\}}{2}$

| 참고 | 등차수열 $\{a_n\}$의 제n항이 l일 때 $l=a+(n-1)d$이므로 $S_n = \dfrac{n(a+l)}{2} = \dfrac{n\{a+a+(n-1)d\}}{2} = \dfrac{n\{2a+(n-1)d\}}{2}$

유형 102 등차수열의 합

01 첫째항이 4, 제12항이 40인 등차수열의 제12항까지의 합을 구하여라.

02 첫째항이 1, 제10항이 35인 등차수열의 제10항까지의 합을 구하여라.

03 첫째항이 3, 공차가 -5인 등차수열의 첫째항부터 제10항까지의 합을 구하여라.

04 첫째항이 -4, 공차가 3인 등차수열의 첫째항부터 제15항까지의 합을 구하여라.

05 등차수열 1, 5, 9, 13, …의 첫째항부터 제16항까지의 합을 구하여라.

06 등차수열 0, -2, -4, -6, …의 첫째항부터 제20항까지의 합을 구하여라.

※ 다음 등차수열의 합을 구하여라.

07 1, 7, 13, 19, …, 145

08 1, -2, -5, -8, …, -86

09 $a_1=1$, $a_6=11$인 등차수열 $\{a_n\}$의 첫째항부터 제20항까지의 합을 구하여라.

10 $a_3=13$, $a_7=33$인 등차수열 $\{a_n\}$의 첫째항부터 제10항까지의 합을 구하여라.

11 6과 48 사이에 n개의 수 a_1, a_2, a_3, $\cdots$, a_n을 넣어 등차수열 6, a_1, a_2, a_3, $\cdots$, a_n, 48을 만들었다. 이 수열의 모든 항의 합이 594일 때, n의 값을 구하여라.

12 -18과 10 사이에 n개의 수 a_1, a_2, a_3, $\cdots$, a_n을 넣어 등차수열 -18, a_1, a_2, a_3, $\cdots$, a_n, 10을 만들었다. 이 수열의 모든 항의 합이 -56일 때, n의 값을 구하여라.

13 첫째항이 17, 공차가 -3인 등차수열 $\{a_n\}$에서 첫째항부터 제n항까지의 합을 S_n이라 할 때, S_n의 값이 최대가 되도록 하는 자연수 n의 값을 구하여라.

14 첫째항이 -19, 공차가 2인 등차수열 $\{a_n\}$에서 첫째항부터 제n항까지의 합을 S_n이라 할 때, S_n의 값이 최소가 되도록 하는 자연수 n의 값을 구하여라.

학교시험 필수예제

15 제6항이 5, 제14항이 -11인 등차수열 $\{a_n\}$에서 첫째항부터 제n항까지의 합을 S_n이라 할 때, S_n의 최댓값을 구하여라.

06 등비수열

1. **등비수열** : 수열 $\{a_n\}$의 각 항이 바로 앞의 항에 일정한 수를 곱하여 얻어지는 수열
2. **공비** : 등비수열에서 곱하는 일정한 수를 공비라 하고 r로 나타낸다.
   공비가 r인 등비수열 $\{a_n\}$에서
   $$a_{n+1}=ra_n, \quad \frac{a_{n+1}}{a_n}=r \ (n=1, 2, 3, \cdots)$$
3. **등비수열의 일반항** : 첫째항이 a, 공비가 r인 등비수열의 일반항
   $$a_n=ar^{n-1} \ (\text{단}, \ n=1, 2, 3, \cdots)$$

• 수열 $\{a_n\}$이 1, 2, 4, 8, $\cdots$일 때,
$$\frac{2}{1}=\frac{4}{2}=\frac{8}{4}=2$$이므로 수열 $\{a_n\}$은 공비가 2인 등비수열이다.

유형 104 등비수열과 일반항

※ 다음 등비수열의 공비를 구하여라.

01 4, -4, 4, -4, $\cdots$

02 3, 6, 12, 24, $\cdots$

※ 다음 수열이 등비수열일 때, 첫째항을 구하여라.

03 $\square$, 6, 18, 54, 162, $\cdots$

04 $\square$, -2, 4, -8, 16, $\cdots$

※ 다음 수열이 등비수열을 이루도록 $\square$ 안에 알맞은 수를 써넣어라.

05 2, $\boxed{}$, $\boxed{}$, 250, 1250, $\cdots$

06 $\boxed{}$, -4, -16, -64, $\boxed{}$, $\cdots$

※ 다음 등비수열의 일반항 a_n을 구하여라.

07 첫째항이 5, 공비가 -2

08 첫째항이 2, 공비가 $\dfrac{1}{3}$

Tip
등비수열에서는 첫째항과 공비를 알면 계산이 편리하다.

※ 등비수열 $\{a_n\}$이 다음을 만족시킬 때, 공비를 구하여라. (단, 공비는 양수이다.)

09 $a_1=1$, $a_4=\dfrac{1}{8}$

10 $a_1=2$, $a_5=162$

※ 다음 수열의 일반항 a_n을 구하여라.

11 1, $\dfrac{1}{4}$, $\dfrac{1}{16}$, $\dfrac{1}{64}$, $\cdots$

12 1, $-\dfrac{1}{3}$, $\dfrac{1}{9}$, $-\dfrac{1}{27}$, $\cdots$

13 9, 3, 1, $\dfrac{1}{3}$, $\cdots$

14 32, -16, 8, -4, $\cdots$

15 $\dfrac{1}{4}$, $\dfrac{1}{2}$, 1, 2, $\cdots$

유형 **105** 등비수열의 항 구하기

첫째항과 공비, 또는 두 항 사이의 비를 이용한다.
첫째항이 a, 공비가 r인 등비수열의 일반항은
$$a_n=ar^{n-1}$$

16 등비수열 $\{a_n\}$의 첫째항이 3이고 공비가 2일 때, a_4를 구하여라.

※ 등비수열 $\{a_n\}$이 다음과 같을 때, a_{10}을 구하여라.

17 2, 4, 8, 16, $\cdots$

18 4, 2, 1, $\dfrac{1}{2}$, $\cdots$

19 18, 6, 2, $\dfrac{2}{3}$, $\cdots$

학교시험 필수예제

20 각 항이 실수이고 $a_2=3$, $a_5=81$인 등비수열 $\{a_n\}$의 일반항을 구하여라.

07 등비중항

0이 아닌 세 수 a, b, c가 이 순서대로 등비수열을 이룰 때, b를 a와 c의 등비중항이라고 한다.

b가 a와 c의 등비중항이면 $\dfrac{b}{a}=\dfrac{c}{b}$이므로 $b^2=ac$가 성립한다.

- b가 a와 c의 등비중항이기 위한 필요충분조건은 $b^2=ac$이다.

유형 106 등비중항

※ 다음 수가 순서대로 등비수열을 이룰 때, x, y의 값을 구하여라.

01 3, x, 12

02 2, x, 72

03 -2, y, -8

04 1, x, 9, y

※ 다음 세 수가 순서대로 등비수열을 이룰 때, 실수 a의 값을 구하여라.

05 a, 6, $9a$

06 $a-2$, $a+2$, $a+10$

07 $3a$, $a+1$, $\dfrac{3}{4}a$

학교시험 필수예제

08 세 수 x, y, 12가 이 순서대로 등차수열을 이루고, 세 수 2, x, y가 이 순서대로 등비수열을 이룰 때, $x+y$의 값을 구하여라. (단, $xy>0$)

08 등비수열의 합

첫째항이 a, 공비가 r인 등비수열의 첫째항부터 제n항까지의 합 S_n은

① $r \neq 1$일 때, $S_n = \dfrac{a(1-r^n)}{1-r} = \dfrac{a(r^n-1)}{r-1}$

② $r = 1$일 때, $S_n = na$

> • $r < 1$이면 $S_n = \dfrac{a(1-r^n)}{1-r}$
>
> $r > 1$이면 $S_n = \dfrac{a(r^n-1)}{r-1}$
>
> 을 사용하는 것이 편리하다.

유형 107 등비수열의 합

※ 다음과 같은 등비수열의 첫째항부터 제5항까지의 합을 구하여라.

01 첫째항 1, 공비 2

02 첫째항 2, 공비 3

03 첫째항 4, 공비 -2

04 첫째항 -16, 공비 $\dfrac{1}{2}$

05 첫째항 12, 공비 1

※ 다음과 같은 등비수열의 첫째항부터 끝항까지의 합을 구하여라.

06 첫째항 3, 공비 9, 항수 10

07 첫째항 5, 공비 -2, 항수 15

08 첫째항 -4, 공비 3, 항수 7

09 첫째항 -7, 공비 $\dfrac{1}{2}$, 항수 8

※ 다음 등비수열의 첫째항부터 제n항까지의 합을 구하여라.

10 $1,\ 7,\ 7^2,\ 7^3,\ \cdots$

11 $8,\ 8,\ 8,\ 8,\ \cdots$

12 $2,\ -1,\ \dfrac{1}{2},\ -\dfrac{1}{4},\ \cdots$

13 $4,\ -4,\ 4,\ -4,\ \cdots$

14 $1,\ \sqrt{3},\ 3,\ 3\sqrt{3},\ \cdots$

유형 **108** 끝항이 주어진 등비수열의 합

※ 다음과 같은 등비수열의 첫째항부터 끝항까지의 합을 구하여라.

15 첫째항 1, 공비 -3, 끝항 -243

해설 ┃ 주어진 등비수열의 일반항을 a_n이라 하면
$$a_n = 1 \cdot (\boxed{})^{n-1},\ (-3)^{n-1} = -243 \quad \therefore n = \boxed{}$$
따라서 첫째항부터 제6항까지의 합은
$$S_6 = \frac{1 \cdot \{1 - (-3)^6\}}{1 - (-3)} = \boxed{} (1 - 729) = \boxed{}$$

16 첫째항 3, 공비 2, 끝항 384

17 첫째항 1, 공비 -2, 끝항 256

학교시험 필수예제

18 수열 $1,\ \sqrt{2},\ 2,\ 2\sqrt{2},\ \cdots$의 제$k$항의 값이 16이라 할 때, 이 수열의 첫째항부터 제k항까지의 합을 구하여라.

19 $3+1+\dfrac{1}{3}+\cdots+\dfrac{1}{81}$

해설 | 첫째항이 3, 공비가 $\boxed{}$ 인 등비수열의 제n항을 $\dfrac{1}{81}$ 이

라 하면

$$3\cdot\left(\dfrac{1}{3}\right)^{n-1}=\dfrac{1}{81},\ \left(\dfrac{1}{3}\right)^{n-1}=\dfrac{1}{243}=\left(\dfrac{1}{3}\right)^5$$

이때 $n-1=\boxed{}$ 이므로 $n=\boxed{}$

$$\therefore 3+1+\dfrac{1}{3}+\cdots+\dfrac{1}{81}=\dfrac{3\cdot\left\{1-\left(\dfrac{1}{3}\right)^6\right\}}{1-\dfrac{1}{3}}$$

$$=\boxed{}\left\{1-\left(\dfrac{1}{3}\right)^{\boxed{}}\right\}$$

20 $3+\dfrac{3}{2}+\dfrac{3}{4}+\dfrac{3}{8}+\cdots+\dfrac{3}{64}$

21 $4-8+16-32+\cdots-512$

22 $1+i+i^2+\cdots+i^{40}$ (단, $i=\sqrt{-1}$)

23 공비가 양수인 등비수열 $\{a_n\}$에서 $a_2+a_4=20$, $a_4+a_6=80$이다. 이때 등비수열 $\{a_n\}$의 첫째항부터 제10항까지의 합을 구하여라.

해설 | 등비수열 $\{a_n\}$의 첫째항을 a, 공비를 r로 놓으면

$$a_2+a_4=ar+\boxed{}=20 \qquad \cdots\ \text{㉠}$$

$$a_4+a_6=ar^3+ar^5=r^2(\boxed{})=80 \qquad \cdots\ \text{㉡}$$

㉡$\div$㉠을 하면

$$r^2=\boxed{}$$

$$\therefore r=2\ (\because r>0)$$

$r=2$를 ㉠에 대입하면

$$2a+8a=20$$

$$\therefore a=2$$

따라서 주어진 수열의 첫째항부터 제10항까지의 합은

$$S_{10}=\dfrac{2\cdot(2^{10}-1)}{2-1}=2(2^{10}-1)=\boxed{}$$

학교시험 필수예제

24 공비가 양수인 등비수열 $\{a_n\}$에서 $a_1+a_3=10$, $a_3+a_5=90$이다. 이때 등비수열 $\{a_n\}$의 첫째항부터 제6항까지의 합은?

① 361   ② 364   ③ 367
④ 370   ⑤ 373

09 수열의 합과 일반항 사이의 관계

1. 수열 $\{a_n\}$의 첫째항부터 제n항까지의 합 S_n에 대하여
   $a_1=S_1$, $a_n=S_n-S_{n-1}$ (단, $n=2, 3, 4, \cdots$)
2. $S_n=An^2+Bn+C$ (A, B, C는 상수)일 때,
   ① $C=0$이면 수열 $\{a_n\}$은 첫째항부터 등차수열을 이룬다.
   ② $C\neq0$이면 수열 $\{a_n\}$은 둘째항부터 등차수열을 이룬다.

• 수열 $\{a_n\}$의 첫째항부터 제n항까지의 합 S_n이
$S_n=p\cdot r^n+q$ (단, $p+q=0$)
일 때 수열 $\{a_n\}$은 공비가 r인 등비수열이다.

유형 109 수열의 합과 일반항 사이의 관계

01 수열 $\{a_n\}$의 첫째항부터 제n항까지의 합 S_n이 $S_n=4n^2+3n$일 때, 일반항 a_n을 구하여라.

해설 | (i) $n=1$일 때, $a_1=S_1=4\cdot1+3\cdot1=7$
(ii) $n\geq2$일 때,
$$a_n=S_n-S_{n-1}$$
$$=4n^2+3n-\{4(n-1)^2+3(\boxed{})\}$$
$$=4n^2+3n-(\boxed{})$$
$$=\boxed{} \ (n\geq2) \ \cdots\bigcirc$$
이때 $a_1=7$은 $\bigcirc$에 $n=1$을 대입한 것과 같으므로
$a_n=\boxed{}$ $(n\geq1)$

02 수열 $\{a_n\}$의 첫째항부터 제n항까지의 합 S_n이 $S_n=n^2+n$일 때, 일반항 a_n을 구하여라.

03 수열 $\{a_n\}$의 첫째항부터 제n항까지의 합 S_n이 $S_n=n^2-2n+1$일 때, 일반항 a_n을 구하여라.

04 수열 $\{a_n\}$의 첫째항부터 제n항까지의 합 S_n이 $S_n=2^n-1$일 때, 일반항 a_n을 구하여라.

해설 | (i) $n=1$일 때, $a_1=S_1=2^1-1=1$
(ii) $n\geq2$일 때,
$$a_n=S_n-\boxed{}$$
$$=2^n-1-(2^{n-1}-1)$$
$$=2^{n-1}(2-\boxed{})$$
$$=\boxed{} \ (n\geq2) \ \cdots\bigcirc$$
이때 $a_1=1$은 $\bigcirc$에 $n=1$을 대입한 것과 같으므로
$a_n=\boxed{}$ $(n\geq1)$

05 수열 $\{a_n\}$의 첫째항부터 제n항까지의 합 S_n이 $S_n=4^{n+1}-4$일 때, 일반항 a_n을 구하여라.

Tip
둘째항부터 등차수열을 이루면 일반항은 첫째항과 일반항을 쓴 뒤에 $(n\geq2)$를 적는다.

10 등비수열의 활용

1. 처음의 양을 a, 매시간 일정한 증가율을 r라 하면 n시간 후의 양은 $a(1+r)^n$
2. **원리합계**
   ① 원금 a를 연이율 r로 n년 동안 예금할 때, 원리합계를 S라 하면
   • 단리법 : $S=a(1+rn)$ ← 원금에 대해서만 이자를 계산하는 방법
   • 복리법 : $S=a(1+r)^n$ ← 원금과 이자를 새로운 원금으로 보고 이자를 계산하는 방법
   ② 연이율 r, 1년마다 복리로 매년 초에 a원씩 n년 동안 적립할 때, n년 말의 원리합계를 S_n이라 하면
   $$S_n=\frac{a(1+r)\{(1+r)^n-1\}}{r}$$

유형 110 등비수열과 도형

도형의 길이, 넓이 등이 일정한 비율로 변하는 문제는 처음 몇 개의 항을 나열하여 규칙성을 파악한다.

01 한 변의 길이가 1인 정사각형 모양의 종이가 있다. 이 정사각형을 오른쪽 그림과 같이 9등분하여 중앙의 정사각형을 제거한다. 또 나머지 정사각형의 각각을 다시 9등분하여 중앙의 정사각형을 제거한다. 이와 같은 시행을 계속할 때, 10회 시행 후 남아 있는 종이의 넓이를 구하여라.

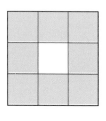

해설| 1회 시행 후 남아 있는 종이의 넓이는

$$1 \cdot \frac{8}{9} = \frac{8}{9} = \left(\frac{8}{9}\right)^1$$

2회 시행 후 남아 있는 종이의 넓이는

$$\frac{8}{9} \cdot \boxed{} = \left(\frac{8}{9}\right)^2$$

3회 시행 후 남아 있는 종이의 넓이는

$$\left(\frac{8}{9}\right)^2 \cdot \boxed{} = \left(\frac{8}{9}\right)^3$$

$$\vdots$$

n회 시행 후 남아 있는 종이의 넓이는

$$\left(\frac{8}{9}\right)^{n-1} \cdot \frac{8}{9} = \boxed{}$$

따라서 10회 시행 후 남아 있는 종이의 넓이는

$$\boxed{}$$

02 한 변의 길이가 8인 정삼각형 모양의 종이가 있다. 오른쪽 그림과 같이 1회의 시행에서 각 변의 중점을 이어서 만든 정삼각형을 오려낸다. 2회 시행에서는 1회 시행 후 남은 3개의 작은 정삼각형에서 같은 방법으로 만든 정삼각형을 오려낸다. 이와 같은 시행을 계속할 때, 10회 시행 후 남아 있는 종이의 넓이를 구하여라.

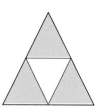

03 한 변의 길이가 8인 정사각형을 4등분한 후 한 조각을 버리고, 나머지 3개의 정사각형을 다시 4등분한 후 각각 한 조각씩 버린다. 이와 같은 과정을 20회 반복하였을 때, 남은 조각들의 넓이를 구하여라.

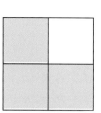

04 어떤 도시의 인구는 매년 일정한 비율로 증가하여 10년 후에는 36만 명, 20년 후에는 81만 명이 될 것으로 예상된다. 이때 이 도시의 25년 후의 인구는 얼마가 될 것으로 예상되는지 구하여라.

해설| 이 도시의 올해 인구를 a, 인구의 증가율을 r라 하면 n년 후의 인구는 $a(1+r)^n$(명)

10년 후의 인구가 36만 명이므로

$a(1+r)^{10}=3.6\times10^5$ ⋯ ㉠

20년 후의 인구가 81만 명이므로

$\boxed{}=8.1\times10^5$ ⋯ ㉡

㉡÷㉠을 하면 $\boxed{}=\dfrac{9}{4}$ ⋯ ㉢

$\therefore (1+r)^5=\dfrac{3}{2}$ ($\because (1+r)^5>0$)

㉢을 ㉠에 대입하면 $\dfrac{9}{4}a=3.6\times10^5$

$\therefore a=\boxed{}\times10^5$

따라서 25년 후의 인구는

$a(1+r)^{25}=1.6\times10^5\times\left(\dfrac{3}{2}\right)^5$

$=\boxed{}\times10^5$(명)

이므로 $\boxed{}$ 명으로 예상할 수 있다.

05 어느 공장에서 생산되는 제품의 수가 매년 일정한 비율로 증가하고 있다. 10년 후에는 10만 개, 20년 후에는 50만 개가 될 것으로 예상된다. 이때 30년 후의 제품의 수는 몇 개가 될 것으로 예상되는지 구하여라.

06 원금 10만 원을 연이율 4%로 예금할 때, 10년 후의 원리합계를 단리법으로 구하여라.

07 원금 100만 원을 연이율 5%로 예금할 때, 10년 후의 원리합계를 복리법으로 구하여라.
（ 단, $1.05^{12}=1.63$으로 계산한다. ）

학교시험 필수예제

08 1월 1일부터 월이율 1.5%의 복리로 매월 초에 30만 원씩 예금할 때, 같은 해 12월 31일에 받게 되는 원리합계를 구하여라. (단, $1.015^{12}=1.2$로 계산한다.)

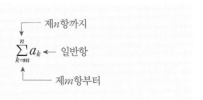

수열 $\{a_n\}$의 첫째항부터 제n항까지의 합을 기호 $\sum$를 사용하여
$a_1+a_2+a_3+\cdots+a_n=\displaystyle\sum_{k=1}^{n}a_k$와 같이 나타낸다.

|참고| $\displaystyle\sum_{k=1}^{n}a_k$에서 k 대신에 다른 문자 i 또는 j를 써서 $\displaystyle\sum_{i=1}^{n}a_i, \displaystyle\sum_{j=1}^{n}a_j$ 등과 같이 나타낼 수도 있다.

유형 113 합의 기호 $\sum$

※ 다음을 합의 기호 $\sum$를 사용하여 나타내어라.

01 $5+5^2+5^3+\cdots+5^n$

02 $6+6+6+6+6$

03 $1+\dfrac{1}{2}+\dfrac{1}{3}+\cdots+\dfrac{1}{50}$

04 $1+5+9+\cdots+41$

※ 다음을 합의 기호 $\sum$를 사용하지 않은 합의 꼴로 나타내어라.

05 $\displaystyle\sum_{k=1}^{3}2k$

06 $\displaystyle\sum_{i=1}^{5}2^i$

07 $\displaystyle\sum_{j=1}^{4}j(j+3)$

 학교시험 필수예제

08 $\displaystyle\sum_{k=1}^{n}(a_{2k-1}+a_{2k})=2n^2$일 때, $\displaystyle\sum_{k=1}^{10}a_k$의 값을 구하여라.

12 $\sum$의 성질

$\sum$는 다음과 같은 성질을 갖는다.

① $\displaystyle\sum_{k=1}^{n}(a_k+b_k)=\sum_{k=1}^{n}a_k+\sum_{k=1}^{n}b_k$

② $\displaystyle\sum_{k=1}^{n}(a_k-b_k)=\sum_{k=1}^{n}a_k-\sum_{k=1}^{n}b_k$

③ $\displaystyle\sum_{k=1}^{n}ca_k=c\sum_{k=1}^{n}a_k$ (단, c는 상수)

④ $\displaystyle\sum_{k=1}^{n}c=cn$ (단, c는 상수)

$\bullet \displaystyle\sum_{k=1}^{n}(a_k+b_k)$

$=(a_1+b_1)+(a_2+b_2)$
$\quad+(a_3+b_3)+\cdots+(a_n+b_n)$

$=(a_1+a_3+a_3+\cdots+a_n)$
$\quad+(b_1+b_2+b_3+\cdots+b_n)$

$=\displaystyle\sum_{k=1}^{n}a_k+\sum_{k=1}^{n}b_k$

유형 114 $\sum$의 성질

※ $\displaystyle\sum_{k=1}^{10}a_k=3$, $\displaystyle\sum_{k=1}^{10}b_k=5$일 때, 다음을 구하여라.

01 $\displaystyle\sum_{k=1}^{10}(4a_k+1)$

02 $\displaystyle\sum_{k=1}^{10}(-a_k+2b_k)$

※ $\displaystyle\sum_{k=1}^{10}a_k{}^2=5$, $\displaystyle\sum_{k=1}^{10}a_k=2$일 때, 다음을 구하여라.

03 $\displaystyle\sum_{k=1}^{10}(a_k-1)^2$

04 $\displaystyle\sum_{k=1}^{10}(3a_k+2)^2$

※ 다음을 계산하여라.

05 $\displaystyle\sum_{k=1}^{7}(k+4)-\sum_{k=1}^{7}(k-2)$

06 $\displaystyle\sum_{k=1}^{10}(k^2+2)-\sum_{k=1}^{10}(k^2-1)$

07 $\displaystyle\sum_{k=1}^{n}(k-3)^2-\sum_{k=1}^{n}(k^2-6k)$

학교시험 필수예제

08 $\displaystyle\sum_{k=1}^{n}(a_k+b_k)^2=100$, $\displaystyle\sum_{k=1}^{n}a_kb_k=20$일 때, $\displaystyle\sum_{k=1}^{n}(a_k{}^2+b_k{}^2)$의 값을 구하여라.

13 자연수의 거듭제곱의 합

자연수의 거듭제곱의 합은 다음과 같은 공식을 이용한다.

① $\sum\limits_{k=1}^{n} k = 1+2+3+\cdots+n = \dfrac{n(n+1)}{2}$

② $\sum\limits_{k=1}^{n} k^2 = 1^2+2^2+3^2+\cdots+n^2 = \dfrac{n(n+1)(2n+1)}{6}$

③ $\sum\limits_{k=1}^{n} k^3 = 1^3+2^3+3^3+\cdots+n^3 = \left\{\dfrac{n(n+1)}{2}\right\}^2$

• $\sum\limits_{k=1}^{n} 2^k$ 은 첫째항이 2, 공비가 2인 등비수열의 합을 나타낸 것이다.

유형 115 $\sum$의 계산

※ 다음을 계산하여라.

01 $\sum\limits_{k=1}^{10} (k+3)$

02 $\sum\limits_{k=1}^{10} (k^2+k+1)$

03 $\sum\limits_{k=1}^{10} (k^3-6k^2)$

04 $\sum\limits_{k=1}^{10} (2k+3)^2$

※ 다음을 계산하여라.

05 $\sum\limits_{k=3}^{10} k$

06 $\sum\limits_{k=2}^{10} (2k-5)$

07 $\sum\limits_{k=3}^{10} k(k-1)$

08 $\sum\limits_{k=1}^{n-1} (4k-3)=6$을 만족시키는 정수 n의 값을 구하여라.

유형 116　수열의 일반항을 찾아 $\sum$ 로 계산하기

※ 다음 수열의 첫째항부터 제n항까지의 합을 구하여라.

09 $1\cdot2,\ 2\cdot3,\ 3\cdot4,\ 4\cdot5,\ \cdots$

해설ㅣ 주어진 수열의 제k항을 a_k라 하면 $a_k=k(\boxed{})$

$$\therefore \sum_{k=1}^{n}a_k=\sum_{k=1}^{n}k(k+1)=\sum_{k=1}^{n}(k^2+k)=\sum_{k=1}^{n}k^2+\sum_{k=1}^{n}\boxed{}$$

$$=\frac{n(n+1)(2n+1)}{6}+\frac{n(n+1)}{2}$$

$$=\frac{n(n+1)}{6}\{(2n+1)+3\}$$

$$=\frac{n(n+1)(\boxed{})}{3}$$

10 $1^2,\ 3^2,\ 5^2,\ 7^2,\ \cdots$

11 $1,\ 1+2,\ 1+2+3,\ 1+2+3+4,\ \cdots$

12 $3,\ 3\cdot4,\ 3\cdot4^2,\ 3\cdot4^3,\ \cdots$

13 $1+2,\ 1+2^2,\ 1+2^3,\ 1+2^4,\ \cdots$

14 다음을 계산하여라.

$$1\cdot2+3\cdot4+5\cdot6+\cdots+19\cdot20$$

학교시험 필수예제

15 이차방정식 $x^2-kx-k=0$의 두 근을 $\alpha_k,\ \beta_k$라 할 때, $\sum_{k=1}^{5}(\alpha_k{}^3+\beta_k{}^3)$의 값을 구하여라.

Tip

이차방정식 $x^2+ax+b=0$의 두 근을 $\alpha,\ \beta$라 하면
$\alpha+\beta=-a,\ \alpha\beta=b$

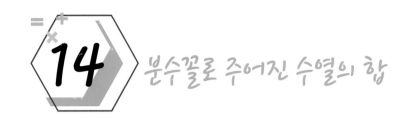

14 분수꼴로 주어진 수열의 합

1. 분수꼴인 수열의 합은 부분분수로 변형하여 구한다.
$$\sum_{k=1}^{n}\frac{1}{k(k+1)}=\sum_{k=1}^{n}\left(\frac{1}{k}-\frac{1}{k+1}\right)$$

2. 분모에 근호가 포함된 수열의 합은 분모를 유리화하여 구한다.
$$\sum_{k=1}^{n}\frac{1}{\sqrt{k}+\sqrt{k+1}}=\sum_{k=1}^{n}(\sqrt{k+1}-\sqrt{k})$$

• 부분분수로의 변형
$$\frac{1}{AB}=\frac{1}{B-A}\left(\frac{1}{A}-\frac{1}{B}\right)$$
(단, $A\neq B$)

유형 117 분모가 두 일차식의 곱인 수열의 합

※ 다음 합을 구하여라.

01 $\dfrac{1}{1\cdot2}+\dfrac{1}{2\cdot3}+\dfrac{1}{3\cdot4}+\cdots+\dfrac{1}{n(n+1)}$

해설| 주어진 식은 $\displaystyle\sum_{k=1}^{n}\frac{1}{k(k+1)}$ 로 나타낼 수 있다.

$$\sum_{k=1}^{n}\frac{1}{k(k+1)}=\sum_{k=1}^{n}\left(\frac{1}{k}-\boxed{}\right)$$
$$=\left(1-\frac{1}{2}\right)+\left(\frac{1}{2}-\frac{1}{3}\right)+\left(\frac{1}{3}-\frac{1}{4}\right)$$
$$+\cdots+\left(\frac{1}{n}-\frac{1}{n+1}\right)$$
$$=1-\boxed{}=\boxed{}$$

02 $\dfrac{1}{2\cdot4}+\dfrac{1}{3\cdot5}+\dfrac{1}{4\cdot6}+\cdots+\dfrac{1}{20\cdot22}$

유형 118 분모에 근호가 있는 수열의 합

※ 다음 합을 구하여라.

03 $\dfrac{1}{1+\sqrt{2}}+\dfrac{1}{\sqrt{2}+\sqrt{3}}+\dfrac{1}{\sqrt{3}+\sqrt{4}}$
$$+\cdots+\frac{1}{\sqrt{n}+\sqrt{n+1}}$$

해설| 주어진 식은 $\displaystyle\sum_{k=1}^{n}\frac{1}{\sqrt{k}+\sqrt{k+1}}$ 로 나타낼 수 있다.

$$\sum_{k=1}^{n}\frac{1}{\sqrt{k}+\sqrt{k+1}}=\sum_{k=1}^{n}\frac{(\sqrt{k}-\sqrt{k+1})}{(\sqrt{k}+\sqrt{k+1})(\sqrt{k}-\sqrt{k+1})}$$
$$=\sum_{k=1}^{n}(\sqrt{k+1}-\boxed{})$$
$$=(\sqrt{2}-1)+(\sqrt{3}-\sqrt{2})+(\sqrt{4}-\sqrt{3})$$
$$+\cdots+(\sqrt{n+1}-\boxed{})$$
$$=\boxed{}-1$$

04 $\dfrac{1}{1+\sqrt{3}}+\dfrac{1}{\sqrt{3}+\sqrt{5}}+\dfrac{1}{\sqrt{5}+\sqrt{7}}$
$$+\cdots+\frac{1}{\sqrt{19}+\sqrt{21}}$$

유형 119 분수의 $\sum$ 계산

※ 다음을 계산하여라.

05 $\displaystyle\sum_{k=2}^{10} \dfrac{1}{(k-1)k}$

06 $\displaystyle\sum_{k=1}^{10} \dfrac{2}{k(k+2)}$

07 $\displaystyle\sum_{k=1}^{10} \dfrac{2}{\sqrt{k-1}+\sqrt{k}}$

08 $\displaystyle\sum_{k=1}^{10} \dfrac{1}{\sqrt{k+2}+\sqrt{k+3}}$

09 $\dfrac{1}{3^2-1}+\dfrac{1}{5^2-1}+\dfrac{1}{7^2-1}+\cdots+\dfrac{1}{21^2-1}$

해설 | 주어진 수열의 제k항을 a_k라 하면

$$a_k = \dfrac{1}{(2k+1)^2-1} = \dfrac{1}{4k^2+4k}$$

$$= \dfrac{1}{4k(k+1)} = \dfrac{1}{4}\left(\dfrac{1}{k}-\boxed{}\right)$$

주어진 식은 수열 $\{a_k\}$의 첫째항부터 제$\boxed{}$항까지의 합이므로

$$\sum_{k=1}^{10} \dfrac{1}{4}\left(\dfrac{1}{k}-\dfrac{1}{k+1}\right)$$

$$= \dfrac{1}{4}\left\{\left(1-\dfrac{1}{2}\right)+\left(\dfrac{1}{2}-\dfrac{1}{3}\right)+\cdots+\left(\dfrac{1}{10}-\dfrac{1}{11}\right)\right\}$$

$$= \dfrac{1}{4}\left(1-\boxed{}\right)$$

$$= \dfrac{1}{4}\cdot\dfrac{10}{11} = \boxed{}$$

학교시험 필수예제

10 다음 합을 구하여라.

$$\dfrac{1}{2^2-1}+\dfrac{1}{4^2-1}+\dfrac{1}{6^2-1}+\cdots+\dfrac{1}{20^2-1}$$

15 (등차수열) × (등비수열) 꼴의 수열의 합

등차수열과 등비수열의 각 항의 곱으로 이루어진 수열의 합은 다음과 같이 구한다.
(i) 주어진 수열의 합에 등비수열의 공비 r를 곱한다.
(ii) $S-rS$를 구하고, 이 식으로부터 S의 값을 구한다.

유형 120 (등차수열)×(등비수열) 꼴의 수열의 합

※ 다음 합을 구하여라.

01 $1+2\cdot4+3\cdot4^2+\cdots+n\cdot4^{n-1}$

해설ㅣ 주어진 식을 S로 놓으면
$$S=1+2\cdot4+3\cdot4^2+\cdots+n\cdot4^{n-1} \quad \cdots\cdots ㉠$$
㉠의 양변에 $\boxed{}$를 곱하면
$$4S=4+2\cdot4^2+3\cdot4^3+\cdots+n\cdot4^n \quad \cdots\cdots ㉡$$
㉠−㉡을 하면
$$-3S=1+4+4^2+\cdots+4^{n-1}-n\cdot4^n$$
$$=\frac{1\cdot(4^n-1)}{4-1}-\boxed{}$$
$$=\frac{(1-3n)\cdot4^n-1}{3}$$
$$=-\frac{(3n-1)\cdot4^n+1}{3}$$
$$\therefore S=\boxed{}$$

02 $1+2\cdot5+3\cdot5^2+\cdots+n\cdot5^{n-1}$

03 $1+2\cdot\frac{1}{2}+3\cdot\left(\frac{1}{2}\right)^2+\cdots+20\cdot\left(\frac{1}{2}\right)^{19}$

해설ㅣ 주어진 식을 S로 놓으면
$$S=1+2\cdot\frac{1}{2}+3\cdot\left(\frac{1}{2}\right)^2+\cdots+20\cdot\left(\frac{1}{2}\right)^{19} \quad \cdots ㉠$$
㉠의 양변에 $\boxed{}$을 곱하면
$$\frac{1}{2}S=1\cdot\frac{1}{2}+2\cdot\left(\frac{1}{2}\right)^2+3\cdot\left(\frac{1}{2}\right)^3+\cdots+20\cdot\left(\frac{1}{2}\right)^{20}$$
$$\cdots ㉡$$
㉠−㉡을 하면
$$\frac{1}{2}S=1+\frac{1}{2}+\left(\frac{1}{2}\right)^2+\cdots+\left(\frac{1}{2}\right)^{19}-20\cdot\left(\frac{1}{2}\right)^{20}$$
$$=\frac{1-\left(\frac{1}{2}\right)^{20}}{1-\frac{1}{2}}-\boxed{}$$
$$\therefore S=\boxed{}$$

04 $1+\frac{2}{3}+\frac{3}{3^2}+\cdots+\frac{30}{3^{29}}$

16 여러 가지 수열

1. **군수열** : 주어진 수열을 몇 개의 항씩 적당히 묶었을 때 규칙성을 가지는 수열
2. **군수열 문제의 해결 방법**
   ① 주어진 수열을 규칙성을 갖는 군으로 묶는다.
   ② 각 군의 항의 개수를 알아본다.
   ③ 각 군의 첫째항이 갖는 규칙성을 알아본다.

- 수열 1, 1, 3, 1, 3, 5, 1, 3, 5, 7, …을 (1), (1, 3), (1, 3, 5), (1, 3, 5, 7), …
과 같이 첫째항이 1, 공차가 2인 등차수열로 묶을 수 있다.

유형 121 군수열

※ 다음 군수열을 보고 물음에 답하여라.
$$(1), (1, 2), (1, 2, 3), (1, 2, 3, 4), \cdots$$

01 제2군의 첫째항을 구하여라.

02 제n군의 첫째항을 구하여라.

03 제n군의 합을 구하여라.

04 제1군부터 제n군까지의 합을 구하여라.

※ 다음 군수열을 보고 물음에 답하여라.
$$\left(\frac{1}{1}\right), \left(\frac{1}{2}, \frac{2}{1}\right), \left(\frac{1}{3}, \frac{2}{2}, \frac{3}{1}\right), \left(\frac{1}{4}, \frac{2}{3}, \frac{3}{2}, \frac{4}{1}\right), \cdots$$

05 제3군의 첫째항의 분모와 분자의 합을 구하여라.

06 제n군의 한 항을 $\frac{b}{a}$라 할 때, $a+b$의 값을 구하여라.

07 $\frac{3}{8}$은 제 몇 군의 몇 번째 항인지 구하여라.

08 수열 $\frac{1}{1}, \frac{1}{2}, \frac{2}{1}, \frac{1}{3}, \frac{2}{2}, \frac{3}{1}, \frac{1}{4}, \frac{2}{3}, \frac{3}{2}, \frac{4}{1},$
…에서 $\frac{3}{8}$은 제 몇 항인지 구하여라.

Tip

각 항이 분수인 군수열은 분모 또는 분자가 같은 것끼리 묶거나 분모와 분자의 합이 같은 것끼리 묶으면 규칙을 찾기 쉽다.

09 다음과 같이 순서쌍으로 이루어진 수열에서 $(9, 10)$은 제 몇 항인지 구하여라.

$(1, 1), (1, 2), (2, 1), (1, 3), (2, 2), (3, 1),$
$(1, 4), (2, 3), (3, 2), (4, 1), (1, 5), \cdots$

해설| 주어진 수열을
$$\{(1, 1)\}, \{(1, 2), (2, 1)\}, \{(1, 3), (2, 2), (3, 1)\},$$
$$\{(1, 4), (2, 3), (3, 2), (4, 1)\}, \cdots$$
과 같이 두 수의 합이 같은 순서쌍끼리 묶은 군수열로 생각하면 제n군의 순서쌍의 두 수의 합은 $n+1$이므로 $(9, 10)$은 제 $\boxed{}$ 군의 $\boxed{}$ 번째 항이다.

제n군의 항의 개수는 n이므로
제1군부터 제17군까지의 항의 개수는
$$\sum_{k=1}^{17} k = \frac{17 \cdot 18}{2} = \boxed{}$$
따라서 $(9, 10)$은 제 $\boxed{}$ 항이다.

10 다음과 같이 순서쌍으로 이루어진 수열에서 $(9, 8)$은 제 몇 항인지 구하여라.

$(1, 1), (2, 1), (1, 2), (3, 1), (2, 2), (1, 3),$
$(4, 1), (3, 2), (2, 3), (1, 4), (5, 1), \cdots$

유형 122 여러 가지 군수열

11 오른쪽과 같이 나열된 모든 수들의 합을 구하여라.

$$\begin{array}{cccccc} & & & & & 1 \\ & & & & 2 & 1 \\ & & & 2^2 & 2 & 1 \\ & & 2^3 & 2^2 & 2 & 1 \\ & & & \vdots & & \\ 2^{20} \cdots & 2^3 & 2^2 & 2 & 1 \end{array}$$

해설| 위에서 n번째 줄은 오른쪽부터 시작하는 수열로 생각하면 첫째항이 1, 공비가 $\boxed{}$, 항수가 $\boxed{}$ 인 등비수열이므로 위에서 n번째 줄의 수들의 합은
$$1+2+2^2+\cdots+2^{n-1}=\frac{2^n-1}{2-1}=2^n-1$$
따라서 나열된 모든 수들의 합은
$$\sum_{k=1}^{21}(2^k-1)=\sum_{k=1}^{21}2^k-21$$
$$=\frac{\boxed{}(2^{21}-1)}{2-1}-\boxed{}$$
$$=\boxed{}$$

학교시험 필수예제

12 다음 그림과 같은 규칙으로 정사각형 속에 수가 적혀 있다. 이때 10번째 정사각형 속에 적혀 있는 수의 합을 구하여라.

$$\boxed{1} \qquad \begin{array}{|cc|} \hline 1 & 2 \\ 3 & 4 \\ \hline \end{array} \qquad \begin{array}{|ccc|} \hline 1 & 2 & 3 \\ 4 & 5 & 6 \\ 7 & 8 & 9 \\ \hline \end{array} \cdots$$

17 수열의 귀납적 정의

1. **수열의 귀납적 정의** : 첫째항 a_1과 이웃하는 두 항 a_{n+1}, a_n 사이의 관계식을 이용하여 수열 $\{a_n\}$을 정의하는 것
2. **등차수열과 등비수열의 두 항 사이의 관계**
   ① 공차가 d인 등차수열 : $a_{n+1}-a_n=d$, $a_{n+1}=a_n+d$,
      $a_{n+1}-a_n=a_{n+2}-a_{n+1}$, $2a_{n+1}=a_n+a_{n+2}$ ($n=1, 2, 3, \cdots$)
   ② 공비가 r인 등비수열 : $a_{n+1}\div a_n=r$, $a_{n+1}=ra_n$,
      $a_{n+1}\div a_n=a_{n+2}\div a_{n+1}$, $a_{n+1}{}^2=a_n a_{n+2}$ ($n=1, 2, 3, \cdots$)

- $2a_{n+1}=a_n+a_{n+2}$
  $\iff a_{n+1}$은 a_n과 a_{n+2}의 등차중항
- $a_{n+1}{}^2=a_n a_{n+2}$
  $\iff a_{n+1}$은 a_n과 a_{n+2}의 등비중항

유형 123   수열의 귀납적 정의

※ **다음과 같이 정의된 수열 $\{a_n\}$의 제4항을 구하여라.**

01 $a_1=5$, $a_{n+1}=na_n$ (단, $n=1, 2, 3, \cdots$)

해설ㅣ $a_{n+1}=na_n$에서
$a_2=1\cdot a_1=1\cdot 5=5$
$a_3=2\cdot a_2=2\cdot \boxed{}=10$
$\therefore a_4=\boxed{}\cdot a_3=\boxed{}\cdot 10=\boxed{}$

02 $a_1=2$, $a_{n+1}=a_n+(-1)^n$

03 $a_1=1$, $a_2=3$, $a_{n+2}=a_{n+1}+a_n$

04 $a_1=1$, $a_{n+1}=\dfrac{n}{n+1}a_n$

05 다음 수열을 $\{a_n\}$이라 할 때, 수열 $\{a_n\}$을 귀납적으로 정의하여라.

$$1, 4, 7, 10, 13, \cdots$$

해설ㅣ 첫째항 $a_1=1$이고, 이웃하는 항들 사이의 관계를 살펴보면
$a_2-a_1=4-1=3$
$a_3-a_2=7-4=3$
$a_4-a_3=10-7=3$
$\vdots$
$a_{n+1}-a_n=\boxed{}$ ($n\geq 1$)
따라서 수열 $\{a_n\}$의 귀납적 정의는
$a_1=\boxed{}$, $a_{n+1}=a_n+\boxed{}$ ($n=1, 2, 3, \cdots$)

06 다음 수열을 $\{a_n\}$이라 할 때, 수열 $\{a_n\}$을 귀납적으로 정의하여라.

$$1, 2, 4, 8, 16, \cdots$$

07 $a_1=1$, $a_{n+1}-a_n=-1$ (단, $n=1, 2, 3, \cdots$)

해설 | $a_{n+1}-a_n=-1$에서 주어진 수열은 공차가 $\boxed{}$인 등차수열이다.

이때 첫째항이 $a_1=\boxed{}$이므로

$a_n=1+(n-1)\cdot(\boxed{})$

$=\boxed{}$

08 $a_1=-1$, $a_{n+1}-a_n=3$

09 $a_1=2$, $a_{n+1}=a_n+5$

학교시험 필수예제

10 수열 $\{a_n\}$이
$$a_1=100, \quad a_{n+1}+3=a_n \ (n=1, 2, 3, \cdots)$$
으로 정의될 때, $a_k=10$을 만족시키는 자연수 k의 값을 구하여라.

11 $a_1=3$, $a_{n+1}\div a_n=2$ (단, $n=1, 2, 3, \cdots$)

해설 | $a_{n+1}\div a_n=2$에서 주어진 수열은 공비가 $\boxed{}$인 등비수열이다.

이때 첫째항이 $a_1=\boxed{}$이므로

$a_n=\boxed{}$

12 $a_1=1$, $a_{n+1}=5a_n$

13 $a_1=1$, $a_2=4$, $a_{n+1}{}^2=a_n a_{n+2}$

학교시험 필수예제

14 어떤 식물의 씨앗을 파종하면 그중 $10\,\%$는 죽고 나머지는 10배씩의 씨앗을 거두어 그 다음 해에 모두 파종한다. 처음에 10개의 씨앗이 있었을 때 30년 후의 이 씨앗의 개수를 구하여라.

18 여러 가지 수열의 귀납적 정의

빠른정답 09쪽 / 친절한 해설 48쪽

1. $a_{n+1}=a_n+f(n)$ **꼴의 풀이 방법** : n에 1, 2, 3, $\cdots$, $n-1$을 차례대로 대입하여 변끼리 더한다.
2. $a_{n+1}=pa_n+q$ $(p\neq1,\ pq\neq0)$ **꼴의 풀이 방법** : $a_{n+1}-\alpha=p(a_n-\alpha)$로 변형하여 수열 $\{a_n-\alpha\}$는 첫째항이 $a_1-\alpha$, 공비가 p인 등비수열임을 이용한다.

• $a_{n+1}=a_nf(n)$ 꼴은 n에 1, 2, 3, $\cdots$, $n-1$을 차례대로 대입하여 변끼리 곱한다.

유형 124 $a_{n+1}=a_n+f(n)$ **꼴의 일반항 구하기**

※ 다음과 같이 정의된 수열 $\{a_n\}$의 일반항 a_n을 구하여라.

01 $a_1=1$, $a_{n+1}=a_n+n$ (단, $n=1, 2, 3, \cdots$)

해설ㅣ $a_{n+1}=a_n+n$의 n에 1, 2, 3, $\cdots$, $n-1$을 차례대로 대입하여 변끼리 더하면

$$a_2=a_1+1$$
$$a_3=a_2+2$$
$$a_4=a_3+3$$
$$\vdots$$
$$+\,)\ a_n=a_{n-1}+\boxed{}$$

$$a_n=a_1+\sum_{k=1}^{n-1}k$$
$$=1+\boxed{}=\boxed{}$$

02 $a_1=1$, $a_{n+1}=a_n+3n$

03 $a_1=1$, $a_{n+1}-a_n=2^n$

유형 125 $a_{n+1}=pa_n+q$ **꼴의 일반항 구하기**

※ 다음과 같이 정의된 수열 $\{a_n\}$의 일반항 a_n을 구하여라.

04 $a_1=2$, $a_{n+1}=2a_n-1$ (단, $n=1, 2, 3, \cdots$)

해설ㅣ $a_{n+1}=2a_n-1$에서 $a_{n+1}-1=2(a_n-1)$
$a_n-1=b_n$으로 놓으면
$b_{n+1}=\boxed{}b_n$, $b_1=a_1-1=1$
따라서 수열 $\{b_n\}$은 첫째항이 1, 공비가 $\boxed{}$인 등비수열이므로
$b_n=2^{n-1}$
$\therefore a_n=b_n+1=\boxed{}$

05 $a_1=2$, $a_{n+1}=3a_n-2$

06 $a_1=3$, $a_{n+1}=4a_n+3$

자연수 n에 대한 명제 $p(n)$이 모든 자연수에 대하여 성립한다는 것을 증명하려면 다음 두 가지를 보이면 된다.
① $n=1$일 때, 명제 $p(n)$이 성립한다.
② $n=k$일 때, 명제 $p(n)$이 성립한다고 가정하면, $n=k+1$일 때에도 명제 $p(n)$이 성립한다.
이와 같은 방법으로 자연수에 대한 어떤 명제가 참임을 증명하는 방법을 수학적 귀납법이라 한다.

유형 126 수학적 귀납법의 원리

※ 다음을 보고 옳은 것에는 ○표, 옳지 않은 것에는 ×표를 하여라.

> 임의의 자연수 n에 대하여 명제 $p(n)$이 참이면 명제 $p(3n)$도 참이다.

01 $p(40)$이 참이면 $p(10)$도 참이다. (   )

02 $p(1)$이 참이면 $p(3)$도 참이다. (   )

03 $p(2)$가 참이면 $p(54)$도 참이다. (   )

04 $p(2)$가 참이면 $p(90)$도 참이다. (   )

05 $p(3)$이 참이면 모든 9의 배수 n에 대하여 $p(n)$이 참이다. (   )

※ 임의의 자연수 n에 대하여 명제 $p(n)$이 참이면 명제 $p(n+2)$도 참일 때, 다음 중 옳은 것에는 ○표, 옳지 않은 것에는 ×표를 하여라.

06 $p(1)$이 참이면 모든 홀수 n에 대하여 $p(n)$은 참이다. (   )

07 $p(1)$, $p(2)$가 참이면 모든 자연수 n에 대하여 $p(n)$은 참이다. (   )

08 3, 6, 12, 24, …인 자연수 n에 대하여 명제 $p(n)$이 성립함을 수학적 귀납법을 이용하여 증명하기 위해서는 다음과 같은 단계를 거쳐야 한다. □ 안에 알맞게 써넣어라.

> (i) $n=$ □ 일 때, $p(n)$이 성립함을 보인다.
> (ii) $n=k$일 때, $p(n)$이 성립한다고 가정하면
> $n=$ □ 일 때 $p(n)$이 성립함을 보인다.

09 모든 자연수 n에 대하여 등식

$$1+3+5+\cdots+(2n-1)=n^2$$

이 성립함을 수학적 귀납법으로 증명하여라.

증명ㅣ (i) $n=1$일 때,

(좌변)$=2\cdot1-1=1$, (우변)$=1^2=1$

따라서 주어진 등식이 성립한다.

(ii) $n=k$일 때, 주어진 등식이 성립한다고 가정하면

$$1+3+5+\cdots+(2k-1)=k^2$$

위의 식의 양변에 $\boxed{}$ 을 더하면

$$1+3+5+\cdots+(2k-1)+(2k+1)=k^2+2k+1$$
$$=(k+1)^2$$

따라서 $n=\boxed{}$ 일 때도 주어진 등식이 성립한다.

(i), (ii)에서 모든 자연수 n에 대하여 주어진 등식이 성립한다.

10 모든 자연수 n에 대하여 등식

$$1+2+3+\cdots+n=\frac{n(n+1)}{2}$$

이 성립함을 수학적 귀납법으로 증명하여라.

11 모든 자연수 n에 대하여 등식

$$1^3+2^3+3^3+\cdots+n^3=\frac{n^2(n+1)^2}{4}$$

이 성립함을 수학적 귀납법으로 증명하여라.

증명ㅣ (i) $n=1$일 때,

(좌변)$=1^3=1$, (우변)$=\dfrac{1^2\cdot2^2}{4}=1$

따라서 주어진 등식이 성립한다.

(ii) $n=k$일 때, 주어진 등식이 성립한다고 가정하면

$$1^3+2^3+3^3+\cdots+k^3=\frac{k^2(k+1)^2}{4}$$

위의 식의 양변에 $\boxed{}$ 을 더하면

$$1^3+2^3+3^3+\cdots+k^3+(k+1)^3$$
$$=\frac{k^2(k+1)^2}{4}+\boxed{}$$
$$=\frac{(k+1)^2(k+2)^2}{4}$$

따라서 $n=k+1$일 때도 주어진 등식이 성립한다.

(i), (ii)에서 모든 자연수 n에 대하여 주어진 등식이 성립한다.

12 모든 자연수 n에 대하여 등식

$$1^2+2^2+3^2+\cdots+n^2=\frac{n(n+1)(2n+1)}{6}$$

이 성립함을 수학적 귀납법으로 증명하여라.

13 모든 자연수 n에 대하여 등식
$$1+2+2^2+\cdots+2^{n-1}=2^n-1$$
이 성립함을 수학적 귀납법으로 증명하여라.

증명 | (i) $n=1$일 때,
　　　(좌변)$=2^{1-1}=1$, (우변)$=2^1-1=1$
　　　따라서 주어진 등식이 성립한다.
　　(ii) $n=k$일 때, 주어진 등식이 성립한다고 가정하면
　　　$$1+2+2^2+\cdots+2^{k-1}=2^k-1$$
　　　위의 식의 양변에 $\boxed{}$을 더하면
　　　$$1+2+2^2+\cdots+2^{k-1}+2^k=2^k-1+\boxed{}$$
　　　　　　　　　　　　$$=2\cdot2^k-1$$
　　　　　　　　　　　　$$=\boxed{}-1$$
　　　따라서 $n=k+1$일 때도 주어진 등식이 성립한다.
　　(i), (ii)에서 모든 자연수 n에 대하여 주어진 등식이 성립한다.

14 모든 자연수 n에 대하여 등식
$$3+3^2+3^3+\cdots+3^n=\frac{3}{2}(3^n-1)$$
이 성립함을 수학적 귀납법으로 증명하여라.

15 모든 자연수 n에 대하여 등식
$$1\cdot2+2\cdot3+3\cdot4+\cdots+n(n+1)=\frac{n(n+1)(n+2)}{3}$$
가 성립함을 수학적 귀납법으로 증명하여라.

증명 | (i) $n=1$일 때,
　　　(좌변)$=1\cdot2=2$, (우변)$=\dfrac{1\cdot2\cdot3}{3}=2$
　　　따라서 주어진 등식이 성립한다.
　　(ii) $n=k$일 때, 주어진 등식이 성립한다고 가정하면
　　　$$1\cdot2+2\cdot3+3\cdot4+\cdots+k(k+1)$$
　　　$$=\frac{k(k+1)(k+2)}{3}$$
　　　위의 식의 양변에 $\boxed{}$를 더하면
　　　$$1\cdot2+2\cdot3+3\cdot4+\cdots+k(k+1)$$
　　　　　　　　　　$$+(k+1)(k+2)$$
　　　$$=\frac{k(k+1)(k+2)}{3}+(k+1)(k+2)$$
　　　$$=\frac{(k+1)(k+2)(k+3)}{3}$$
　　　따라서 $n=\boxed{}$일 때도 주어진 등식이 성립한다.
　　(i), (ii)에서 모든 자연수 n에 대하여 주어진 등식이 성립한다.

16 모든 자연수 n에 대하여 등식
$$1\cdot2+2\cdot4+3\cdot6+\cdots+n\cdot2n=\frac{n(n+1)(2n+1)}{3}$$
이 성립함을 수학적 귀납법으로 증명하여라.

유형 128　수학적 귀납법으로 부등식 증명하기

$n \geq a$인 자연수 n에 대하여 부등식이 성립함을 수학적 귀납법으로 증명하기 위해서는

(i) $n = a$일 때, 부등식이 성립함을 알아본다.

(ii) $n = k$ $(k \geq a)$일 때, 부등식이 성립한다고 가정한다.

(iii) $n = k + 1$일 때도 부등식이 성립함을 보인다.

（$A > C$임을 직접 확인하기 어려울 때는 $A > B > C$이면 $A > C$임을 이용하여 확인한다.）

17 $n \geq 5$인 자연수 n에 대하여 부등식 $2^n > n^2$이 성립함을 수학적 귀납법으로 증명하여라.

증명ㅣ (i) $n = 5$일 때,

(좌변)$= 2^5 = 32$, (우변)$= 5^2 = 25$

따라서 주어진 부등식이 성립한다.

(ii) $n = k$ $(k \geq 5)$일 때, 주어진 부등식이 성립한다고 가정하면

$2^k > k^2$

위의 식의 양변에 2를 곱하면

$2^{k+1} > \boxed{}$ ⋯ ㉠

그런데 $k \geq 5$이면

$k^2 - 2k - 1 = (k-1)^2 - 2 > 0$

이므로 $k^2 > \boxed{}$ ⋯ ㉡

㉠, ㉡에서

$2^{k+1} > 2k^2 = k^2 + k^2 > k^2 + 2k + 1 = \boxed{}$

따라서 $n = k + 1$일 때도 주어진 부등식이 성립한다.

(i), (ii)에서 $n \geq 5$인 자연수 n에 대하여 주어진 부등식이 성립한다.

18 $n \geq 3$인 자연수 n에 대하여 부등식 $2^n > 2n + 1$이 성립함을 수학적 귀납법으로 증명하여라.

학교시험 필수예제

19 $n \geq 4$인 자연수 n에 대하여 부등식 $1 \cdot 2 \cdot 3 \cdots n > 2^n$이 성립함을 수학적 귀납법으로 증명하여라.

20 다음은 $h>0$일 때, $n\geq2$인 자연수 n에 대하여 부등식 $(1+h)^n>1+nh$가 성립함을 수학적 귀납법으로 증명하는 과정이다.

(i) $n=2$일 때,

(좌변)$=(1+h)^2=1+2h+h^2$, (우변)$=1+2h$

이때 $h^2>0$이므로 주어진 부등식이 성립한다.

(ii) $n=k\ (k\geq2)$일 때, 주어진 부등식이 성립한다고 가정하면

$$(1+h)^k>\boxed{(\text{가})}$$

위의 식의 양변에 $1+h$를 곱하면 $1+h>0$이므로

$$(1+h)^{k+1}>\left(\boxed{(\text{가})}\right)(1+h)$$
$$=1+(k+1)h+\boxed{(\text{나})}$$

이때 $\boxed{(\text{나})}>0$이므로

$$1+(k+1)h+\boxed{(\text{나})}>1+(k+1)h$$
$$\therefore (1+h)^{k+1}>1+(k+1)h$$

따라서 $n=\boxed{(\text{다})}$일 때도 주어진 부등식이 성립한다.

(i), (ii)에서 $n\geq2$인 자연수 n에 대하여 주어진 부등식이 성립한다.

위의 증명에서 (가), (나), (다)에 알맞은 것은?

	(가)	(나)	(다)
①	$1+kh$	kh^2	$k+1$
②	$1+kh$	h^2	$k+1$
③	$2+kh$	kh^2	$k+1$
④	$2+kh$	$2h^2$	$2k$
⑤	$3+kh$	kh^3	$2k$

21 $n\geq2$인 자연수 n에 대하여 부등식

$1+\dfrac{1}{2^2}+\dfrac{1}{3^2}+\cdots+\dfrac{1}{n^2}<2-\dfrac{1}{n}$이 성립함을 수학적 귀납법으로 증명하여라.

증명| (i) $n=2$일 때,

$$(\text{좌변})=1+\frac{1}{2^2}=\frac{5}{4},\ (\text{우변})=2-\frac{1}{2}=\frac{3}{2}$$

따라서 주어진 부등식이 성립한다.

(ii) $n=k\ (k\geq2)$일 때, 주어진 부등식이 성립한다고 가정하면

$$1+\frac{1}{2^2}+\frac{1}{3^2}+\cdots+\frac{1}{k^2}<2-\frac{1}{k}$$

위의 식의 양변에 $\dfrac{1}{(k+1)^2}$을 더하면

$$1+\frac{1}{2^2}+\frac{1}{3^2}+\cdots+\frac{1}{k^2}+\boxed{}$$
$$<2-\frac{1}{k}+\frac{1}{(k+1)^2}$$

이때

$$2-\frac{1}{k}+\frac{1}{(k+1)^2}-\left(2-\frac{1}{k+1}\right)$$
$$=-\frac{1}{k}+\frac{1}{(k+1)^2}+\frac{1}{k+1}$$
$$=-\frac{1}{k(k+1)^2}<0$$

이므로 $2-\dfrac{1}{k}+\dfrac{1}{(k+1)^2}<2-\boxed{}$

$$\therefore 1+\frac{1}{2^2}+\frac{1}{3^2}+\cdots+\frac{1}{k^2}+\frac{1}{(k+1)^2}<2-\frac{1}{k+1}$$

따라서 $n=k+1$일 때도 주어진 부등식이 성립한다.

(i), (ii)에서 $n\geq2$인 자연수 n에 대하여 주어진 부등식이 성립한다.

22 모든 자연수 n에 대하여 $2^{4n}+6^{n+1}$을 5로 나눈 나머지는 2임을 수학적 귀납법으로 증명하여라.

증명 I (i) $n=1$일 때,

$2^4+6^2=16+36=52=5 \cdot 10+2$

따라서 $2^{4n}+6^{n+1}$을 5로 나눈 나머지는 2이다.

(ii) $n=k$일 때, $2^{4n}+6^{n+1}$을 5로 나눈 나머지가 2라 가정하면

$2^{4k}+6^{k+1}=5m+2$ (m은 자연수)로 놓을 수 있다.

이때 $n=k+1$이면

$2^{4(k+1)}+6^{(k+1)+1}$

$=2^{4k+4}+6^{k+2}$

$=16 \cdot 2^{4k}+6 \cdot 6^{k+1}$

$=16 \cdot 2^{4k}+6 \cdot (5m+2-2^{4k})$

$=30m+12+\boxed{} \cdot 2^{4k}$

$=5(6m+2 \cdot 2^{4k}+2)+\boxed{}$

따라서 $n=k+1$일 때도 $2^{4n}+6^{n+1}$을 5로 나눈 나머지는 2이다.

(i), (ii)에 의하여 모든 자연수 n에 대하여 $2^{4n}+6^{n+1}$을 5로 나눈 나머지는 2이다.

23 다음은 $n \geq 2$인 자연수 n에 대하여 4^n-3n-1이 9의 배수임을 수학적 귀납법으로 증명하는 과정이다.

(i) $n=2$일 때,

$4^2-3 \cdot 2-1=9$

따라서 4^n-3n-1은 9의 배수이다.

(ii) $n=k$ ($k \geq 2$)일 때, 4^n-3n-1이 9의 배수라 가정하면

$4^k-3k-1=9N$ (N은 자연수)

으로 놓을 수 있다.

이때 $n=k+1$이면

$4^{k+1}-3(k+1)-1$

$=4 \cdot \boxed{(가)}-3k-4$

$=4(\boxed{(가)}-3k-1)+\boxed{(나)}$

$=4 \cdot 9N+\boxed{(나)}$

$=9(\boxed{(다)})$

따라서 $n=k+1$일 때도 4^n-3n-1은 9의 배수이다.

(i), (ii)에 의하여 $n \geq 2$인 자연수 n에 대하여 4^n-3n-1은 9의 배수이다.

위의 증명에서 (가), (나), (다)에 알맞은 것은?

	(가)	(나)	(다)
①	4^{k-1}	$3k$	$4N$
②	4^{k-1}	$9k$	$4N+k$
③	4^k	$3k$	$4N+k$
④	4^k	$9k$	$4N$
⑤	4^k	$9k$	$4N+k$

 Ⅲ. 수열

1. 등차수열과 등비수열

(1) 등차수열

　① 등차수열 : 수열 $\{a_n\}$의 각 항이 바로 앞의 항에 일정한 수를 더하여 얻어지는 수열

　② 공차 : 등차수열에서 더하는 일정한 수

　③ 등차수열의 일반항 : 첫째항이 a, 공차가 d인 등차수열의 일반항

　　$a_n=$ ❶

　④ 등차중항 : 세 수 a, b, c가 이 순서대로 등차수열을 이룰 때, b를 a와 c의 등차중항이라 하고

　　$2b=a+c$가 성립한다.

(2) 등차수열의 합 : 첫째항이 a, 공차가 d인 등차수열의 첫째항부터 제n항까지의 합을 S_n이라 하면

　$S_n=$ ❷

● 첫째항이 a, 제n항이 l일 때
$$S_n=\frac{n(a+l)}{2}$$

(3) 등비수열

　① 등비수열 : 수열 $\{a_n\}$의 각 항이 바로 앞의 항에 일정한 수를 곱하여 얻어지는 수열

　② 공비 : 등비수열에서 곱하는 일정한 수

　③ 등비수열의 일반항 : 첫째항이 a, 공비가 r인 등비수열의 일반항

　　$a_n=$ ❸ （단, $n=1, 2, 3, \cdots$）

　④ 등비중항 : 0이 아닌 세 수 a, b, c가 이 순서대로 등비수열을 이룰 때, b를 a와 c의 등비중항

　　이라 하고 $b^2=ac$가 성립한다.

(4) 등비수열의 합 : 첫째항이 a, 공비가 r인 등비수열의 첫째항부터 제n항까지의 합을 S_n이라 하면

　$S_n=\dfrac{a(1-r^n)}{1-r}=\dfrac{a(r^n-1)}{r-1}$ $(r\neq 1)$, $S_n=na$ $(r=1)$

(5) 수열의 합과 일반항 사이의 관계 : 수열 $\{a_n\}$의 첫째항부터 제n항까지의 합 S_n에 대하여

　$a_1=S_1$, $a_n=S_n-$ ❹ （단, $n=2, 3, 4, \cdots$）

(6) 원리합계 : 연이율 r, 1년마다 복리로 매년 초에 a원씩 n년 동안 적립할 때, n년 말의 원리합계

　를 S_n이라 하면

　$S_n=\dfrac{a(1+r)\{(1+r)^n-1\}}{r}$

❶ $a+(n-1)d$　❷ $\dfrac{n\{2a+(n-1)d\}}{2}$　❸ ar^{n-1}　❹ S_{n-1}

2. 수열의 합

(1) 합의 기호 $\sum$: 수열 $\{a_n\}$의 첫째항부터 제n항까지의 합을 기호 $\sum$를 사용하여

$a_1+a_2+a_3+\cdots+a_n=\sum\limits_{k=1}^{n}a_k$와 같이 나타낸다.

(2) $\sum$의 성질

① $\sum\limits_{k=1}^{n}(a_k\pm b_k)=\sum\limits_{k=1}^{n}a_k\pm\boxed{⑤}$　② $\sum\limits_{k=1}^{n}ca_k=c\sum\limits_{k=1}^{n}a_k$ (단, c는 상수)

(3) 자연수의 거듭제곱의 합

① $\sum\limits_{k=1}^{n}k=\boxed{⑥}$　② $\sum\limits_{k=1}^{n}k^2=\boxed{⑦}$

③ $\sum\limits_{k=1}^{n}k^3=\left\{\dfrac{n(n+1)}{2}\right\}^2$

(4) 분수꼴로 주어진 수열의 합

① 분수꼴인 수열의 합은 부분분수로 변형하여 구한다.

② 분모에 근호가 포함된 수열의 합은 분모를 유리화하여 구한다.

(5) 등차수열과 등비수열의 각 항의 곱으로 이루어진 수열의 합을 구하는 방법 : 주어진 수열의 합을 S, 등비수열의 공비를 r라 하면 $S-rS$를 구하고, 이 식으로부터 S의 값을 구한다.

(6) 군수열 : 주어진 수열을 몇 개의 항씩 적당히 묶었을 때 규칙성을 가지는 수열

- $\dfrac{1}{AB}=\dfrac{1}{B-A}=\left(\dfrac{1}{A}-\dfrac{1}{B}\right)$

- 각 군의 개수와 각 군의 첫째항의 규칙을 알아본다.

3. 수학적 귀납법

(1) 수열의 귀납적 정의 : 첫째항 a_1과 이웃하는 두 항 a_{n+1}, a_n 사이의 관계식을 이용하여 수열 $\{a_n\}$을 정의하는 것

① 공차가 d인 등차수열

$a_{n+1}-a_n=\boxed{⑧}$, $a_{n+1}=a_n+d$, $2a_{n+1}=a_na_{n+2}$ $(n=1, 2, 3, \cdots)$

② 공비가 r인 등비수열

$a_{n+1}\div a_n=\boxed{⑨}$, $a_{n+1}=ra_n$, $a_{n+1}{}^2=a_na_{n+2}$ $(n=1, 2, 3, \cdots)$

(2) 수학적 귀납법

자연수 n에 대한 명제 $p(n)$이 모든 자연수에 대하여 성립한다는 것을 증명하려면 다음 두 가지를 보이면 된다.

① $n=1$일 때, 명제 $p(n)$이 성립한다.

② $n=k$일 때, 명제 $p(n)$이 성립한다고 가정하면, $n=k+1$일 때에도 명제 $p(n)$이 성립한다.

⑤ $\sum\limits_{k=1}^{n}b_k$　⑥ $\dfrac{n(n+1)}{2}$　⑦ $\dfrac{n(n+1)(2n+1)}{6}$　⑧ d　⑨ r

상용로그표 (1)

수	0	1	2	3	4	5	6	7	8	9
1.0	.0000	.0043	.0086	.0128	.0170	.0212	.0253	.0294	.0334	.0374
1.1	.0414	.0453	.0492	.0531	.0569	.0607	.0645	.0682	.0719	.0755
1.2	.0792	.0828	.0864	.0899	.0934	.0969	.1004	.1038	.1072	.1106
1.3	.1139	.1173	.1206	.1239	.1271	.1303	.1335	.1367	.1399	.1430
1.4	.1461	.1492	.1523	.1553	.1584	.1614	.1644	.1673	.1703	.1732
1.5	.1761	.1790	.1818	.1847	.1875	.1903	.1931	.1959	.1987	.2014
1.6	.2041	.2068	.2095	.2122	.2148	.2175	.2201	.2227	.2253	.2279
1.7	.2304	.2330	.2355	.2380	.2405	.2430	.2455	.2480	.2504	.2529
1.8	.2553	.2577	.2601	.2625	.2648	.2672	.2695	.2718	.2742	.2765
1.9	.2788	.2810	.2833	.2856	.2878	.2900	.2923	.2945	.2967	.2989
2.0	.3010	.3032	.3054	.3075	.3096	.3118	.3139	.3160	.3181	.3201
2.1	.3222	.3243	.3263	.3284	.3304	.3324	.3345	.3365	.3385	.3404
2.2	.3424	.3444	.3464	.3483	.3502	.3522	.3541	.3560	.3579	.3598
2.3	.3617	.3636	.3655	.3674	.3692	.3711	.3729	.3747	.3766	.3784
2.4	.3802	.3820	.3838	.3856	.3874	.3892	.3909	.3927	.3945	.3962
2.5	.3979	.3997	.4014	.4031	.4048	.4065	.4082	.4099	.4116	.4133
2.6	.4150	.4166	.4183	.4200	.4216	.4232	.4249	.4265	.4281	.4298
2.7	.4314	.4330	.4346	.4362	.4378	.4393	.4409	.4425	.4440	.4456
2.8	.4472	.4487	.4502	.4518	.4533	.4548	.4564	.4579	.4594	.4609
2.9	.4624	.4639	.4654	.4669	.4683	.4698	.4713	.4728	.4742	.4757
3.0	.4771	.4786	.4800	.4814	.4829	.4843	.4857	.4871	.4886	.4900
3.1	.4914	.4928	.4942	.4955	.4969	.4983	.4997	.5011	.5024	.5038
3.2	.5051	.5065	.5079	.5092	.5105	.5119	.5132	.5145	.5159	.5172
3.3	.5185	.5198	.5211	.5224	.5237	.5250	.5263	.5276	.5289	.5302
3.4	.5315	.5328	.5340	.5353	.5366	.5378	.5391	.5403	.5416	.5428
3.5	.5441	.5453	.5465	.5478	.5490	.5502	.5514	.5527	.5539	.5551
3.6	.5563	.5575	.5587	.5599	.5611	.5623	.5635	.5647	.5658	.5670
3.7	.5682	.5694	.5705	.5717	.5729	.5740	.5752	.5763	.5775	.5786
3.8	.5798	.5809	.5821	.5832	.5843	.5855	.5866	.5877	.5888	.5899
3.9	.5911	.5922	.5933	.5944	.5955	.5966	.5977	.5988	.5999	.6010
4.0	.6021	.6031	.6042	.6053	.6064	.6075	.6085	.6096	.6107	.6117
4.1	.6128	.6138	.6149	.6160	.6170	.6180	.6191	.6201	.6212	.6222
4.2	.6232	.6243	.6253	.6263	.6274	.6284	.6294	.6304	.6314	.6325
4.3	.6335	.6345	.6355	.6365	.6375	.6385	.6395	.6405	.6415	.6425
4.4	.6435	.6444	.6454	.6464	.6474	.6484	.6493	.6503	.6513	.6522
4.5	.6532	.6542	.6551	.6561	.6571	.6580	.6590	.6599	.6609	.6618
4.6	.6628	.6637	.6646	.6656	.6665	.6675	.6684	.6693	.6702	.6712
4.7	.6721	.6730	.6739	.6749	.6758	.6767	.6776	.6785	.6794	.6803
4.8	.6812	.6821	.6830	.6839	.6848	.6857	.6866	.6875	.6884	.6893
4.9	.6902	.6911	.6920	.6928	.6937	.6946	.6955	.6964	.6972	.6981
5.0	.6990	.6998	.7007	.7016	.7024	.7033	.7042	.7050	.7059	.7067
5.1	.7076	.7084	.7093	.7101	.7110	.7118	.7126	.7135	.7143	.7152
5.2	.7160	.7168	.7177	.7185	.7193	.7202	.7210	.7218	.7226	.7235
5.3	.7243	.7251	.7259	.7267	.7275	.7284	.7292	.7300	.7308	.7316
5.4	.7324	.7332	.7340	.7348	.7356	.7364	.7372	.7380	.7388	.7396

상용로그표 (2)

수	0	1	2	3	4	5	6	7	8	9
5.5	.7404	.7412	.7419	.7427	.7435	.7443	.7451	.7459	.7466	.7474
5.6	.7482	.7490	.7497	.7505	.7513	.7520	.7528	.7536	.7543	.7551
5.7	.7559	.7566	.7574	.7582	.7589	.7597	.7604	.7612	.7619	.7627
5.8	.7634	.7642	.7649	.7657	.7664	.7672	.7679	.7686	.7694	.7701
5.9	.7709	.7716	.7723	.7731	.7738	.7745	.7752	.7760	.7767	.7774
6.0	.7782	.7789	.7796	.7803	.7810	.7818	.7825	.7832	.7839	.7846
6.1	.7853	.7860	.7868	.7875	.7882	.7889	.7896	.7903	.7910	.7917
6.2	.7924	.7931	.7938	.7945	.7952	.7959	.7966	.7973	.7980	.7987
6.3	.7993	.8000	.8007	.8014	.8021	.8028	.8035	.8041	.8048	.8055
6.4	.8062	.8069	.8075	.8082	.8089	.8096	.8102	.8109	.8116	.8122
6.5	.8129	.8136	.8142	.8149	.8156	.8162	.8169	.8176	.8182	.8189
6.6	.8195	.8202	.8209	.8215	.8222	.8228	.8235	.8241	.8248	.8254
6.7	.8261	.8267	.8274	.8280	.8287	.8293	.8299	.8306	.8312	.8319
6.8	.8325	.8331	.8338	.8344	.8351	.8357	.8363	.8370	.8376	.8382
6.9	.8388	.8395	.8401	.8407	.8414	.8420	.8426	.8432	.8439	.8445
7.0	.8451	.8457	.8463	.8470	.8476	.8482	.8488	.8494	.8500	.8506
7.1	.8513	.8519	.8525	.8531	.8537	.8543	.8549	.8555	.8561	.8567
7.2	.8573	.8579	.8585	.8591	.8597	.8603	.8609	.8615	.8621	.8627
7.3	.8633	.8639	.8645	.8651	.8657	.8663	.8669	.8675	.8681	.8686
7.4	.8692	.8698	.8704	.8710	.8716	.8722	.8727	.8733	.8739	.8745
7.5	.8751	.8756	.8762	.8768	.8774	.8779	.8785	.8791	.8797	.8802
7.6	.8808	.8814	.8820	.8825	.8831	.8837	.8842	.8848	.8854	.8859
7.7	.8865	.8871	.8876	.8882	.8887	.8893	.8899	.8904	.8910	.8915
7.8	.8921	.8927	.8932	.8938	.8943	.8949	.8954	.8960	.8965	.8971
7.9	.8976	.8982	.8987	.8993	.8998	.9004	.9009	.9015	.9020	.9025
8.0	.9031	.9036	.9042	.9047	.9053	.9058	.9063	.9069	.9074	.9079
8.1	.9085	.9090	.9096	.9101	.9106	.9112	.9117	.9122	.9128	.9133
8.2	.9138	.9143	.9149	.9154	.9159	.9165	.9170	.9175	.9180	.9186
8.3	.9191	.9196	.9201	.9206	.9212	.9217	.9222	.9227	.9232	.9238
8.4	.9243	.9248	.9253	.9258	.9263	.9269	.9274	.9279	.9284	.9289
8.5	.9294	.9299	.9304	.9309	.9315	.9320	.9325	.9330	.9335	.9340
8.6	.9345	.9350	.9355	.9360	.9365	.9370	.9375	.9380	.9385	.9390
8.7	.9395	.9400	.9405	.9410	.9415	.9420	.9425	.9430	.9435	.9440
8.8	.9445	.9450	.9455	.9460	.9465	.9469	.9474	.9479	.9484	.9489
8.9	.9494	.9499	.9504	.9509	.9513	.9518	.9523	.9528	.9533	.9538
9.0	.9542	.9547	.9552	.9557	.9562	.9566	.9571	.9576	.9581	.9586
9.1	.9590	.9595	.9600	.9605	.9609	.9614	.9619	.9624	.9628	.9633
9.2	.9638	.9643	.9647	.9652	.9657	.9661	.9666	.9671	.9675	.9680
9.3	.9685	.9689	.9694	.9699	.9703	.9708	.9713	.9717	.9722	.9727
9.4	.9731	.9736	.9741	.9745	.9750	.9754	.9759	.9763	.9768	.9773
9.5	.9777	.9782	.9786	.9791	.9795	.9800	.9805	.9809	.9814	.9818
9.6	.9823	.9827	.9832	.9836	.9841	.9845	.9850	.9854	.9859	.9863
9.7	.9868	.9872	.9877	.9881	.9886	.9890	.9894	.9899	.9903	.9908
9.8	.9912	.9917	.9921	.9926	.9930	.9934	.9939	.9943	.9948	.9952
9.9	.9956	.9961	.9965	.9969	.9974	.9978	.9983	.9987	.9991	.9996

MEMO

유형 익힘 분석

틀린 문항이 20% 이하이면 ○표, 20%~50% 범위이면 △표, 50% 이상이면 ×표를 하여 결과를 기준으로 나에게 취약한 유형을 파악한 후 관련 개념과 문제를 반드시 복습하고 개념을 완벽히 이해하도록 하세요.

유형No.	유형	총 문항수	틀린 문항수	채점결과
001	지수법칙 – 지수가 양의 정수일 때	23		○△×
002	거듭제곱근	22		○△×
003	거듭제곱근의 성질	17		○△×
004	거듭제곱근의 성질의 활용	4		○△×
005	지수법칙 – 지수가 정수일 때	22		○△×
006	지수법칙 – 지수가 유리수일 때	28		○△×
007	지수법칙 – 지수가 실수일 때	12		○△×
008	거듭제곱근의 대소 비교	8		○△×
009	두 수 a, b로 나타내기	3		○△×
010	지수법칙을 이용한 식의 값 계산	3		○△×
011	지수법칙과 곱셈 공식	5		○△×
012	$a^x + a^{-x}$ 꼴의 식의 값 구하기	4		○△×
013	$\dfrac{a^x - a^{-x}}{a^x + a^{-x}}$ 꼴의 식의 값 구하기	8		○△×
014	관계식이 주어질 때 식의 값 구하기	4		○△×
015	지수법칙의 실생활에의 활용	2		○△×
016	로그	23		○△×
017	로그가 정의될 조건	11		○△×
018	로그의 기본 성질	12		○△×
019	밑이 같은 로그의 덧셈과 뺄셈	10		○△×
020	지수와 로그의 혼합 계산	6		○△×
021	로그를 합과 차의 꼴로 나타내기	17		○△×
022	로그의 밑의 변환 공식	16		○△×
023	밑의 변환 공식을 이용한 식의 계산	9		○△×
024	로그의 성질의 증명	2		○△×
025	로그의 여러 가지 성질	17		○△×
026	로그의 성질을 이용한 식의 값의 계산	6		○△×
027	로그의 대소 비교	4		○△×

유형No.	유형	총 문항수	틀린 문항수	채점결과
028	로그와 삼각형	3		○△×
029	이차방정식과 로그	8		○△×
030	상용로그의 정의	10		○△×
031	상용로그	7		○△×
032	정수 부분과 소수 부분	4		○△×
033	상용로그의 성질	4		○△×
034	상용로그의 정수 부분과 소수 부분	13		○△×
035	상용로그의 소수 부분	6		○△×
036	상용로그의 실생활에의 활용	2		○△×
037	지수함수의 그래프	5		○△×
038	지수함수의 평행이동과 대칭이동	7		○△×
039	지수함수의 성질	10		○△×
040	지수함수를 이용한 대소 비교	4		○△×
041	지수함수의 최대·최소	4		○△×
042	치환을 이용한 지수함수의 최대·최소	2		○△×
043	지수함수의 성질과 그래프 응용	6		○△×
044	로그함수의 그래프	5		○△×
045	로그함수의 평행이동과 대칭이동	11		○△×
046	로그함수를 이용한 대소 비교	4		○△×
047	로그함수의 최대·최소	5		○△×
048	치환을 이용한 로그함수의 최대·최소	2		○△×
049	지수함수와 로그함수의 관계	12		○△×
050	지수방정식 – 밑을 같게 하는 경우	10		○△×
051	지수방정식 – 지수가 같은 경우	5		○△×
052	지수방정식 – 밑도 지수도 같지 않은 경우	3		○△×
053	지수방정식 – $a^x = t$로 치환하는 경우	3		○△×
054	지수방정식의 응용	6		○△×
055	지수부등식 – 밑을 같게 하는 경우	6		○△×
056	지수부등식 – 밑이 같지 않은 경우	3		○△×
057	지수부등식 – $a^x = t$로 치환하는 경우	3		○△×
058	지수부등식의 응용	9		○△×
059	지수함수의 활용	5		○△×
060	로그방정식 – $\log_a f(x) = b$	4		○△×
061	로그방정식 – 밑이 같은 경우	3		○△×

연마 수학

수학 I
정답 및 해설

연마 수학

수학 I

빠른 정답

본문 8쪽

Ⅰ. 지수함수와 로그함수

01 거듭제곱 본문 8쪽

01 3, 4, 7
02 2, 4, 8
03 3, 4
04 2, 2
05 8, 6, 2
06 7, 4, 3
07 a^9
08 a^5
09 a^{24}
10 $81a^8b^4$
11 $\dfrac{25a^2}{b^8}$
12 9, 10
13 11
14 10, 4
15 5
16 7, 2
17 1
18 $12a^8b^{10}$
19 $-\dfrac{2a}{3b^4}$
20 $\dfrac{a^{11}}{b}$
21 $\dfrac{1}{a^{12}}$
22 $72a^{13}b^9$
23 $16a^6b^{10}$

02 거듭제곱근 본문 10쪽

01 27, 3, 9, 3
02 1, 1, 1, 1, 1, -1, 1
03 2
04 $\dfrac{1}{3}$
05 0.3
06 -4
07 ± 2
08 ± 3
09 ○
10 ×
11 ○
12 ×
13 ×
14 ○

15 5
16 0.2
17 -3
18 -1
19 3
20 $\dfrac{2}{3}$
21 $-\dfrac{3}{4}$
22 ⑤

03 거듭제곱근의 성질
본문 12쪽

01 $\sqrt[3]{12}$
02 2
03 $\sqrt[5]{5}$
04 4
05 7
06 3
07 3
08 4
09 25
10 $\sqrt[3]{9}$
11 -2
12 4
13 $\sqrt[3]{6}$
14 $\dfrac{1}{7}$
15 2
16 $\dfrac{8}{3}$
17 1
18 1
19 $2-a$
20 46
21 5

04 지수의 확장 본문 14쪽

01 1
02 1
03 1
04 1
05 1
06 $\dfrac{1}{8}$
07 10000
08 32

09 $\dfrac{1}{27}$
10 $\dfrac{9}{4}$
11 1
12 $\dfrac{1}{625}$
13 27
14 5
15 27
16 $\dfrac{3}{625}$
17 a^9
18 a^4
19 a^{12}
20 $\dfrac{a^2}{9b^8}$
21 $a^{12}b^{15}$
22 29
23 $7^{\frac{1}{2}}$
24 $3^{\frac{2}{5}}$
25 $\dfrac{1}{10}^{\frac{2}{5}}$
26 2
27 $a^{\frac{1}{3}}$
28 $a^{\frac{5}{4}}$
29 $a^{-\frac{2}{3}}$
30 $a^{-\frac{4}{3}}$
31 $\sqrt[3]{3}$
32 $\sqrt[5]{8}$
33 $\sqrt[9]{100}$
34 $\dfrac{1}{\sqrt[7]{625}}$
35 $\sqrt[4]{a}$
36 $a^2\sqrt{a}$
37 $\dfrac{1}{\sqrt[3]{a^2}}$
38 $\dfrac{1}{\sqrt[5]{a^4}}$
39 $3^{\frac{7}{10}}$
40 32
41 1
42 8
43 $\dfrac{4}{3}$
44 $5^{\frac{29}{60}}$
45 $a^{\frac{9}{2}}$
46 a^3
47 a^4b^3
48 ab^2
49 $a^{\frac{7}{8}}$

50 $a^{\frac{23}{24}}$
51 $2^{\frac{2}{5}}$
52 9
53 $10^{\frac{2}{3}}$
54 $4^{\frac{2}{2}}$
55 3^{30}
56 $\dfrac{81}{4}$
57 $a^{\frac{3}{2}}$
58 $a^{-\frac{2}{2}}$
59 $a^{\frac{\sqrt{3}}{2}}$
60 $a^{34}b^{13}$
61 $\dfrac{b^3}{a}$
62 a^8

05 거듭제곱의 대소 비교
본문 19쪽

01 $\sqrt{3}>\sqrt[5]{10}$
02 $\sqrt[3]{2}<\sqrt{3}$
03 $\sqrt{\sqrt{4}}>\sqrt[5]{7}$
04 $\sqrt[6]{12}>\sqrt[4]{5}>\sqrt[3]{2}$
05 $\sqrt[6]{5}>\sqrt[12]{20}$
06 $\sqrt[3]{3}>\sqrt[4]{4}$
07 $\sqrt{5}>\sqrt[2]{10}$
08 $\sqrt[6]{45}>\sqrt{3}>\sqrt[3]{4}$

06 지수법칙의 응용
본문 20쪽

01 3, 3, $\dfrac{1}{3}$, $a^{\frac{1}{3}}b$
02 $a^{\frac{1}{2}}b^{\frac{1}{4}}$
03 $a^{\frac{3}{10}}b^{\frac{2}{5}}$
04 -3, 6, 64
05 256
06 $\sqrt[3]{3}$
07 $a-a^{-1}$
08 $a-b$
09 -4
10 12
11 x^2-x^{-2}
12 8
13 6
14 $4\sqrt{2}$
15 $10\sqrt{2}$
16 4, 4, $\dfrac{3}{5}$

17 $\dfrac{12}{65}$

18 $\dfrac{4095}{272}$

19 5

20 $\dfrac{10}{3}$

21 $\dfrac{3}{2}$

22 $\dfrac{5}{2}$

23 $\dfrac{16}{15}$

24 10, 10, 10, 1

25 2

26 4

27 $\dfrac{3}{2}$

28 2, 5, 5, 32

29 3, 3, 2, 2, 9, 9

07 로그 본문 24쪽

01 $\log_2 32 = 5$

02 $\log_3 81 = 4$

03 $\log_6 216 = 3$

04 $\log_{10} 0.01 = -2$

05 $\log_5 \sqrt[3]{5} = \dfrac{1}{3}$

06 $\log_{\frac{1}{4}} 64 = -3$

07 $3^4 = 81$

08 $4^3 = 64$

09 $10^{-5} = 0.00001$

10 $5^{\frac{1}{2}} = \sqrt{5}$

11 $\left(\dfrac{1}{2}\right)^{-2} = 4$

12 3

13 4

14 $\dfrac{2}{3}$

15 $\dfrac{10}{3}$

16 -4

17 $\dfrac{2}{9}$

18 9

19 6

20 2

21 27

22 5

23 $\sqrt{3}$

24 $x > -2$

25 $x < -1$ 또는 $x > 4$

26 $4 < x < 5$ 또는 $x > 5$

27 $-1 < x < 0$
   또는 $0 < x < 1$

28 $1 < x < 3$ 또는 $3 < x < 4$

29 $1 < x < 2$ 또는 $2 < x < 5$

30 -6

31 1

32 4

33 3

34 2

08 로그의 기본 성질

본문 27쪽

01 0

02 0

03 0

04 1

05 1

06 1

07 1

08 3

09 4

10 -3

11 3

12 2, 7

13 7

14 1

15 2

16 1

17 3

18 $\dfrac{1}{2}$

19 2

20 $\dfrac{3}{2}$

21 $\dfrac{1}{2}$

22 1

23 246

24 $\dfrac{23}{2}$

25 -1

26 $\dfrac{19}{6}$

27 7

28 27

29 $2a + 2b$

30 $a + 4b$

31 $a + 2$

32 $-2a + b$

33 $2a - \dfrac{3}{2}b$

34 $a + b - 3$

35 $2A + 3B + C$

36 $3A + 4B + 2C$

37 $5A + B + \dfrac{1}{2}C$

38 $A - B - 2C$

39 $4A - 2B + 3C$

40 $-3A - 2B - C$

41 $2a + b + 3c$

42 $a + \dfrac{3}{2}b + \dfrac{1}{2}c$

43 $-a + 4b - 2c$

44 $\dfrac{2}{3}a - \dfrac{1}{3}b - \dfrac{4}{3}c$

45 $2a - 3$

09 로그의 밑의 변환 공식 본문 31쪽

01 1

02 1

03 2

04 $\dfrac{1}{2}$

05 1

06 $\dfrac{a}{b}$

07 $\dfrac{3a}{2b}$

08 $\dfrac{a + 2b}{a}$

09 $\dfrac{3a}{2b}$

10 $\dfrac{a}{a+b}$

11 $\dfrac{2a + b}{a}$

12 $\dfrac{a + 2c}{a + b}$

13 $\dfrac{2c}{a+b+c}$

14 $\dfrac{3a + 2b + c}{b}$

15 $\dfrac{a + b - c}{b + c}$

16 $\dfrac{-a + 3b - c}{3a + 3c}$

17 3

18 4

19 4

20 1

21 ④

22 $\dfrac{1}{6}$

23 $\dfrac{8}{3}$

24 4

25 3

26 a^m, a^{mn}, $\log_a x^n$

27 a^m, a^n, a^{m+n}, xy

10 로그의 여러 가지 성질

본문 34쪽

01 2, 3

02 5, 4

03 5, 6

04 9, 4

05 6

06 4, 15

07 10

08 3

09 5

10 13

11 8

12 6

13 $\dfrac{11}{10}$

14 $-\dfrac{2}{3}$

15 -2

16 2

17 $\dfrac{1}{4}$

18 $\dfrac{n}{2m}$

19 $\dfrac{2n}{3m}$

20 $\dfrac{2n}{m+n}$

21 $\dfrac{6n}{m}$

22 $\dfrac{2n}{3m}$

23 $\dfrac{3n}{8m}$

24 $\log_{16} 27 > \log_8 9$

25 $\log_4 8 > \log_3 4$

26 $\log_{\sqrt{2}} 3 > \log_2 5 > \log_4 10$

27 $9^{\log_8 3} > \log_4 25 > \log_{\frac{1}{2}} 3$

28 $a-b$, c^2, $90°$, 직각삼각형

29 ∠B=90°인 직각삼각형

30 ∠A=90°인 직각삼각형

31 -1

32 1

33 $a=-\log_2 10$, $b=\log_2 5$

34 $a=-2$, $b=\frac{3}{4}$

35 14

36 7

37 6

38 25

11 상용로그 본문 38쪽

01 2

02 -5

03 -3

04 -4

05 $\frac{5}{3}$

06 $\frac{5}{2}$

07 5

08 $\frac{5}{2}$

09 $-\frac{1}{2}$

10 $-\frac{7}{6}$

12 상용로그표 본문 39쪽

01 10, 1.4048

02 3.4048

03 -0.5952

04 -2.5952

05 0.5599

06 1.1388

07 0.2552

13 상용로그의 성질과 활용 본문 40쪽

01 3, $\frac{1}{3}$

02 1, $\frac{2}{7}$

03 -1, 0.35

04 -4, 0.52

05 217

06 21700

07 0.217

08 0.00217

09 7자리의 수

10 24자리의 수

11 24자리의 수

12 14자리의 수

13 28자리의 수

14 22자리의 수

15 소수점 아래 10째 자리

16 소수점 아래 39째 자리

17 소수점 아래 13째 자리

18 소수점 아래 7째 자리

19 14, 14, 2

20 6

21 1

22 $x=10$ 또는 $x=10^{\frac{3}{2}}$

23 $x=100$ 또는 $x=10^{\frac{5}{2}}$

24 $x=10$ 또는 $x=10^{\frac{4}{3}}$ 또는 $x=10^{\frac{5}{3}}$

25 $\frac{4}{5}$

26 $\frac{1}{3}$

27 $\frac{1}{3}$

28 3^{30}, 3^{30}, 14.313, 15

29 $\frac{2}{5}$배

14 지수함수의 뜻과 그 그래프 본문 44쪽

01 $\frac{1}{2}$, 1, 1, $\frac{1}{2}$

02 해설 참조

03 ○

04 ×

05 ×

06 해설 참조

07 해설 참조

08 해설 참조

09 해설 참조

10 4, 8, 평행이동

11 $y=3^x$, y

12 3, 5

13 실수, -5, -5

14 $\{y|y>1\}$

15 $(0, 2)$

16 $(1, 5)$

17 2

18 -6

19 2, $\frac{1}{2}$, $-\frac{1}{2}$, -4, $-\frac{1}{2}$, -4, 2

20 -6

21 6

22 ④

15 지수함수의 최대·최소 본문 48쪽

01 $3^{0.5} < \sqrt[3]{9} < \sqrt[4]{27}$

02 $\sqrt[4]{27} < 9^{0.75} < \left(\frac{1}{3}\right)^{-2}$

03 $0.5^{-\frac{1}{3}} < \sqrt{2} < \sqrt[3]{4}$

04 $\frac{1}{6}$

05 11, 4, 11, 4, 15

06 132

07 30

08 15

09 8, 16, 30, 8, -34

10 최댓값 1, 최솟값 -3

11 a^x, a^x

12 ㄴ

13 ㄱ

14 2

15 $\frac{1}{k}$, $\frac{4}{7}$, $\frac{4}{7}$, 20

16 4

16 로그함수의 뜻과 그 그래프 본문 52쪽

01 역함수, $y=x$, $y=x$

02 해설 참조

03 ×

04 ○

05 ×

06 -1

07 해설 참조

08 해설 참조

09 해설 참조

10 해설 참조

11 $y=\log_a x$, x

12 -4, -5

13 5, 3

14 5

15 4

16 ③

17 로그함수의 최대·최소 본문 55쪽

01 8, $\sqrt{70}$, 9, $\log_4 70$, $2\log_2 3$

02 $2\log_3 2 < 2 < \log_9 120 < \log_3 8 + 1$

03 $1 < \frac{1}{2}\log_2 5 < 3\log_4 3 < \log_4 81$

04 ①

05 증가, 6, 6, 16, 4, 2, 2, 4, 2

06 최댓값 7, 최솟값 6

07 최댓값 1, 최솟값 -3

08 최댓값 5, 최솟값 2

09 최댓값 3, 최솟값 2

10 0, 3, 18, 6, 0, 3, 3, 3, 9, 1, 1, 5

11 최댓값 -2, 최솟값 -6

12 $y=\log_2 x + \log_2 \frac{2}{3}$ $(x>0)$

13 $y=2^{x-1}+3$

14 $y=3^{x+2}-1$

15 9, 1, 2, 3, 9, 3

16 65

17 $\frac{1}{2}$

18 ②

19 120

20 345

21 $r=p+q$

22 $\log_3 2$

23 3

I8 지수방정식 _{본문 60쪽}

01 $-3, -3, -2$

02 $x=-3$

03 $x=2$

04 $x=4$

05 $x=-\dfrac{3}{2}$

06 $x=2$

07 $x=-2$

08 $x=\dfrac{4}{3}$

09 $x=-\dfrac{5}{3}$

10 $x=\dfrac{7}{3}$

11 $0, 4, 6, 0, 3, 6, 3$

12 $x=1$ 또는 $x=0$

13 $x=5$ 또는 $x=2$

14 $x=1$ 또는 $x=0$

15 $x=1$ 또는 $x=2$

16 $3, 4, 3, 4,$ $\dfrac{\log 4+\log 3}{2\log 3-\log 4}$

17 $x=\dfrac{\log 7+3\log 3}{\log 3-2\log 7}$

18 $x=\dfrac{2\log 3}{\log 5-\log 3}$

19 $12, 8, 8, 8, 3, 3$

20 $x=3$

21 $x=2$

22 $2, 2, 2, 2, 9, 9, 512$

23 18

24 1

25 10

26 3

27 $0<k<1$

I9 지수부등식 _{본문 64쪽}

01 $1, \geq$

02 $x>\dfrac{1}{3}$

03 $x>3$

04 $x\leq\dfrac{4}{3}$

05 $x>-\dfrac{2}{5}$

06 $x<-4$

07 $2x-1, x+2, >, <$

08 $x\geq\dfrac{\log 3-\log 2}{\log 2-2\log 3}$

09 $x>\dfrac{2\log 3}{\log 2-\log 3}$

10 $-2, 5, >, 5, 1$

11 $x>\log_3 2$

12 $-2\leq x\leq 2$

13 37

14 1

15 4

16 3

17 -2

18 -1

19 18

20 10

21 12

22 259

23 4

24 22

25 100000배

26 1.24배

20 로그방정식 _{본문 69쪽}

01 $-\dfrac{1}{2}, 4, 4$

02 $x=16$

03 $x=5$

04 $x=5$

05 $-\dfrac{1}{2}, 2, -\dfrac{1}{2}, 2$

06 $x=3$ 또는 $x=6$

07 $x=2$

08 $2, 1, 2, -1, 2, 2$

09 $x=4$

10 $x=1$

11 $2, 1, 1, 1, 3, 3$

12 $x=9$ 또는 $x=81$

13 $x=\dfrac{1}{4}$ 또는 $x=64$

14 $2, 2, 2, 2, 2, 4, 4$

15 $x=\dfrac{1}{2}$ 또는 $x=8$

16 $3, 3, 27$

17 32

18 -1

19 81

20 16

2I 로그부등식 _{본문 73쪽}

01 $2, 8, 12, 4, 12$

02 $x>2$

03 $0<x\leq 1$

04 $0<x<2$ 또는 $3<x<5$

05 $\dfrac{1}{2}, 2, 2, 1, 2, 1, 2, 2$

06 $x\geq 6$

07 $2<x<10$

08 $2, 3, 9, 27, 9, 27$

09 $\dfrac{1}{10}<x<100$

10 9

11 $8, 3, 3, 3, 3, 3, 8, 8$

12 $0<x<1$ 또는 $x>100$

13 $10<x<100$

14 26개

15 4개

16 8

17 2

18 3.6

19 $\dfrac{99}{8}$분

II. 삼각함수

0I 일반각과 호도법

_{본문 84쪽}

01 해설 참조

02 해설 참조

03 해설 참조

04 해설 참조

05 $40°, 1$

06 제4사분면

07 제3사분면

08 제1사분면

09 ㄴ, ㅁ, ㅂ

10 0

11 $\dfrac{1}{3}\pi$

12 $\dfrac{\pi}{2}$

13 $\dfrac{2}{3}\pi$

14 $\dfrac{7}{6}\pi$

15 $\dfrac{3}{2}\pi$

16 $2n\pi+\pi$

17 $2n\pi+\dfrac{2}{3}\pi$

18 $2n\pi+\pi$

19 $2n\pi+\dfrac{13}{10}\pi$

20 ㄴ, ㅂ

21 $\dfrac{3}{2}\pi, \dfrac{7}{4}\pi, 4, 4, 4$

22 제1사분면, 제2사분면, 제3사분면

23 $4, 6, 5, \dfrac{5}{4}\pi$

24 $\dfrac{5}{6}\pi$

25 $\dfrac{2}{3}\pi$

26 $\dfrac{\pi}{5}$

27 $\dfrac{\pi}{4}, \dfrac{\pi}{4}, 2\pi, \dfrac{\pi}{4}, 8\pi$

28 16

29 48

30 35

31 $960\pi \text{ cm}^2$

02 삼각함수 본문 89쪽

01 y, $\dfrac{\sqrt{2}}{2}$, r, $-\dfrac{\sqrt{2}}{2}$, x, -1

02 $\sin\dfrac{4}{3}\pi = -\dfrac{\sqrt{3}}{2}$,
$\cos\dfrac{4}{3}\pi = -\dfrac{1}{2}$,
$\tan\dfrac{4}{3}\pi = \sqrt{3}$

03 $\sin\left(-\dfrac{\pi}{6}\right) = -\dfrac{1}{2}$,
$\cos\left(-\dfrac{\pi}{6}\right) = \dfrac{\sqrt{3}}{2}$,
$\tan\left(-\dfrac{\pi}{6}\right) = -\dfrac{\sqrt{3}}{3}$

04 $\sin\theta = \dfrac{3}{5}$,
$\cos\theta = -\dfrac{4}{5}$,
$\tan\theta = -\dfrac{3}{4}$

05 $\sin\theta = -\dfrac{2}{3}$,
$\cos\theta = -\dfrac{\sqrt{5}}{3}$,
$\tan\theta = \dfrac{2\sqrt{5}}{5}$

06 $\sin\theta = \dfrac{12}{13}$,
$\cos\theta = -\dfrac{5}{13}$,
$\tan\theta = -\dfrac{12}{5}$

07 $\dfrac{7}{5}$

08 1, $>$, $+$

09 $-$

10 $+$

11 $-$

12 3, 3, 3

13 제3사분면

14 2, $<$, $-$, $+$,
$2\sin\theta - \cos\theta$

15 $-2\sin\theta + \tan\theta$

03 삼각함수 사이의 관계 본문 92쪽

01 1, 1, 1, $\dfrac{3}{4}$, $-\dfrac{\sqrt{3}}{2}$,
$-\dfrac{\sqrt{3}}{2}$, $\dfrac{\sqrt{3}}{3}$

02 $\sin\theta = \dfrac{\sqrt{3}}{2}$,
$\tan\theta = -\sqrt{3}$

03 $\sin\theta = \dfrac{\sqrt{39}}{8}$,
$\tan\theta = -\dfrac{\sqrt{39}}{5}$

04 $\sin\theta = -\dfrac{12}{13}$,
$\tan\theta = -\dfrac{12}{5}$

05 $-\dfrac{3}{8}$

06 $-\dfrac{8}{3}$

07 $\dfrac{11}{16}$

08 $-\dfrac{3}{8}$, $\dfrac{7}{4}$, $\dfrac{\sqrt{7}}{2}$, $-\dfrac{\sqrt{7}}{2}$

09 $-\dfrac{2\sqrt{3}}{3}$

10 $-\dfrac{\sqrt{6}}{2}$

11 $\dfrac{18}{7}$

12 $-\dfrac{18}{7}$

13 $k = -\dfrac{7}{8}$

14 1

04 삼각함수의 그래프 본문 95쪽

01 $-\dfrac{\sqrt{3}}{2}$

02 $\dfrac{\sqrt{3}}{2}$

03 $\dfrac{1}{2}$

04 2π, 2π, 2π

05 주기 $\dfrac{2}{3}\pi$,
치역 $\{y \mid -2 \leq y \leq 2\}$,
그래프는 해설 참조

06 주기 4π,

치역 $\{y \mid -3 \leq y \leq 3\}$,
그래프는 해설 참조

07 주기 2π,
치역 $\{y \mid -2 \leq y \leq 2\}$,
그래프는 해설 참조

08 주기 π,
치역 $\{y \mid -2 \leq y \leq 4\}$,
그래프는 해설 참조

09 $\dfrac{1}{2}$

10 $\dfrac{\sqrt{2}}{2}$

11 $\dfrac{\sqrt{3}}{2}$

12 주기 2π,
치역 $\{y \mid -2 \leq y \leq 2\}$,
그래프는 해설 참조

13 주기 π,
치역 $\{y \mid -1 \leq y \leq 1\}$,
그래프는 해설 참조

14 주기 $\dfrac{2}{3}\pi$,
치역 $\{y \mid -1 \leq y \leq 1\}$,
그래프는 해설 참조

15 주기 $\dfrac{\pi}{3}$, 최댓값 2,
최솟값 -2

16 주기 4π, 최댓값 3,
최솟값 -3

17 주기 $\dfrac{2}{3}\pi$, 최댓값 5,
최솟값 3

18 $-\sqrt{3}$

19 1

20 $-\dfrac{\sqrt{3}}{3}$

21 π, 2π, 2π, 2π, 2π, π

22 $\dfrac{\pi}{3}$, $\dfrac{1}{3}$, $\dfrac{1}{3}$, 3, 6

23 주기 $\dfrac{\pi}{4}$, 점근선
$x = \dfrac{n}{4}\pi + \dfrac{\pi}{8}$ (n은 정수)

24 주기 3π, 점근선
$x = 3n\pi + \dfrac{3}{2}\pi$
(n은 정수)

25 주기 π, 점근선

$x = n\pi + \dfrac{3}{4}\pi$ (n은 정수)

26 주기 π, 점근선 $x = n\pi$
(n은 정수)

27 주기 $\dfrac{\pi}{2}$, 점근선
$x = \dfrac{n}{2}\pi + \dfrac{\pi}{4}$ (n은 정수)

28 $\dfrac{1}{4}$

29 2

30 6

31 4

05 삼각함수의 성질 본문 101쪽

01 $\dfrac{\pi}{3}$, $\dfrac{\sqrt{3}}{2}$

02 $\dfrac{\sqrt{3}}{2}$

03 1

04 $-\dfrac{\sqrt{2}}{2}$

05 $\dfrac{\sqrt{3}}{2}$

06 $-\sqrt{3}$

07 $-\dfrac{\sqrt{3}}{2}$

08 $-\dfrac{\sqrt{2}}{2}$

09 $-\dfrac{\sqrt{3}}{2}$

10 1

11 -1

12 $\dfrac{\sqrt{3}}{2}$

13 $-\dfrac{1}{2}$

14 $-\dfrac{\sqrt{2}}{2}$

15 -1

16 $-\sqrt{3}$

17 ㄹ, ㅁ

18 ㄱ, ㄷ

19 (가) 1 (나) $\dfrac{89}{2}$

20 -1

21 0

06 삼각함수의 활용
본문 104쪽

01 $x=\dfrac{\pi}{3}$ 또는 $x=\dfrac{2}{3}\pi$

02 $x=\dfrac{4}{3}\pi$ 또는 $x=\dfrac{5}{3}\pi$

03 $x=\dfrac{5}{6}\pi$ 또는 $x=\dfrac{7}{6}\pi$

04 $x=\dfrac{\pi}{4}$ 또는 $x=\dfrac{7}{4}\pi$

05 $x=\dfrac{\pi}{3}$ 또는 $x=\dfrac{4}{3}\pi$

06 $x=\dfrac{\pi}{6}$ 또는 $x=\dfrac{7}{6}\pi$

07 $\dfrac{\pi}{6} < x < \dfrac{5}{6}\pi$

08 $\dfrac{\pi}{4} \le x \le \dfrac{3}{4}\pi$

09 $\dfrac{\pi}{3} \le x \le \dfrac{5}{3}\pi$

10 $0 \le x < \dfrac{\pi}{6}$ 또는 $\dfrac{11}{6}\pi < x < 2\pi$

11 $0 \le x \le \dfrac{\pi}{3}$ 또는 $\dfrac{\pi}{2} < x \le \dfrac{4}{3}\pi$ 또는 $\dfrac{3}{2}\pi < x < 2\pi$

12 $\dfrac{\pi}{2} < x < \dfrac{3}{4}\pi$ 또는 $\dfrac{3}{2}\pi < x < \dfrac{7}{4}\pi$

13 7

14 $0 < \theta < \pi$

15 2

16 $\dfrac{29}{6}\pi$

07 사인법칙
본문 108쪽

01 $45°, 60°, 60°, 45°, 2\sqrt{2},$

$\dfrac{4\sqrt{6}}{3}$

02 $\dfrac{5\sqrt{2}}{2}$

03 $4\sqrt{3}$

04 30°

05 45° 또는 135°

06 60° 또는 120°

07 $2R, \dfrac{1}{2}, 1$

08 12

09 6

10 2

11 30

12 4

13 2

14 6, 30°, 6, 60°, 6, 90°, 1, 2, 2

15 5

16 ③

17 $180°-C, a, b, c, 90°,$ 직각삼각형

18 이등변삼각형

19 이등변삼각형

08 코사인법칙
본문 111쪽

01 $60°, \dfrac{1}{2}, 39, \sqrt{39}$

02 $3\sqrt{3}$

03 $6\sqrt{7}$

04 30°

05 30°

06 120°

07 ③

08 $3, 3, 3, \dfrac{3\sqrt{10}}{10}$

09 $b=2\sqrt{2}, A=105°, C=30°$

10 $-\dfrac{1}{2}, 120°$

11 120°

12 $\dfrac{\sqrt{3}}{3}$

13 30°

14 $\dfrac{7}{8}$

15 $\dfrac{35\sqrt{6}}{24}$

16 $\dfrac{4}{5}$

17 $-\dfrac{1}{2}, 120°$

---

18 120°

19 45°

20 $\dfrac{4}{5}$

21 $\dfrac{a}{2R}, \dfrac{b}{2R}$, 이등변삼각형

22 직각삼각형

23 이등변삼각형

24 이등변삼각형

25 직각삼각형

26 직각삼각형

27 이등변삼각형

09 도형의 넓이
본문 115쪽

01 $\dfrac{1}{2}, \dfrac{1}{2}, 24$

02 $\dfrac{15\sqrt{3}}{2}$

03 $6\sqrt{11}$

04 $10\sqrt{3}$

05 2

06 $\sqrt{26}$

07 $60°, \dfrac{\sqrt{3}}{2}, 3\sqrt{3}$

08 $27\sqrt{3}$

09 $6\sqrt{2}$

10 ④

11 $\dfrac{1}{2}, \dfrac{1}{2}, 35\sqrt{3}$

12 11

13 $12\sqrt{2}$

14 ②

Ⅲ. 수열

01 수열의 뜻
본문 122쪽

01 13

02 8

03 $\dfrac{39}{2}$

04 15

05 $\dfrac{3}{8}$

06 $a_n=n-1$

---

07 $a_n=\dfrac{1}{2n}$

08 $a_n=(-1)^{n+1}$

09 $a_n=n(n+2)$

10 $a_n=n^3$

02 등차수열
본문 123쪽

01 1

02 $-\dfrac{1}{2}$

03 0, 8

04 3, 0

05 $a_n=-4n+1$

06 $a_n=\dfrac{1}{3}n-\dfrac{4}{3}$

07 7

08 -5

09 $a_n=3n-2$

10 $a_n=6n-3$

11 $a_n=-2n$

12 $a_n=\dfrac{2}{5}n-\dfrac{1}{5}$

13 $a_n=-4n+13$

14 28

15 34

16 -41

17 -5

18 $a_n=2n+4$

03 등차중항
본문 125쪽

01 $x=9$

02 $x=-7$

03 $x=2$

04 $x=3, y=7$

05 $x=-6, y=-16$

06 $x=18, y=25$

07 $x=2, y=10, z=18$

08 -2

04 등차수열을 이루는 수
본문 126쪽

01 $a, -10, 6, 2, -10, 3,$ $-3, -1, 5$

02 1, 5, 9

03 26

04 28

05 3

05 등차수열의 합 본문 127쪽

01 264
02 180
03 -195
04 255
05 496
06 -380
07 1825
08 -1275
09 400
10 255
11 20
12 12
13 6
14 10
15 64

06 등비수열 본문 129쪽

01 -1
02 2
03 2
04 1
05 10, 50
06 $-1, -256$
07 $a_n = 5 \cdot (-2)^{n-1}$
08 $a_n = 2 \cdot \left(\dfrac{1}{3}\right)^{n-1}$
09 $\dfrac{1}{2}$
10 3
11 $a_n = \left(\dfrac{1}{4}\right)^{n-1}$
12 $a_n = \left(-\dfrac{1}{3}\right)^{n-1}$
13 $a_n = 9 \cdot \left(\dfrac{1}{3}\right)^{n-1}$
14 $a_n = 32 \cdot \left(-\dfrac{1}{2}\right)^{n-1}$
15 $a_n = \dfrac{1}{4} \cdot 2^{n-1}$
16 24
17 2^{10}
18 $\dfrac{1}{2^7}$
19 $\dfrac{2}{3^7}$
20 $a_n = 3^{n-1}$

07 등비중항 본문 131쪽

01 $x=-6$ 또는 $x=6$
02 $x=-12$ 또는 $x=12$
03 $y=-4$ 또는 $y=4$
04 $x=3, y=27$ 또는 $x=-3, y=-27$
05 $a=-2$ 또는 $a=2$
06 $a=6$
07 $a=-\dfrac{2}{5}$ 또는 $a=2$
08 12

08 등비수열의 합 본문 132쪽

01 31
02 242
03 44
04 -31
05 60
06 $\dfrac{3}{8}(9^{10}-1)$
07 $\dfrac{5}{3}(1+2^{15})$
08 $-2(3^7-1)$
09 $-14\left\{1-\left(\dfrac{1}{2}\right)^8\right\}$
10 $\dfrac{1}{6}(7^n-1)$
11 $8n$
12 $\dfrac{4}{3}\left\{1-\left(-\dfrac{1}{2}\right)^n\right\}$
13 $2\{1-(-1)^n\}$
14 $\dfrac{1}{2}\{(\sqrt{3})^n-1\}(\sqrt{3}+1)$
15 $-3, 6, \dfrac{1}{4}, -182$
16 765
17 171
18 $\{(\sqrt{2})^9-1\}(\sqrt{2}+1)$
19 $\dfrac{1}{3}, 5, 6, \dfrac{9}{2}, 6$
20 $6\left\{1-\left(\dfrac{1}{2}\right)^7\right\}$
21 -340
22 1
23 $ar^3, ar+ar^3, 4, 2046$
24 ②

09 수열의 합과 일반항 사이의 관계 본문 135쪽

01 $n-1, 4n^2-5n+1, 8n-1, 8n-1$
02 $a_n=2n \ (n \geq 1)$
03 $a_1=0,$
$a_n=2n-3 \ (n \geq 2)$
04 $S_{n-1}, 1, 2^{n-1}, 2^{n-1}$
05 $a_n=3 \cdot 4^n \ (n \geq 1)$

10 등비수열의 활용 본문 136쪽

01 $\dfrac{8}{9}, \dfrac{8}{9}, \left(\dfrac{8}{9}\right)^n, \left(\dfrac{8}{9}\right)^{10}, \left(\dfrac{8}{9}\right)^{10}$
02 $16\sqrt{3} \cdot \left(\dfrac{3}{4}\right)^{10}$
03 $64 \cdot \left(\dfrac{3}{4}\right)^{20}$
04 $a(1+r)^{20}, (1+r)^{10}, 1.6, 12.15, 1215000$
05 250만 개
06 14만 원
07 163만 원
08 406만 원

11 합의 기호 $\sum$ 본문 138쪽

01 $\displaystyle\sum_{k=1}^{n} 5^k$
02 $\displaystyle\sum_{k=1}^{5} 6$
03 $\displaystyle\sum_{k=1}^{50} \dfrac{1}{k}$
04 $\displaystyle\sum_{k=1}^{11} (4k-3)$
05 $2 \cdot 1 + 2 \cdot 2 + 2 \cdot 3$
06 $2^1+2^2+2^3+2^4+2^5$
07 $1 \cdot 4 + 2 \cdot 5 + 3 \cdot 6 + 4 \cdot 7$
08 50

12 $\sum$의 성질 본문 139쪽

01 22
02 7
03 11
04 109
05 42
06 30
07 $9n$
08 60

13 자연수의 거듭제곱의 합 본문 140쪽

01 85
02 450
03 715
04 2290
05 52
06 63
07 328
08 3
09 $k+1, k, n+2$
10 $\dfrac{n(2n+1)(2n-1)}{3}$
11 $\dfrac{1}{6}n(n+1)(n+2)$
12 4^n-1
13 $2^{n+1}+n-2$
14 1430
15 390

14 분수꼴로 주어진 수열의 합 본문 142쪽

01 $\dfrac{1}{k+1}, \dfrac{1}{n+1}, \dfrac{n}{n+1}$
02 $\dfrac{57}{154}$
03 $\sqrt{k}, \sqrt{n}, \sqrt{n+1}$
04 $\dfrac{1}{2}(\sqrt{21}-1)$
05 $\dfrac{9}{10}$
06 $\dfrac{175}{132}$
07 $2\sqrt{10}$
08 $-\sqrt{3}+\sqrt{13}$
09 $\dfrac{1}{k+1}, 10, \dfrac{1}{11}, \dfrac{5}{22}$
10 $\dfrac{10}{21}$

15 (등차수열)×(등비수열) 꼴의 수열의 합 본문 144쪽

01 $4, n \cdot 4^n, \dfrac{(3n-1) \cdot 4^n+1}{9}$
02 $\dfrac{(4n-1) \cdot 5^n+1}{16}$
03 $\dfrac{1}{2}, 20 \cdot \left(\dfrac{1}{2}\right)^{20},$

$$4-44\cdot\left(\frac{1}{2}\right)^{20}$$

04 $\dfrac{3^{32}-189}{4\times3^{30}}$

03 $a_n=2^n-1$

04 $2,\ 2,\ 2^{n-1}+1$

05 $a_n=3^{n-1}+1$

06 $a_n=4^n-1$

16 여러 가지 수열 _{본문 145쪽}

01 1

02 1

03 $\dfrac{n^2+n}{2}$

04 $\dfrac{n(n+1)(n+2)}{6}$

05 4

06 $n+1$

07 제10군의 3번째 항

08 제48항

09 18, 9, 153, 162

10 제128항

11 $2,\ n,\ 2,\ 21,\ 2^{22}-23$

12 5050

17 수열의 귀납적 정의

_{본문 147쪽}

01 5, 3, 3, 30

02 1

03 7

04 $\dfrac{1}{4}$

05 3, 1, 3

06 $a_1=1,$
$a_{n+1}=2a_n\,(n=1,2,3,\cdots)$

07 $-1,\ 1,\ -1,\ -n+2$

08 $a_n=3n-4$

09 $a_n=5n-3$

10 31

11 $2,\ 3,\ 3\cdot2^{n-1}$

12 $a_n=5^{n-1}$

13 $a_n=4^{n-1}$

14 $10\cdot9^{30}$개

18 여러 가지 수열의 귀납적 정의 _{본문 149쪽}

01 $n-1,\ \dfrac{n(n-1)}{2},$
$\dfrac{n^2-n+2}{2}$

02 $a_n=\dfrac{3n^2-3n+2}{2}$

19 수학적 귀납법 _{본문 150쪽}

01 ×

02 ○

03 ○

04 ×

05 ×

06 ○

07 ○

08 $3,\ 2k$

09 $2k+1,\ k+1$

10 해설 참조

11 $(k+1)^3,\ (k+1)^3$

12 해설 참조

13 $2^k,\ 2^k,\ 2^{k+1}$

14 해설 참조

15 $(k+1)(k+2),\ k+1$

16 해설 참조

17 $2k^2,\ 2k+1,\ (k+1)^2$

18 해설 참조

19 해설 참조

20 ①

21 $\dfrac{1}{(k+1)^2},\ \dfrac{1}{k+1}$

22 10, 2

23 ⑤

친절한 해설

Ⅰ. 지수함수와 로그함수

01 거듭제곱 본문 8쪽

07 $a^5a^4=a^{5+4}=a^9$

08 $a^8\div a^3=a^{8-3}=a^5$

09 $((a^3)^2)^4=(a^{3\times2})^4=(a^6)^4=a^{6\times4}=a^{24}$

10 $(3a^2b)^4=3^{1\times4}a^{2\times4}b^{1\times4}=3^4a^8b^4=81a^8b^4$

11 $\left(\dfrac{5a}{b^4}\right)^2=\dfrac{5^2a^2}{b^{4\times2}}=\dfrac{25a^2}{b^8}$

12 $(2\cdot3^2)^3\times(2^3\cdot3^2)^2=2^3\cdot3^6\times2^6\cdot3^4=2^9\cdot3^{10}$

13 $\left(\dfrac{5}{3^2}\right)^2\times(5^3\cdot3)^3=\dfrac{5^2}{3^4}\times5^9\cdot3^3=\dfrac{5^{11}}{3}$

14 $(3\cdot5^3\cdot7)^2\times\left(\dfrac{5^2\cdot7}{3}\right)^2=3^2\cdot5^6\cdot7^2\times\dfrac{5^4\cdot7^2}{3^2}$
$$=5^{10}\cdot7^4$$

15 $(4^2\cdot5^3)^4\div(4^4\cdot5^3)^2=4^8\cdot5^{12}\div4^8\cdot5^6=5^6$

16 $\left(\dfrac{7}{2^3}\right)^3\div(2^5\cdot7)^2=\dfrac{7^3}{2^9}\div2^{10}\cdot7^2=\dfrac{7}{2^{19}}$

17 $(2\cdot3^2\cdot5)^2\times\left(\dfrac{1}{2}\cdot3^2\cdot5\right)^2\div(3^2\cdot5)^4$
$$=2^2\cdot3^4\cdot5^2\times\dfrac{1}{2^2}\cdot3^4\cdot5^2\div3^8\cdot5^4$$
$$=3^8\cdot5^4\div3^8\cdot5^4=1$$

18 $(2a^3b^2)^2\times3(ab^3)^2=4a^6b^4\times3a^2b^6=12a^8b^{10}$

19 $-2a^3\div3a^2b^4=-\dfrac{2}{3}a\cdot\dfrac{1}{b^4}=-\dfrac{2a}{3b^4}$

20 $(a^3b)^3\times\left(\dfrac{a}{b^2}\right)^2=a^9b^3\times\dfrac{a^2}{b^4}=\dfrac{a^{11}}{b}$

21 $\left(\dfrac{b^2}{a}\right)^3\div(a^3b^2)^3=\dfrac{b^6}{a^3}\div a^9b^6=\dfrac{1}{a^{12}}$

22 $(3a^2b^3)^2\times(2a^5b^3)^3\div(ab)^6=9a^4b^6\times8a^{15}b^9\div a^6b^6$
$$=72a^{13}b^9$$

23 $(2a^3)^2\div\left(\dfrac{1}{2}a^2b\right)^2\times(ab^3)^4=4a^6\div\dfrac{1}{4}a^4b^2\times a^4b^{12}$
$$=16a^6b^{10}$$

02 거듭제곱근 본문 10쪽

10 -1의 실수인 네제곱근은 존재하지 않는다.

12 125의 세제곱근 중 실수인 것은 5뿐이다.

13 -49의 네제곱근 중 실수인 것은 없다.

15 $\sqrt[3]{125}=\sqrt[3]{5^3}=5$

16 $\sqrt[3]{0.008}=\sqrt[3]{(0.2)^3}=0.2$

18 $\sqrt[7]{-1}=\sqrt[7]{(-1)^7}=-1$

20 $\sqrt[4]{\dfrac{16}{81}}=\sqrt[4]{\left(\dfrac{2}{3}\right)^4}=\dfrac{2}{3}$

21 $\sqrt[3]{-\dfrac{27}{64}}=\sqrt[3]{\left(-\dfrac{3}{4}\right)^3}=-\dfrac{3}{4}$

22 n이 짝수일 때, 음의 실수 a에 대해서는 a의 n제곱근 중 실수인 것은 없다.

03 거듭제곱근의 성질 본문 12쪽

01 $\sqrt[3]{4}\times\sqrt[3]{3}=\sqrt[3]{12}$

02 $\sqrt[3]{\dfrac{1}{3}}\times\sqrt[3]{24}=\sqrt[3]{\dfrac{24}{3}}=\sqrt[3]{8}=\sqrt[3]{2^3}=2$

03 $\dfrac{\sqrt[5]{20}}{\sqrt[5]{4}}=\sqrt[5]{\dfrac{20}{4}}=\sqrt[5]{5}$

04 $\dfrac{\sqrt[4]{1024}}{\sqrt[4]{4}}=\sqrt[4]{\dfrac{1024}{4}}=\sqrt[4]{256}=\sqrt[4]{4^4}=4$

05 $(\sqrt[5]{7})^5=\sqrt[5]{7^5}=7$

06 $(\sqrt[6]{9})^3=\sqrt[6]{9^3}=\sqrt[6]{(3^2)^3}=\sqrt[6]{3^6}=3$

07 $\sqrt[3]{\sqrt{729}}=\sqrt[6]{729}=\sqrt[6]{3^6}=3$

08 $\sqrt{\sqrt{256}}=\sqrt[4]{256}=\sqrt[4]{4^4}=4$

09 $\sqrt[4]{5^8}=\sqrt[4]{(5^2)^4}=5^2=25$

10 $\sqrt[12]{9^4}=\sqrt[12\div4]{9^{4\div4}}=\sqrt[3]{9}$

11 $\sqrt[3]{(-\sqrt{64})}=\sqrt[3]{(-\sqrt{8^2})}=\sqrt[3]{-8}=\sqrt[3]{(-2)^3}=-2$

12 $\sqrt[3]{8}+\sqrt[5]{32}=\sqrt[3]{2^3}+\sqrt[5]{2^5}=2+2=4$

13 $\sqrt[3]{24}\sqrt[3]{16}-3\sqrt[3]{\sqrt{36}}=4\sqrt[3]{6}-3\sqrt[3]{6}=\sqrt[3]{6}$

14 $\left(\sqrt[3]{7}\times\dfrac{1}{\sqrt{7}}\right)^6=(\sqrt[3]{7})^6\times\dfrac{1}{(\sqrt{7})^6}=7^2\times\dfrac{1}{7^3}=\dfrac{1}{7}$

15 $\sqrt[3]{4}\times\sqrt[3]{12}\div\sqrt[3]{36}=\sqrt[3]{4}\times\sqrt[3]{12}\div\sqrt[3]{6}=\sqrt[3]{8}=\sqrt[3]{2^3}=2$

16 $\sqrt[4]{256}\div\sqrt[3]{27}\times\sqrt[3]{8}=\sqrt[4]{4^4}\div\sqrt[3]{3^3}\times\sqrt[3]{2^3}=4\div3\times2=\dfrac{8}{3}$

17 $\dfrac{\sqrt[3]{27}}{\sqrt[3]{3}}\times\sqrt[4]{\dfrac{\sqrt[3]{81}}{81}}=\dfrac{\sqrt[3]{3^3}}{\sqrt[3]{3}}\times\dfrac{\sqrt[12]{3^4}}{\sqrt[4]{3^4}}=\dfrac{\sqrt[3]{3^3}}{\sqrt[3]{3}}\times\dfrac{\sqrt[3]{3}}{\sqrt[4]{3^4}}=1$

18 $(\sqrt[3]{3}-\sqrt[3]{2})(\sqrt[3]{9}+\sqrt[3]{6}+\sqrt[3]{4})$
$$=(\sqrt[3]{3}-\sqrt[3]{2})\{(\sqrt[3]{3})^2+\sqrt[3]{3}\cdot\sqrt[3]{2}+(\sqrt[3]{2})^2\}$$
$$=(\sqrt[3]{3})^3-(\sqrt[3]{2})^3=3-2=1$$

19 $a>1$일 때, $1-a<0$이므로
$$\sqrt{a^2}+\sqrt[3]{(1-a)^3}-\sqrt[4]{(1-a)^4}$$
$$=a+(1-a)-\{-(1-a)\}$$
$$=2-a$$

20 $\sqrt[5]{a^2}\times\sqrt[3]{a^5}=\sqrt[15]{a^6}\times\sqrt[15]{a^{25}}=\sqrt[15]{a^{31}}$
$$\therefore m=15,\ n=31$$
$$\therefore m+n=15+31=46$$

21 $\sqrt[3]{16}+\sqrt[3]{54}=\sqrt[3]{2^3\cdot2}+\sqrt[3]{3^3\cdot2}$
$$=2\sqrt[3]{2}+3\sqrt[3]{2}$$
$$=5\sqrt[3]{2}$$
$$\therefore k=5$$

04 지수의 확장 본문 14쪽

06 $2^{-3}=\dfrac{1}{2^3}=\dfrac{1}{8}$

07 $(0.1)^{-4}=\left(\dfrac{1}{10}\right)^{-4}=10^4=10000$

08 $\left(\dfrac{1}{2}\right)^{-5}=2^5=32$

09 $(\sqrt{3})^{-6}=\left(\dfrac{1}{\sqrt{3}}\right)^6=\dfrac{1^6}{(\sqrt{3})^6}=\dfrac{1}{27}$

10 $\left(-\dfrac{2}{3}\right)^{-2}=\left(-\dfrac{3}{2}\right)^2=\dfrac{3^2}{2^2}=\dfrac{9}{4}$

11 $4^4 \times 4^{-4} = 4^{4+(-4)} = 4^0 = 1$

12 $5^2 \times (5^{-3})^2 = 5^2 \times 5^{-6} = 5^{2+(-6)} = 5^{-4} = \dfrac{1}{625}$

13 $3^3 \div 3^4 \times (-3)^4 = 3^3 \div 3^4 \times 3^4 = 3^{3-4+4} = 3^3 = 27$

14 $5^3 \div (5^3)^{-2} \times (5^{-3})^{-4} \div (5^4)^5$
$= 5^3 \div 5^{-6} \times 5^{12} \div 5^{20} = 5^{3-(-6)+12-20} = 5$

15 $\dfrac{(3^5)^{-2} \times (3^2)^5}{3^2 \times 3^{-5}} = \dfrac{3^{-10} \times 3^{10}}{3^{2+(-5)}} = \dfrac{3^0}{3^{-3}} = 27$

16 $\left(\dfrac{3^2}{5}\right)^4 \div \left(-\dfrac{3}{5^3}\right)^{-2} \times \left(\dfrac{3^{-3}}{5^{-2}}\right)^3$

$= \dfrac{3^8}{5^4} \div \dfrac{3^{-2}}{5^{-6}} \times \dfrac{3^{-9}}{5^{-6}} = \dfrac{3^{8-(-2)+(-9)}}{5^{4-(-6)+(-6)}} = \dfrac{3}{5^4} = \dfrac{3}{625}$

17 $a^4 \times a^2 \div a^{-3} = a^{4+2-(-3)} = a^9$

18 $(a^5 \div a^7)^{-2} = a^{-10} \div a^{-14} = a^{-10-(-14)} = a^4$

19 $(a^{-2})^4 \times (a^{-3})^{-5} \div a^{-5} = a^{-8} \times a^{15} \div a^{-5} = a^{-8+15-(-5)} = a^{12}$

20 $(3a^2b)^{-2} \times (a^3 b^{-3})^2 = 3^{-2} \cdot a^{-4} b^{-2} \times a^6 b^{-6} = \dfrac{1}{9} a^2 b^{-8} = \dfrac{a^2}{9b^8}$

21 $\dfrac{(a^{-2}b^3)^3 \times (a^3 b^{-1})^2}{(a^3 b^2)^{-4}} = \dfrac{a^{-6}b^9 \times a^6 b^{-2}}{a^{-12}b^{-8}} = \dfrac{a^0 b^7}{a^{-12}b^{-8}} = a^{12}b^{15}$

22 $\left(\dfrac{a^3}{b^{-2}}\right)^3 \div \left\{\left(-\dfrac{a}{b^2}\right)^{-2} \times \left(\dfrac{a^3}{b^2}\right)^{-4}\right\}$

$= \dfrac{a^9}{b^{-6}} \div \left(\dfrac{a^{-2}}{b^{-4}} \times \dfrac{a^{-12}}{b^{-8}}\right) = \dfrac{a^9}{b^{-6}} \div \dfrac{a^{-14}}{b^{-12}} = \dfrac{a^{23}}{b^6}$

$\therefore m = 23,\ n = 6$

$\therefore m + n = 23 + 6 = 29$

25 $\sqrt[5]{10^{-2}} = 10^{-\frac{2}{5}} = \dfrac{1}{10^{\frac{2}{5}}}$

26 $\sqrt[6]{4^3} = 4^{\frac{3}{6}} = (2^2)^{\frac{1}{2}} = 2$

29 $\dfrac{1}{\sqrt[3]{a^2}} = (\sqrt[3]{a^2})^{-1} = (a^{\frac{2}{3}})^{-1} = a^{-\frac{2}{3}}$

30 $\dfrac{1}{\sqrt[3]{a^4}} = (\sqrt[3]{a^4})^{-1} = (a^{\frac{4}{3}})^{-1} = a^{-\frac{4}{3}}$

32 $2^{\frac{3}{5}} = \sqrt[5]{2^3} = \sqrt[5]{8}$

33 $(-10)^{\frac{2}{9}} = \sqrt[9]{(-10)^2} = \sqrt[9]{100}$

34 $5^{-\frac{4}{7}} = 5^{\frac{4}{7} \cdot (-1)} = (\sqrt[7]{5^4})^{-1} = \dfrac{1}{\sqrt[7]{625}}$

36 $a^{\frac{5}{2}} = \sqrt{a^5} = a^2\sqrt{a}$

37 $a^{-\frac{2}{3}} = a^{\frac{2}{3} \cdot (-1)} = (\sqrt[3]{a^2})^{-1} = \dfrac{1}{\sqrt[3]{a^2}}$

38 $a^{-0.8} = a^{-\frac{4}{5}} = a^{\frac{4}{5} \cdot (-1)} = (\sqrt[5]{a^4})^{-1} = \dfrac{1}{\sqrt[5]{a^4}}$

39 $3^{\frac{1}{5}} \times 3^{0.5} = 3^{\frac{1}{5}} \times 3^{\frac{1}{2}} = 3^{\frac{1}{5}+\frac{1}{2}} = 3^{\frac{7}{10}}$

40 $(2^{\frac{9}{4}})^2 \times 2^{\frac{1}{2}} = 2^{\frac{9}{2}} \times 2^{\frac{1}{2}} = 2^5 = 32$

41 $(3^{\frac{3}{4}})^2 \times \sqrt{3} \div (3^{\frac{1}{3}})^6 = 3^{\frac{3}{2}} \times 3^{\frac{1}{2}} \div 3^2 = 3^0 = 1$

42 $9^{-\frac{3}{2}} \times 36^{\frac{3}{2}} = (3^2)^{-\frac{3}{2}} \times (6^2)^{\frac{3}{2}} = 3^{-3} \times (2 \times 3)^3$
$= 3^{-3} \times 2^3 \times 3^3 = 2^3 = 8$

43 $\left\{\left(\dfrac{27}{64}\right)^{\frac{3}{2}}\right\}^{-\frac{1}{3}} \times \left(\dfrac{3}{4}\right)^{\frac{1}{2}} = \left(\dfrac{27}{64}\right)^{-\frac{1}{2}} \times \left(\dfrac{3}{4}\right)^{\frac{1}{2}}$

$= \left(\dfrac{3}{4}\right)^{-\frac{3}{2}} \times \left(\dfrac{3}{4}\right)^{\frac{1}{2}} = \left(\dfrac{3}{4}\right)^{-1} = \dfrac{4}{3}$

44 $\sqrt[4]{5^3} \div \sqrt[3]{5^2} \times \sqrt[5]{25} = 5^{\frac{3}{4}} \div 5^{\frac{2}{3}} \times 5^{\frac{2}{5}}$

$= 5^{\frac{3}{4}-\frac{2}{3}+\frac{2}{5}} = 5^{\frac{29}{60}}$

45 $a^4 \div a^{-\frac{1}{2}} = a^{4-\left(-\frac{1}{2}\right)} = a^{\frac{9}{2}}$

46 $a^{\frac{4}{3}} \div a^{-2} \times \dfrac{1}{\sqrt[3]{a}} = a^{\frac{4}{3}} \div a^{-2} \times a^{-\frac{1}{3}} = a^3$

47 $(\sqrt[9]{a^6} \times \sqrt[4]{b^2})^6 = (a^{\frac{6}{9}} b^{\frac{2}{4}})^6 = (a^{\frac{2}{3}} b^{\frac{1}{2}})^6 = a^4 b^3$

48 $(a^2 b^3)^{\frac{1}{6}} \times (a^{\frac{1}{3}} b^{\frac{3}{4}})^2 = a^{\frac{1}{3}} b^{\frac{1}{2}} \times a^{\frac{2}{3}} b^{\frac{3}{2}} = ab^2$

49 $\sqrt{a\sqrt{a\sqrt{a}}} = (a\sqrt{a\sqrt{a}})^{\frac{1}{2}} = \left\{a(a\sqrt{a})^{\frac{1}{2}}\right\}^{\frac{1}{2}}$

$= \left\{a\left(a \cdot a^{\frac{1}{2}}\right)^{\frac{1}{2}}\right\}^{\frac{1}{2}} = \left\{a\left(a^{\frac{1}{2}} \cdot a^{\frac{1}{4}}\right)\right\}^{\frac{1}{2}} = \left(a \cdot a^{\frac{3}{4}}\right)^{\frac{1}{2}}$

$= \left(a^{\frac{7}{4}}\right)^{\frac{1}{2}} = a^{\frac{7}{8}}$

50 $\sqrt{a\sqrt[3]{a^2\sqrt[4]{a^3}}} = \left(a\sqrt[3]{a^2\sqrt[4]{a^3}}\right)^{\frac{1}{2}} = \left\{a\left(a^2\sqrt[4]{a^3}\right)^{\frac{1}{3}}\right\}^{\frac{1}{2}}$

$= \left\{a\left(a^2 \cdot a^{\frac{3}{4}}\right)^{\frac{1}{3}}\right\}^{\frac{1}{2}} = \left\{a\left(a^{\frac{2}{3}} \cdot a^{\frac{1}{4}}\right)\right\}^{\frac{1}{2}} = \left(a \cdot a^{\frac{11}{12}}\right)^{\frac{1}{2}}$

$= \left(a^{\frac{23}{12}}\right)^{\frac{1}{2}} = a^{\frac{23}{24}}$

51 $2^{\frac{\sqrt{5}}{2}} \times 2^{\frac{3\sqrt{5}}{2}} = 2^{\frac{\sqrt{5}}{2}+\frac{3\sqrt{5}}{2}} = 2^{2\sqrt{5}}$

52 $(3^{\sqrt{5}})^{\frac{\sqrt{5}}{2}} \div 3^{\frac{1}{2}} = 3^{\frac{5}{2}} \div 3^{\frac{1}{2}} = 3^{\frac{5}{2}-\frac{1}{2}} = 3^2 = 9$

53 $5^{2\sqrt{3}} \times 2^{2\sqrt{3}} = (5 \times 2)^{2\sqrt{3}} = 10^{2\sqrt{3}}$

54 $4^{1+\sqrt{2}} \div 4^{1-\sqrt{2}} = 4^{1+\sqrt{2}-(1-\sqrt{2})} = 4^{2\sqrt{2}}$

55 $(3^{\sqrt{216}} \div 3^{\sqrt{6}})^{\sqrt{6}} = (3^{6\sqrt{6}} \div 3^{\sqrt{6}})^{\sqrt{6}}$
$= (3^{5\sqrt{6}})^{\sqrt{6}} = 3^{30}$

56 $(2^{\sqrt{3}-1} \cdot 3^{\sqrt{3}+1})^{\sqrt{3}+1} \div (2^2 \cdot 3^{\sqrt{3}})^2$
$= 2^2 \cdot 3^{4+2\sqrt{3}} \div 2^4 \cdot 3^{2\sqrt{3}}$
$= 2^{2-4} \cdot 3^{4+2\sqrt{3}-2\sqrt{3}} = 2^{-2} \cdot 3^4 = \dfrac{81}{4}$

57 $a^{\sqrt{2}} \div a^{-\sqrt{8}} = a^{\sqrt{2}-(-\sqrt{8})} = a^{\sqrt{2}-(-2\sqrt{2})} = a^{3\sqrt{2}}$

58 $a^{\frac{\sqrt{2}}{3}} \times a^{\frac{2\sqrt{2}}{3}} \div a^{3\sqrt{2}} = a^{\frac{\sqrt{2}}{3}+\frac{2\sqrt{2}}{3}-3\sqrt{2}} = a^{-2\sqrt{2}}$

59 $a^{\sqrt{3}} \div (a^{\frac{\sqrt{3}}{4}})^2 = a^{\sqrt{3}} \div a^{\frac{\sqrt{3}}{2}} = a^{\sqrt{3}-\frac{\sqrt{3}}{2}} = a^{\frac{\sqrt{3}}{2}}$

60 $(a^{\sqrt{27}} b^{\sqrt{3}})^{\sqrt{3}} \times (a^{\sqrt{125}} b^{2\sqrt{5}})^{\sqrt{5}}$
$= a^9 b^3 \times a^{25} b^{10}$
$= a^{34} b^{13}$

61 $(a^{\sqrt{5}} b^{2\sqrt{5}})^{\frac{1}{\sqrt{5}}} \times (a^{2\sqrt{5}} b^{-\sqrt{5}})^{-\frac{1}{\sqrt{5}}}$
$= ab^2 \times a^{-2} b = a^{1+(-2)} b^{2+1} = \dfrac{b^3}{a}$

62 $(a^{\sqrt{5}})^{2\sqrt{5}-\sqrt{15}} \div (a^4)^{2-\sqrt{3}} \times (a^{\sqrt{3}})^{\sqrt{12}+1}$
$= a^{10-5\sqrt{3}} \div a^{8-4\sqrt{3}} \times a^{6+\sqrt{3}}$
$= a^{10-5\sqrt{3}-(8-4\sqrt{3})+6+\sqrt{3}} = a^8$

05 거듭제곱근의 대소 비교 본문 19쪽

01 $\sqrt{3} = \sqrt[10]{3^5} = \sqrt[10]{243},\ \sqrt[5]{10} = \sqrt[10]{10^2} = \sqrt[10]{100}$
$\therefore \sqrt{3} > \sqrt[5]{10}$

02 $\sqrt[3]{2} = \sqrt[6]{2^2} = \sqrt[6]{4},\ \sqrt{3} = \sqrt[6]{3^3} = \sqrt[6]{27}$
$\therefore \sqrt[3]{2} < \sqrt{3}$

03 $\sqrt{\sqrt[4]{4}} = \sqrt[4]{4} = \sqrt[20]{4^5} = \sqrt[20]{1024},\ \sqrt{\sqrt[5]{7}} = \sqrt[10]{7} = \sqrt[20]{7^2} = \sqrt[20]{49}$
$\therefore \sqrt{\sqrt[4]{4}} > \sqrt{\sqrt[5]{7}}$

04 $\sqrt[3]{2} = \sqrt[12]{2^4} = \sqrt[12]{16},\ \sqrt[4]{5} = \sqrt[12]{5^3} = \sqrt[12]{125},\ \sqrt[6]{12} = \sqrt[12]{12^2} = \sqrt[12]{144}$
$\sqrt[12]{144} > \sqrt[12]{125} > \sqrt[12]{16}$
$\therefore \sqrt[6]{12} > \sqrt[4]{5} > \sqrt[3]{2}$

05 $\sqrt[6]{5} = 5^{\frac{1}{6}} = 5^{\frac{2}{12}} = 25^{\frac{1}{12}},\ \sqrt[12]{20} = 20^{\frac{1}{12}}$
$25^{\frac{1}{12}} > 20^{\frac{1}{12}}$

$$\therefore \sqrt[6]{5} > \sqrt[12]{20}$$

06 $\sqrt[3]{3} = 3^{\frac{1}{3}} = (3^4)^{\frac{1}{12}} = 81^{\frac{1}{12}},$

$\sqrt[4]{4} = 4^{\frac{1}{4}} = (4^3)^{\frac{1}{12}} = 64^{\frac{1}{12}}$

$81^{\frac{1}{12}} > 64^{\frac{1}{12}}$

$$\therefore \sqrt[3]{3} > \sqrt[4]{4}$$

07 $\sqrt{5} = 5^{\frac{1}{2}} = (5^3)^{\frac{1}{6}} = 125^{\frac{1}{6}},$

$\sqrt[3]{10} = 10^{\frac{1}{3}} = (10^2)^{\frac{1}{6}} = 100^{\frac{1}{6}}$

$125^{\frac{1}{6}} > 100^{\frac{1}{6}}$

$$\therefore \sqrt{5} > \sqrt[3]{10}$$

08 $\sqrt{3} = 3^{\frac{1}{2}} = (3^3)^{\frac{1}{6}} = 27^{\frac{1}{6}}$

$\sqrt[3]{4} = 4^{\frac{1}{3}} = (4^2)^{\frac{1}{6}} = 16^{\frac{1}{6}}$

$\sqrt[6]{45} = 45^{\frac{1}{6}}$

$45^{\frac{1}{6}} > 27^{\frac{1}{6}} > 16^{\frac{1}{6}}$

$$\therefore \sqrt[6]{45} > \sqrt{3} > \sqrt[3]{4}$$

06 지수법칙의 응용 본문 20쪽

02 $a = \sqrt[4]{2} = 2^{\frac{1}{4}}, \ b = \sqrt{5} = 5^{\frac{1}{2}}$이므로

$\sqrt[8]{10} = 10^{\frac{1}{8}} = (2 \cdot 5)^{\frac{1}{8}} = 2^{\frac{1}{8}} \cdot 5^{\frac{1}{8}}$

$\quad = (2^{\frac{1}{4}})^{\frac{1}{2}} \cdot (5^{\frac{1}{2}})^{\frac{1}{4}} = a^{\frac{1}{2}} b^{\frac{1}{4}}$

03 $a = \sqrt[3]{5} = 5^{\frac{1}{3}}, \ b = \sqrt[4]{4} = 4^{\frac{1}{4}}$이므로

$\sqrt[10]{20} = 20^{\frac{1}{10}} = (5 \cdot 4)^{\frac{1}{10}} = 5^{\frac{1}{10}} \cdot 4^{\frac{1}{10}}$

$\quad = (5^{\frac{1}{3}})^{\frac{3}{10}} \cdot (4^{\frac{1}{4}})^{\frac{2}{5}} = a^{\frac{3}{10}} b^{\frac{2}{5}}$

05 $27^x = 4$이므로 $27^x = 3^{3x} = 4$

$81^{3x} = (3^4)^{3x} = (3^{3x})^4 = 4^4 = 256$

06 $\left(\dfrac{1}{8}\right)^{2x} = 3$이므로 $(2^{-3})^{2x} = 2^{-6x} = 3$

$\left(\dfrac{1}{4}\right)^x = (2^{-2})^x = (2^{-6x})^{\frac{1}{3}} = 3^{\frac{1}{3}} = \sqrt[3]{3}$

07 $(a^{\frac{1}{2}} + a^{-\frac{1}{2}})(a^{\frac{1}{2}} - a^{-\frac{1}{2}}) = a^{\frac{2}{2}} - a^{-\frac{2}{2}} = a - a^{-1}$

08 $(a^{\frac{1}{3}} - b^{\frac{1}{3}})(a^{\frac{2}{3}} + a^{\frac{1}{3}} b^{\frac{1}{3}} + b^{\frac{2}{3}})$

$= (a^{\frac{1}{3}})^3 - (b^{\frac{1}{3}})^3 = a - b$

09 $(a^{\frac{1}{2}} - a^{-\frac{1}{2}})^2 - (a^{\frac{1}{2}} + a^{-\frac{1}{2}})^2$

$= a - 2 + a^{-1} - (a + 2 + a^{-1}) = -4$

10 $(5^{\frac{1}{2}} + 1)(5^{\frac{1}{2}} - 1)(8^{\frac{1}{3}} + 1)(8^{\frac{1}{3}} - 1)$

$= (5 - 1)(8^{\frac{2}{3}} - 1) = 4\{(2^3)^{\frac{2}{3}} - 1\}$

$= 4 \cdot 3 = 12$

11 $(x^{\frac{1}{4}} - x^{-\frac{1}{4}})(x^{\frac{1}{4}} + x^{-\frac{1}{4}})(x^{\frac{1}{2}} + x^{-\frac{1}{2}})(x + x^{-1})$

$= (x^{\frac{1}{2}} - x^{-\frac{1}{2}})(x^{\frac{1}{2}} + x^{-\frac{1}{2}})(x + x^{-1})$

$= (x - x^{-1})(x + x^{-1}) = x^2 - x^{-2}$

12 $(a^{\frac{1}{2}} + a^{-\frac{1}{2}})^2 = (a^{\frac{1}{2}} - a^{-\frac{1}{2}})^2 + 4$

$\quad\quad\quad\quad\quad = 4 + 4 = 8$

13 $a^{\frac{1}{2}} - a^{-\frac{1}{2}} = 2$의 양변을 제곱하면

$a - 2 + a^{-1} = 4$

$\therefore a + a^{-1} = 6$

14 $a + a^{-1} = 6$이므로

$(a - a^{-1})^2 = (a + a^{-1})^2 - 4$

$\quad\quad\quad\quad = 36 - 4 = 32$

$\therefore a - a^{-1} = 4\sqrt{2} \ (\because a > 1)$

15 $a^{\frac{1}{2}} + a^{-\frac{1}{2}} = 2\sqrt{2}$이므로

$a^{\frac{3}{2}} + a^{-\frac{3}{2}} = (a^{\frac{1}{2}})^3 + (a^{-\frac{1}{2}})^3$

$\quad = (a^{\frac{1}{2}} + 2^{-\frac{1}{2}})^3 - 3(a^{\frac{1}{2}} + a^{-\frac{1}{2}})$

$\quad = 16\sqrt{2} - 6\sqrt{2} = 10\sqrt{2}$

17 주어진 식의 분모, 분자에 a^{3x}을 곱하면

$\dfrac{a^x - a^{-x}}{a^{3x} + a^{-3x}} = \dfrac{a^{4x} - a^{2x}}{a^{6x} + 1} = \dfrac{(a^{2x})^2 - a^{2x}}{(a^{2x})^3 + 1} = \dfrac{4^2 - 4}{4^3 + 1} = \dfrac{12}{65}$

18 주어진 식의 분모, 분자에 a^{7x}을 곱하면

$\dfrac{a^{5x} - a^{-7x}}{a^x + a^{-3x}} = \dfrac{a^{12x} - 1}{a^{8x} + a^{4x}} = \dfrac{(a^{2x})^6 - 1}{(a^{2x})^4 + (a^{2x})^2} = \dfrac{4^6 - 1}{4^4 + 4^2} = \dfrac{4095}{272}$

19 $f(x)$의 분모, 분자에 a^x을 곱하면

$f(x) = \dfrac{a^x + a^{-x}}{a^x - a^{-x}} = \dfrac{a^{2x} + 1}{a^{2x} - 1}$

$f(\alpha) = \dfrac{a^{2\alpha} + 1}{a^{2\alpha} - 1} = 3 \quad \therefore a^{2\alpha} = 2$

$f(\beta) = \dfrac{a^{2\beta} + 1}{a^{2\beta} - 1} = 2 \quad \therefore a^{2\beta} = 3$

$\therefore a^{2\alpha} + a^{2\beta} = 5$

20 주어진 식의 분모, 분자에 2^x을 곱하면

$\dfrac{2^x - 2^{-x}}{2^x + 2^{-x}} = \dfrac{2^{2x} - 1}{2^{2x} + 1} = \dfrac{4^x - 1}{4^x + 1} = -\dfrac{1}{2}$

$\therefore 4^x = \dfrac{1}{3}, \ 4^{-x} = 3$

$\therefore 4^x + 4^{-x} = \dfrac{1}{3} + 3 = \dfrac{10}{3}$

21 주어진 식의 분모, 분자에 3^x을 곱하면

$\dfrac{3^x + 3^{-x}}{3^x - 3^{-x}} = \dfrac{3^{2x} + 1}{3^{2x} - 1} = \dfrac{9^x + 1}{9^x - 1} = 3$

$\therefore 9^x = 2, \ 9^{-x} = \dfrac{1}{2}$

$\therefore 9^x - 9^{-x} = 2 - \dfrac{1}{2} = \dfrac{3}{2}$

22 주어진 식의 분모, 분자에 4^x을 곱하면

$\dfrac{4^x + 4^{-x}}{4^x - 4^{-x}} = \dfrac{4^{2x} + 1}{4^{2x} - 1} = \dfrac{16^x + 1}{16^x - 1} = -3$

$\therefore 16^x = \dfrac{1}{2}, \ 16^{-x} = 2$

$\therefore 16^x + 16^{-x} = \dfrac{1}{2} + 2 = \dfrac{5}{2}$

23 주어진 식의 분모, 분자에 5^x을 곱하면

$\dfrac{5^x - 5^{-x}}{5^x + 5^{-x}} = \dfrac{5^{2x} - 1}{5^{2x} + 1} = \dfrac{25^x - 1}{25^x + 1} = \dfrac{1}{4}$

$\therefore 25^x = \dfrac{5}{3}, \ 25^{-x} = \dfrac{3}{5}$

$\therefore 25^x - 25^{-x} = \dfrac{5}{3} - \dfrac{3}{5} = \dfrac{16}{15}$

25 $4^x = 9^y = 6$에서 $4 = 6^{\frac{1}{x}}, \ 9 = 6^{\frac{1}{y}}$

$6^{\frac{1}{x}} \times 6^{\frac{1}{y}} = 6^{\frac{1}{x} + \frac{1}{y}} = 4 \cdot 9 = 6^2$

$\therefore \dfrac{1}{x} + \dfrac{1}{y} = 2$

26 $2^x = 5$이므로

$(2^x)^y = 2^{xy} = 5^y = 16 = 2^4$

$\therefore xy = 4$

27 $3^x = 7$이므로

$(3^x)^y = 3^{xy} = 7^y = 3\sqrt{3} = 3^{\frac{3}{2}}$

$\therefore xy = \dfrac{3}{2}$

07 로그 _{본문 24쪽}

12 $\log_3 27 = x$라 하면 로그의 정의에 의하여

$3^x = 27 = 3^3 \quad \therefore x = 3$

13 $\log_5 625 = x$라 하면 로그의 정의에 의하여

$5^x = 625 = 5^4 \quad \therefore x = 4$

14 $\log_8 4 = x$라 하면 로그의 정의에 의하여

$8^x = 4, \ 2^{3x} = 2^2, \ 3x = 2 \quad \therefore x = \dfrac{2}{3}$

15 $\log_{2\sqrt{2}} 32 = x$라 하면 로그의 정의에 의하여

$(2\sqrt{2})^x = 32, \ 2^{\frac{3}{2}x} = 2^5, \ \dfrac{3}{2}x = 5 \quad \therefore x = \dfrac{10}{3}$

16 $\log_{0.5} 16 = x$라 하면 로그의 정의에 의하여

$(0.5)^x = 16, \ \left(\dfrac{1}{2}\right)^x = 16, \ 2^{-x} = 2^4 \quad \therefore x = -4$

17 $\log_{125} \sqrt[3]{25} = x$라 하면 로그의 정의에 의하여

$125^x = \sqrt[3]{25}, \ 5^{3x} = 5^{\frac{2}{3}}, \ 3x = \dfrac{2}{3} \quad \therefore x = \dfrac{2}{9}$

18 로그의 정의에 의하여

$\log_3 x = 2 \Longleftrightarrow x = 3^2$

$\therefore x = 9$

19 로그의 정의에 의하여

$\log_{36} x = \dfrac{1}{2} \Longleftrightarrow x = 36^{\frac{1}{2}}$

$\therefore x = 6$

20 로그의 정의에 의하여

$\log_x 8 = 3 \Longleftrightarrow 8 = x^3$

$\therefore x = 2$

21 로그의 정의에 의하여

$\log_x 9 = \dfrac{2}{3} \Longleftrightarrow 9 = x^{\frac{2}{3}}$

$\therefore x = 9^{\frac{3}{2}} = 9\sqrt{9} = 27$

22 로그의 정의에 의하여

$\log_5(\log_5 x) = 0 \Longleftrightarrow \log_5 x = 5^0 = 1$

$\Longleftrightarrow x = 5^1 = 5$

$\therefore x = 5$

23 로그의 정의에 의하여

$\log_2(\log_3 x) = -1 \Longleftrightarrow \log_3 x = 2^{-1} = \dfrac{1}{2}$

$\Longleftrightarrow x = 3^{\frac{1}{2}}$

$\therefore x = \sqrt{3}$

24 진수조건에서 $x + 2 > 0$

$\therefore x > -2$

25 진수조건에서 $x^2 - 3x - 4 > 0$

$(x+1)(x-4) > 0 \quad \therefore x < -1 \ 또는 \ x > 4$

26 밑의 조건에 의하여 $x - 4 > 0, \ x - 4 \neq 1$

$\therefore 4 < x < 5 \ 또는 \ x > 5$

27 밑의 조건에 의하여 $-x^2 + 1 > 0, \ -x^2 + 1 \neq 1$

$\therefore -1 < x < 0 \ 또는 \ 0 < x < 1$

28 (i) 진수조건에서 $x - 1 > 0 \quad \therefore x > 1$

(ii) 밑의 조건에서 $4 - x > 0, \ 4 - x \neq 1$

$\therefore x < 3 \ 또는 \ 3 < x < 4$

(i), (ii)에서 $1 < x < 3 \ 또는 \ 3 < x < 4$

29 (i) 진수조건에서 $-x^2 + 6x - 5 > 0 \quad \therefore 1 < x < 5$

(ii) 밑의 조건에서 $x - 1 > 0, \ x - 1 \neq 1$

$\therefore 1 < x < 2 \ 또는 \ x > 2$

(i), (ii)에서 $1 < x < 2 \ 또는 \ 2 < x < 5$

30 진수조건에서 $-x(x+4) > 0 \quad \therefore -4 < x < 0$

따라서 모든 정수 x의 값의 합은

$(-3) + (-2) + (-1) = -6$

31 진수조건에서 $-x^2 + x + 2 > 0$

$(x+1)(x-2) < 0 \quad \therefore -1 < x < 2$

따라서 모든 정수 x의 값의 합은

$0 + 1 = 1$

32 (i) 진수조건에서 $x - 3 > 0 \quad \therefore x > 3$

(ii) 밑의 조건에서 $6 - x > 0, \ 6 - x \neq 1$

$\therefore x < 5 \ 또는 \ 5 < x < 6$

(i), (ii)에서 $3 < x < 5 \ 또는 \ 5 < x < 6$이므로 모든 정수 x의 값의 합은 4

33 (i) 진수조건에서 $-x^2 + 9 > 0 \quad \therefore -3 < x < 3$

(ii) 밑의 조건에서 $x + 1 > 0, \ x + 1 \neq 1$

$\therefore -1 < x < 0 \ 또는 \ x > 0$

(i), (ii)에서 $-1 < x < 0 \ 또는 \ 0 < x < 3$이므로 모든 정수 x의 값의 합은 $1 + 2 = 3$

34 (i) 진수조건에서 $x^2 - ax + 2 > 0$

이차방정식 $x^2 - ax + 2 = 0$의 판별식을 D라 하면

$D = a^2 - 8 < 0$

$\therefore -2\sqrt{2} < a < 2\sqrt{2}$

(ii) 밑의 조건에서 $a > 0, \ a \neq 1$

$\therefore 0 < a < 1 \ 또는 \ a > 1$

(i), (ii)에서 $0 < a < 1 \ 또는 \ 1 < a < 2\sqrt{2}$이므로 정수 a의 값은 2

08 로그의 기본 성질 _{본문 27쪽}

07 $\log_5 15 = \log_5 3 \cdot 5 = \log_5 3 + \log_5 5 = \log_5 3 + 1$

08 $\log_7 30 = \log_7 2 \cdot 3 \cdot 5 = \log_7 2 + \log_7 3 + \log_7 5$

09 $\log_2 81 = \log_2 3^4 = 4\log_2 3$

10 $\log_3 \dfrac{1}{125} = \log_3 \left(\dfrac{1}{5}\right)^3 = \log_3 5^{-3} = -3\log_3 5$

11 $\log_9 40 = \log_9 2^3 \cdot 5 = \log_9 2^3 + \log_9 5 = 3\log_9 2 + \log_9 5$

12 $\log_3 \dfrac{20}{7} = \log_3 \dfrac{2^2 \cdot 5}{7} = \log_3 2^2 + \log_3 5 - \log_3 7$

$= 2\log_3 2 + \log_3 5 - \log_3 7$

13 $\log_2 8 + \log_2 16 = \log_2 128 = \log_2 2^7 = 7\log_2 2 = 7$

14 $\log_3 27 + \log_3 \dfrac{1}{9} = \log_3 \left(27 \times \dfrac{1}{9}\right) = \log_3 3 = 1$

15 $\log_2 \dfrac{1}{3} + 2\log_2 \sqrt{12} = \log_2 \dfrac{1}{3} + \log_2 12$

$= \log_2 \left(\dfrac{1}{3} \times 12\right) = \log_2 4 = 2$

16 $\log_5 125-\log_5 25=\log_5 \frac{125}{25}=\log_5 5=1$

17 $\log_3 15-\log_3 \frac{5}{9}=\log_3 \frac{15}{\frac{5}{9}}=\log_3 27=3$

18 $\log_2 \sqrt{6}-\frac{1}{2}\log_2 3=\log_2 \sqrt{6}-\log_2 \sqrt{3}=\log_2 \frac{\sqrt{6}}{\sqrt{3}}$

$=\log_2 \sqrt{2}=\frac{1}{2}$

19 $2\log_5 6-\log_5 \frac{12}{5}+\log_5 \frac{5}{3}$

$=\log_5 36-\log_5 \frac{12}{5}+\log_5 \frac{5}{3}$

$=\log_5 \left(36\times\frac{12}{5}\times\frac{5}{3}\right)=\log_5 25=2$

20 $2\log_2 \sqrt{8}+3\log_2 \sqrt[3]{2}+\log_2 \frac{\sqrt{2}}{8}$

$=\log_2 8+\log_2 2+\log_2 \frac{\sqrt{2}}{8}$

$=\log_2 \left(8\times2\times\frac{\sqrt{2}}{8}\right)=\log_2 2\sqrt{2}$

$=\log_2 \sqrt{8}=\frac{3}{2}\log_2 2=\frac{3}{2}$

21 $2\log_{10} 5+4\log_{10} \sqrt{2}-3\log_{10} \sqrt{10}$

$=\log_{10} 25+\log_{10} 4-\log_{10} 10\sqrt{10}$

$=\log_{10} (25\times4\div10\sqrt{10})=\log_{10} \sqrt{10}$

$=\frac{1}{2}\log_{10} 10=\frac{1}{2}$

22 $\frac{1}{2}\log_2 3-3\log_2 \frac{1}{\sqrt{2}}-\log_2 \sqrt{6}$

$=\log_2 \sqrt{3}-\log_2 \frac{1}{\sqrt{8}}-\log_2 \sqrt{6}$

$=\log_2 \left(\sqrt{3}\div\frac{1}{\sqrt{8}}\div\sqrt{6}\right)=\log_2 \sqrt{4}$

$=\log_2 2=1$

23 $9^{\frac{5}{2}}+\log_5 125=(3^2)^{\frac{5}{2}}+\log_5 5^3=3^5+3=246$

24 $27^{\frac{2}{3}}+\log_2 4\sqrt{2}=(3^3)^{\frac{2}{3}}+\log_2 2^{\frac{5}{2}}$

$=3^2+\frac{5}{2}=\frac{23}{2}$

25 $\log_3 \sqrt{81}-\sqrt[3]{27}=\log_3 \sqrt{3^4}-\sqrt[3]{3^3}$

$=2\log_3 3-3=2-3=-1$

26 $\sqrt{256}-\frac{1}{3}\log_2 \sqrt{32}=\sqrt[4]{4^4}-\frac{1}{3}\log_2 2^{\frac{5}{2}}$

$=4-\frac{1}{3}\cdot\frac{5}{2}=\frac{19}{6}$

27 $9^{\frac{1}{3}}\times27^{\frac{1}{9}}+\log_2 16=3^{\frac{2}{3}}\times3^{\frac{1}{3}}+\log_2 2^4$

$=3^{\frac{2}{3}+\frac{1}{3}}+4=3+4=7$

28 $\sqrt[3]{81}\times9^{\frac{4}{3}}\div\log_6 216=9^{\frac{2}{3}}\times9^{\frac{4}{3}}\div\log_6 6^3$

$=9^{\frac{2}{3}+\frac{4}{3}}\div3=9^2\div3=27$

29 $\log_{10} 36=\log_{10} 2^2\cdot3^2=\log_{10} 2^2+\log_{10} 3^2$

$=2\log_{10} 2+2\log_{10} 3=2a+2b$

30 $\log_{10} 162=\log_{10} 2\cdot3^4=\log_{10} 2+\log_{10} 3^4$

$=\log_{10} 2+4\log_{10} 3=a+4b$

31 $\log_{10} 200=\log_{10} 2\cdot10^2=\log_{10} 2+\log_{10} 10^2$

$=a+2$

32 $\log_{10} \frac{3}{4}=\log_{10} \frac{3}{2^2}=\log_{10} 3-\log_{10} 2^2$

$=\log_{10} 3-2\log_{10} 2=b-2a$

33 $\log_{10} \left(\frac{16}{27}\right)^{\frac{1}{2}}=\frac{1}{2}\log_{10} \frac{16}{27}=\frac{1}{2}\log_{10} \frac{2^4}{3^3}$

$=\frac{1}{2}(\log_{10} 2^4-\log_{10} 3^3)$

$=\frac{1}{2}(4\log_{10} 2-3\log_{10} 3)$

$=\frac{1}{2}(4a-3b)=2a-\frac{3}{2}b$

34 $\log_{10} 0.006=\log_{10} 2\cdot3\cdot10^{-3}$

$=\log_{10} 2+\log_{10} 3+\log_{10} 10^{-3}$

$=a+b-3$

35 $\log_a x^2y^3z=\log_a x^2+\log_a y^3+\log_a z$

$=2\log_a x+3\log_a y+\log_a z=2A+3B+C$

36 $\log_a x^3y^4z^2=\log_a x^3+\log_a y^4+\log_a z^2$

$=3\log_a x+4\log_a y+2\log_a z=3A+4B+2C$

37 $\log_a x^5y\sqrt{z}=\log_a x^5+\log_a y+\log_a \sqrt{z}$

$=5\log_a x+\log_a y+\frac{1}{2}\log_a z=5A+B+\frac{1}{2}C$

38 $\log_a \frac{x}{yz^2}=\log_a x-\log_a y-\log_a z^2$

$=\log_a x-\log_a y-2\log_a z=A-B-2C$

39 $\log_a \frac{x^4z^3}{y^2}=\log_a x^4-\log_a y^2+\log_a z^3$

$=4\log_a x-2\log_a y+3\log_a z=4A-2B+3C$

40 $\log_a \frac{1}{x^3y^2z}=\log_a (x^3y^2z)^{-1}=-\log_a x^3y^2z$

$=-(\log_a x^3+\log_a y^2+\log_a z)$

$=-(3\log_a x+2\log_a y+\log_a z)$

$=-(3A+2B+C)=-3A-2B-C$

41 $\log_{10} x=a$, $\log_{10} y=b$, $\log_{10} z=c$이므로

$\log_{10} x^2yz^3=\log_{10} x^2+\log_{10} y+\log_{10} z^3$

$=2\log_{10} x+\log_{10} y+3\log_{10} z=2a+b+3c$

42 $\log_{10} x=a$, $\log_{10} y=b$, $\log_{10} z=c$이므로

$\log_{10} x\sqrt{y^3z}=\log_{10} x+\frac{1}{2}(\log_{10} y^3+\log_{10} z)$

$=\log_{10} x+\frac{3}{2}\log_{10} y+\frac{1}{2}\log_{10} z$

$=a+\frac{3}{2}b+\frac{1}{2}c$

43 $\log_{10} x=a$, $\log_{10} y=b$, $\log_{10} z=c$이므로

$\log_{10} \frac{y^4}{xz^2}=\log_{10} y^4-\log_{10} x-\log_{10} z^2$

$=4\log_{10} y-\log_{10} x-2\log_{10} z=4b-a-2c$

44 $\log_{10} x=a$, $\log_{10} y=b$, $\log_{10} z=c$이므로

$\log_{10} \sqrt[3]{\frac{x^2}{yz^4}}=\frac{1}{3}(\log_{10} x^2-\log_{10} y-\log_{10} z^4)$

$=\frac{2}{3}\log_{10} x-\frac{1}{3}\log_{10} y-\frac{4}{3}\log_{10} z$

$=\frac{2}{3}a-\frac{1}{3}b-\frac{4}{3}c$

45 $\log_3 18=\log_3 2\cdot3^2=\log_3 2+2=a$이므로

$\log_3 2=a-2$

$\therefore \log_3 12=\log_3 2^2\cdot3=2\log_3 2+1$

$$=2(a-2)+1=2a-3$$

O9 로그의 밑의 변환 공식 _{본문31쪽}

01 $\log_2 3 \cdot \dfrac{1}{\log_2 3} = 1$

02 $\log_5 7 \cdot \dfrac{1}{\log_5 7} = 1$

03 $\log_5 9 \cdot \dfrac{1}{\log_5 3} = \dfrac{\log_5 9}{\log_5 3} = \log_3 9 = 2$

04 $\dfrac{\log_{10} 5}{\log_{10} 7} \cdot \dfrac{\log_{10} \sqrt{7}}{\log_{10} 5} = \log_7 \sqrt{7} = \dfrac{1}{2}$

05 $\log_4 5 \cdot \log_5 6 \cdot \log_6 4 = \dfrac{\log_{10} 5}{\log_{10} 4} \cdot \dfrac{\log_{10} 6}{\log_{10} 5} \cdot \dfrac{\log_{10} 4}{\log_{10} 6} = 1$

06 $\log_3 2 = \dfrac{\log_{10} 2}{\log_{10} 3} = \dfrac{a}{b}$

07 $\log_9 8 = \dfrac{\log_{10} 8}{\log_{10} 9} = \dfrac{\log_{10} 2^3}{\log_{10} 3^2} = \dfrac{3\log_{10} 2}{2\log_{10} 3} = \dfrac{3a}{2b}$

08 $\log_2 18 = \dfrac{\log_{10} 2 \cdot 3^2}{\log_{10} 2} = \dfrac{\log_{10} 2 + 2\log_{10} 3}{\log_{10} 2}$
$$= \dfrac{a+2b}{a}$$

09 $\log_3 \sqrt{8} = \dfrac{\log_{10} \sqrt{8}}{\log_{10} 3} = \dfrac{\frac{3}{2}\log_{10} 2}{\log_{10} 3} = \dfrac{3a}{2b}$

10 $\log_6 2 = \dfrac{\log_{10} 2}{\log_{10} 6} = \dfrac{\log_{10} 2}{\log_{10} 2 + \log_{10} 3} = \dfrac{a}{a+b}$

11 $\log_{10} x = a,\ \log_{10} y = b$이므로
$$\log_x x^2 y = \dfrac{\log_{10} x^2 y}{\log_{10} x} = \dfrac{2\log_{10} x + \log_{10} y}{\log_{10} x} = \dfrac{2a+b}{a}$$

12 $\log_{10} x = a,\ \log_{10} y = b,\ \log_{10} z = c$이므로
$$\log_{xy} xz^2 = \dfrac{\log_{10} xz^2}{\log_{10} xy} = \dfrac{\log_{10} x + 2\log_{10} z}{\log_{10} x + \log_{10} y} = \dfrac{a+2c}{a+b}$$

13 $\log_{10} x = a,\ \log_{10} y = b,\ \log_{10} z = c$이므로
$$\log_{xyz} z^2 = \dfrac{\log_{10} z^2}{\log_{10} xyz} = \dfrac{2\log_{10} z}{\log_{10} x + \log_{10} y + \log_{10} z}$$
$$= \dfrac{2c}{a+b+c}$$

14 $\log_{10} x = a,\ \log_{10} y = b,\ \log_{10} z = c$이므로
$$\log_y x^3 y^2 z = \dfrac{\log_{10} x^3 y^2 z}{\log_{10} y} = \dfrac{3\log_{10} x + 2\log_{10} y + \log_{10} z}{\log_{10} y}$$
$$= \dfrac{3a+2b+c}{b}$$

15 $\log_{10} x = a,\ \log_{10} y = b,\ \log_{10} z = c$이므로
$$\log_{yz} \dfrac{xy}{z} = \dfrac{\log_{10} \frac{xy}{z}}{\log_{10} yz} = \dfrac{\log_{10} x + \log_{10} y - \log_{10} z}{\log_{10} y + \log_{10} z}$$
$$= \dfrac{a+b-c}{b+c}$$

16 $\log_{10} x = a,\ \log_{10} y = b,\ \log_{10} z = c$이므로
$$\log_{xz} \dfrac{y}{\sqrt[3]{xz}} = \dfrac{\log_{10} \frac{y}{\sqrt[3]{xz}}}{\log_{10} xz}$$
$$= \dfrac{\log_{10} y - \frac{1}{3}(\log_{10} x + \log_{10} z)}{\log_{10} x + \log_{10} z}$$

$$= \dfrac{3b-a-c}{3a+3c}$$

17 $\log_4 2 + \dfrac{1}{\log_{32} 4} = \log_4 2 + \log_4 32 = \log_4 (2 \times 32)$
$$= \log_4 64 = 3$$

18 $\log_2 80 - \dfrac{1}{\log_5 2} = \log_2 80 - \log_2 5 = \log_2 \dfrac{80}{5}$
$$= \log_2 16 = 4$$

19 $\log_2 \sqrt{2} + \dfrac{1}{\log_{32} 2} - \dfrac{1}{\log_{2\sqrt{2}} 2}$
$$= \log_2 (\sqrt{2} \times 32 \div 2\sqrt{2}) = \log_2 16 = 4$$

20 $\log_2 (\log_2 5) + \log_2 (\log_5 4) = \log_2 (\log_2 5 \cdot \log_5 4)$
$$= \log_2 (\log_2 4) = \log_2 2 = 1$$

21 $(\log_2 5 + \log_5 2)^2 - (\log_2 5 - \log_5 2)^2$
$$= (\log_2 5 + \log_5 2 + \log_2 5 - \log_5 2)$$
$$\cdot (\log_2 5 + \log_5 2 - \log_2 5 + \log_5 2)$$
$$= 2\log_2 5 \cdot 2\log_5 2 = 4\log_2 5 \cdot \dfrac{1}{\log_2 5} = 4$$

22 $x = \log_8 5,\ y = \log_{25} 2$
$$xy = \log_8 5 \cdot \log_{25} 2 = \dfrac{\log_{10} 5}{\log_{10} 8} \cdot \dfrac{\log_{10} 2}{\log_{10} 25}$$
$$= \dfrac{\log_{10} 5}{3\log_{10} 2} \cdot \dfrac{\log_{10} 2}{2\log_{10} 5} = \dfrac{1}{3} \cdot \dfrac{1}{2} = \dfrac{1}{6}$$

23 $x = \log_{25} 81,\ y = \log_{27} 625$
$$xy = \log_{25} 81 \cdot \log_{27} 625 = \dfrac{\log_{10} 81}{\log_{10} 25} \cdot \dfrac{\log_{10} 625}{\log_{10} 27}$$
$$= \dfrac{4\log_{10} 3}{2\log_{10} 5} \cdot \dfrac{4\log_{10} 5}{3\log_{10} 3} = 2 \cdot \dfrac{4}{3} = \dfrac{8}{3}$$

24 $\dfrac{\log_5 2}{a} = \log_5 6$에서
$$a = \dfrac{\log_5 2}{\log_5 6} = \log_6 2$$
같은 방법으로 $b = \log_6 18,\ c = \log_6 36$
$$\therefore a+b+c = \log_6 2 + \log_6 18 + \log_6 36$$
$$= \log_6 (2 \cdot 18 \cdot 36) = \log_6 6^4 = 4$$

25 $\dfrac{\log_4 9}{a} = \log_4 6$에서
$$a = \dfrac{\log_4 9}{\log_4 6} = \log_6 9$$
같은 방법으로 $b = \log_6 2,\ c = \log_6 3$
$$\therefore 2a+3b-c = 2\log_6 9 + 3\log_6 2 - \log_6 3$$
$$= \log_6 81 + \log_6 8 - \log_6 3$$
$$= \log_6 \dfrac{81 \cdot 8}{3} = \log_6 216 = 3$$

IO 로그의 여러 가지 성질 _{본문34쪽}

03 $\log_{64} 32 = \log_{2^6} 2^5 = \dfrac{5}{6}\log_2 2 = \dfrac{5}{6}$

04 $\log_{625} 512 = \log_{5^4} 2^9 = \dfrac{9}{4}\log_5 2$

05 $\log_{\sqrt{3}} 8 = \log_{3^{\frac{1}{2}}} 2^3 = \dfrac{3}{\frac{1}{2}}\log_3 2 = 6\log_3 2$

06 $\log_{32}\sqrt[3]{5^4}=\log_{2^5}5^{\frac{4}{3}}=\dfrac{\frac{4}{3}}{5}\log_2 5=\dfrac{4}{15}\log_2 5$

11 $5^{\log_5 2^3}=2^3=8$

12 $2^{\log_2 216}=2^{\log_2 6^3}=2^{\log_2 6}=6$

13 $\log_4 2+\log_{32} 8=\log_{2^2} 2+\log_{2^5} 2^3$

$\qquad\qquad\qquad =\dfrac{1}{2}+\dfrac{3}{5}=\dfrac{11}{10}$

14 $\log_2 \dfrac{1}{2}+\log_{27} 3=\log_2 2^{-1}+\log_{3^3} 3$

$\qquad\qquad\qquad =-1+\dfrac{1}{3}=-\dfrac{2}{3}$

15 $\log_5 \dfrac{1}{5}+\log_{\frac{1}{3}} 3=\log_5 5^{-1}+\log_{3^{-1}} 3$

$\qquad\qquad\qquad =-1+(-1)=-2$

16 $(\log_3 2+\log_9 2)(\log_2 3+\log_8 3)$

$=\left(\log_3 2+\dfrac{1}{2}\log_3 2\right)\left(\log_2 3+\dfrac{1}{3}\log_2 3\right)$

$=\dfrac{3}{2}\log_3 2\cdot\dfrac{4}{3}\log_2 3=2$

17 $\left(\log_5 2+\log_{25}\dfrac{1}{2}\right)\left(\log_2 5+\log_4\dfrac{1}{5}\right)$

$=(\log_5 2+\log_{5^2} 2^{-1})(\log_2 5+\log_{2^2} 5^{-1})$

$=\left(\log_5 2-\dfrac{1}{2}\log_5 2\right)\left(\log_2 5-\dfrac{1}{2}\log_2 5\right)$

$=\dfrac{1}{2}\log_5 2\cdot\dfrac{1}{2}\log_2 5=\dfrac{1}{4}$

18 $m=\log_5 a,\ n=\log_5 b$이므로

$\log_{a^2} b=\dfrac{1}{2}\log_a b=\dfrac{1}{2}\cdot\dfrac{\log_5 b}{\log_5 a}=\dfrac{n}{2m}$

19 $m=\log_5 a,\ n=\log_5 b$이므로

$\log_{a^3} b^2=\dfrac{2}{3}\log_a b=\dfrac{2}{3}\cdot\dfrac{\log_5 b}{\log_5 a}=\dfrac{2n}{3m}$

20 $m=\log_5 a,\ n=\log_5 b$이므로

$\log_{(ab)^2} b^4=\dfrac{4}{2}\log_{ab} b=2\cdot\dfrac{\log_5 b}{\log_5 a+\log_5 b}=\dfrac{2n}{m+n}$

21 $m=\log_5 a,\ n=\log_5 b$이므로

$\log_{\sqrt{a}} b^3=\log_{a^{\frac{1}{2}}} b^3=\dfrac{3}{\frac{1}{2}}\log_a b=6\cdot\dfrac{\log_5 b}{\log_5 a}=\dfrac{6n}{m}$

22 $m=\log_5 a,\ n=\log_5 b$이므로

$\log_{\sqrt{a}}\sqrt[3]{b}=\log_{a^{\frac{1}{2}}} b^{\frac{1}{3}}=\dfrac{\frac{1}{3}}{\frac{1}{2}}\log_a b=\dfrac{2}{3}\cdot\dfrac{\log_5 b}{\log_5 a}=\dfrac{2n}{3m}$

23 $m=\log_5 a,\ n=\log_5 b$이므로

$\log_{\sqrt[3]{a^2}}\sqrt[4]{b}=\log_{a^{\frac{2}{3}}} b^{\frac{1}{4}}=\dfrac{\frac{1}{4}}{\frac{2}{3}}\log_a b=\dfrac{3}{8}\cdot\dfrac{\log_5 b}{\log_5 a}=\dfrac{3n}{8m}$

24 $\log_{16} 27=\log_{2^4} 3^3=\dfrac{3}{4}\log_2 3,$

$\log_8 9=\log_{2^3} 3^2=\dfrac{2}{3}\log_2 3$

$\dfrac{3}{4}\log_2 3>\dfrac{2}{3}\log_2 3$

$\therefore \log_{16} 27>\log_8 9$

25 $\log_3 4=\log_3 \sqrt{16},$

$\log_{2^2} 3=\dfrac{3}{2}=\log_3 3^{\frac{3}{2}}=\log_3 \sqrt{27}$

$\log_3 \sqrt{27}>\log_3 \sqrt{16}$

$\therefore \log_4 8>\log_3 4$

26 $\log_{\sqrt{2}} 3=\log_2 9=\log_2 \sqrt{81},$

$\log_2 5=\log_2 \sqrt{25},\ \log_4 10=\log_2 \sqrt{10}$

$\log_2 \sqrt{81}>\log_2 \sqrt{25}>\log_2 \sqrt{10}$

$\therefore \log_{\sqrt{2}} 3>\log_2 5>\log_4 10$

27 $\log_{\frac{1}{2}} 3=\log_{2^{-1}} 3=\log_2 3^{-1}=\log_2 \dfrac{1}{3},$

$\log_{2^2} 5^2=\log_2 5,\ 9^{\log_9 3}=3=\log_2 8$

$\log_2 8>\log_2 5>\log_2 \dfrac{1}{3}$

$\therefore 9^{\log_9 3}>\log_4 25>\log_{\frac{1}{2}} 3$

29 $\log_a (b+c)+\dfrac{1}{\log_{b-c} a}=2$에서

$\log_a (b+c)+\log_a (b-c)=2$

$\log_a (b+c)(b-c)=2,\ \log_a (b^2-c^2)=2=\log_a a^2$

$b^2-c^2=a^2 \quad\therefore b^2=a^2+c^2$

따라서 삼각형 ABC는 $\angle$B$=90°$인 직각삼각형이다.

30 $\log_{a+b} c+\log_{a-b} c=2\log_{a+b} c\cdot\log_{a-b} c$에서

$\dfrac{1}{\log_c (a+b)}+\dfrac{1}{\log_c (a-b)}=\dfrac{2}{\log_c (a+b)\log_c (a-b)}$

$\dfrac{\log_c (a+b)+\log_c (a-b)}{\log_c (a+b)\log_c (a-b)}=\dfrac{2}{\log_c (a+b)\log_c (a-b)}$

$\log_c (a+b)(a-b)=2,\ \log_c (a^2-b^2)=2=\log_c c^2$

$a^2-b^2=c^2 \quad\therefore a^2=b^2+c^2$

따라서 삼각형 ABC는 $\angle$A$=90°$인 직각삼각형이다.

31 이차방정식의 근과 계수의 관계에 의하여

$\alpha+\beta=16,\ \alpha\beta=8$

$\therefore \log_2 \left(\dfrac{\alpha\beta}{\alpha+\beta}\right)=\log_2 \dfrac{8}{16}=\log_2 \dfrac{1}{2}=-1$

32 이차방정식의 근과 계수의 관계에 의하여

$\alpha+\beta=16,\ \alpha\beta=8$

$\therefore \log_2 (\alpha^{-1}+\beta^{-1})=\log_2 \left(\dfrac{1}{\alpha}+\dfrac{1}{\beta}\right)=\log_2 \left(\dfrac{\alpha+\beta}{\alpha\beta}\right)$

$\qquad\qquad\qquad =\log_2 \dfrac{16}{8}=\log_2 2=1$

33 이차방정식의 근과 계수의 관계에 의하여

$a=-(\log_2 5+1)=-(\log_2 5+\log_2 2)=-\log_2 10$

$b=\log_2 5\times 1=\log_2 5$

34 이차방정식의 근과 계수의 관계에 의하여

$a=-(\log_2 \sqrt{2}+\log_2 2\sqrt{2})=-\log_2 4=-2$

$b=\log_2 \sqrt{2}\times\log_2 2\sqrt{2}=\log_2 2^{\frac{1}{2}}\times\log_2 2^{\frac{3}{2}}=\dfrac{1}{2}\times\dfrac{3}{2}=\dfrac{3}{4}$

35 이차방정식의 근과 계수의 관계에 의하여

$\log_2 a+\log_2 b=8,\ \log_2 a\cdot\log_2 b=4$

$\therefore \log_a b+\log_b a=\dfrac{\log_2 b}{\log_2 a}+\dfrac{\log_2 a}{\log_2 b}$

$\qquad\qquad\qquad =\dfrac{(\log_2 a)^2+(\log_2 b)^2}{\log_2 a\cdot\log_2 b}$

$\qquad\qquad\qquad =\dfrac{(\log_2 a+\log_2 b)^2-2\log_2 a\cdot\log_2 b}{\log_2 a\cdot\log_2 b}$

$\qquad\qquad\qquad =\dfrac{8^2-2\cdot 4}{4}=\dfrac{56}{4}=14$

36 이차방정식의 근과 계수의 관계에 의하여

$\log_2 a+\log_2 b=3,\ \log_2 a\cdot\log_2 b=1$

$$\therefore \log_a b + \log_b a = \frac{\log_2 b}{\log_2 a} + \frac{\log_2 a}{\log_2 b}$$
$$= \frac{(\log_2 a)^2 + (\log_2 b)^2}{\log_2 a \cdot \log_2 b}$$
$$= \frac{(\log_2 a + \log_2 b)^2 - 2\log_2 a \cdot \log_2 b}{\log_2 a \cdot \log_2 b}$$
$$= \frac{3^2 - 2 \cdot 1}{1} = 7$$

37 이차방정식의 근과 계수의 관계에 의하여
$$\log_2 a + \log_2 b = 4, \ \log_2 a \cdot \log_2 b = 2$$
$$\therefore \log_a b + \log_b a = \frac{\log_2 b}{\log_2 a} + \frac{\log_2 a}{\log_2 b}$$
$$= \frac{(\log_2 a)^2 + (\log_2 b)^2}{\log_2 a \cdot \log_2 b}$$
$$= \frac{(\log_2 a + \log_2 b)^2 - 2\log_2 a \cdot \log_2 b}{\log_2 a \cdot \log_2 b}$$
$$= \frac{4^2 - 2 \cdot 2}{2} = \frac{12}{2} = 6$$

38 이차방정식의 근과 계수의 관계에 의하여
$$\log_2 a + \log_2 b = 9, \ \log_2 a \cdot \log_2 b = 3$$
$$\therefore \log_a b + \log_b a = \frac{\log_2 b}{\log_2 a} + \frac{\log_2 a}{\log_2 b}$$
$$= \frac{(\log_2 a)^2 + (\log_2 b)^2}{\log_2 a \cdot \log_2 b}$$
$$= \frac{(\log_2 a + \log_2 b)^2 - 2\log_2 a \cdot \log_2 b}{\log_2 a \cdot \log_2 b}$$
$$= \frac{9^2 - 2 \cdot 3}{3} = \frac{75}{3} = 25$$

⑾ 상용로그 본문38쪽

01 $\log 100 = \log_{10} 100 = \log_{10} 10^2 = 2$

02 $\log 10^{-5} = \log_{10} 10^{-5} = -5\log_{10} 10 = -5$

03 $\log \dfrac{1}{1000} = \log_{10} \dfrac{1}{1000} = \log_{10} 10^{-3} = -3$

04 $\log 0.0001 = \log_{10} \dfrac{1}{10000} = \log_{10} 10^{-4} = -4$

05 $\log \sqrt[3]{10^5} = \log_{10} \sqrt[3]{10^5} = \log_{10} 10^{\frac{5}{3}} = \dfrac{5}{3}$

06 $\log 100\sqrt{10} = \log_{10}(10^2 \cdot 10^{\frac{1}{2}}) = \log_{10} 10^{\frac{5}{2}} = \dfrac{5}{2}$

07 $\log 1000 + \log 100 = \log 10^3 + \log 10^2 = 3 + 2 = 5$

08 $\log 1000 - \log \sqrt{10} = \log 10^3 - \log 10^{\frac{1}{2}} = 3 - \dfrac{1}{2} = \dfrac{5}{2}$

09 $\log \dfrac{1}{100} + \log \sqrt{1000}$
$$= \log 10^{-2} + \log 10^{\frac{3}{2}} = -2 + \frac{3}{2} = -\frac{1}{2}$$

10 $\log \sqrt{10} - \log \sqrt[3]{100} + \log \dfrac{1}{10}$
$$= \log 10^{\frac{1}{2}} - \log 10^{\frac{2}{3}} + \log 10^{-1} = \frac{1}{2} - \frac{2}{3} + (-1) = -\frac{7}{6}$$

⑿ 상용로그표 본문39쪽

02 $\log 2540 = \log(2.54 \times 1000) = \log 2.54 + \log 1000$
$$= 0.4048 + 3 = 3.4048$$

03 $\log 0.254 = \log\left(2.54 \times \dfrac{1}{10}\right) = \log 2.54 + \log 10^{-1}$
$$= 0.4048 + (-1) = -0.5952$$

04 $\log 0.00254 = \log\left(2.54 \times \dfrac{1}{1000}\right) = \log 2.54 + \log 10^{-3}$
$$= 0.4048 + (-3) = -2.5952$$

05 상용로그표에서 $\log 3.63$의 값은 3.6의 행과 3의 열이 만나는 수인 0.5599이다.

06 $\log(3.71)^2 = 2\log 3.71 = 2 \times 0.5694 = 1.1388$

07 $\log \dfrac{9}{5} = \log \dfrac{2 \times 3^2}{10} = \log 2 + 2\log 3 - \log 10$
$$= 0.3010 + 2 \times 0.4771 - 1 = 0.2552$$

⒀ 상용로그의 성질과 활용 본문40쪽

01 $\log x^5 = 5\log x = 5 \cdot \dfrac{2}{3} = \dfrac{10}{3} = 3 + \dfrac{1}{3}$
따라서 정수 부분은 3, 소수 부분은 $\dfrac{1}{3}$이다.

02 $\log x^3 = 3\log x = 3 \cdot \dfrac{3}{7} = \dfrac{9}{7} = 1 + \dfrac{2}{7}$
따라서 정수 부분은 1, 소수 부분은 $\dfrac{2}{7}$이다.

03 $\log \sqrt[4]{x} = \dfrac{1}{4}\log x = \dfrac{1}{4} \cdot (-2.6) = -0.65 = -1 + 0.35$
따라서 정수 부분은 -1, 소수 부분은 0.35이다.

04 $\log \sqrt[3]{x^2} = \dfrac{2}{3}\log x = \dfrac{2}{3} \cdot (-5.22) = -3.48 = -4 + 0.52$
따라서 정수 부분은 -4, 소수 부분은 0.52이다.

05 $\log N = 2.3365 = 2 + 0.3365$
$$= \log 10^2 + \log 2.17 = \log 217$$
$$\therefore N = 217$$

06 $\log N = 4.3365 = 4 + 0.3365$
$$= \log 10^4 + \log 2.17 = \log 21700$$
$$\therefore N = 21700$$

07 $\log N = -0.6635 = -1 + 0.3365$
$$= \log 10^{-1} + \log 2.17 = \log 0.217$$
$$\therefore N = 0.217$$

08 $\log N = -2.6635 = -3 + 0.3365$
$$= \log 10^{-3} + \log 2.17 = \log 0.00217$$
$$\therefore N = 0.00217$$

09 $\log 2^{20} = 20\log 2 = 20 \times \log 2 = 6.020$
따라서 2^{20}은 7자리의 수이다.

10 $\log 3^{50} = 50\log 3 = 50 \times \log 3 = 23.855$
따라서 3^{50}은 24자리의 수이다.

11 $\log 6^{30} = 30\log 6 = 30(\log 2 + \log 3)$
$$= 30 \times (0.3010 + 0.4771) = 23.343$$
따라서 6^{30}은 24자리의 수이다.

12 $\log 20^{10} = 10\log 20 = 10(\log 10 + \log 2)$
$$= 10 \times (1 + 0.3010) = 13.01$$
따라서 20^{10}은 14자리의 수이다.

13 $\log 5^{40} = 40\log 5 = 40(\log 10 - \log 2)$
$$= 40 \times (1 - 0.3010) = 27.96$$
따라서 5^{40}은 28자리의 수이다.

14 $\log 12^{20} = 20\log 12 = 20(2\log 2 + \log 3)$
$\qquad = 20 \times (0.6020 + 0.4771) = 21.582$
따라서 12^{20}은 22자리의 수이다.

15 $\log \left(\dfrac{1}{3}\right)^{20} = \log 3^{-20} = -20 \times \log 3$
$\qquad\qquad\quad = -9.542 = -10 + 0.458$

따라서 $\left(\dfrac{1}{3}\right)^{20}$은 소수점 아래 10째 자리에서 처음으로 0이 아닌 숫자가 나타난다.

16 $\log 6^{-50} = -50\log 6 = -50(\log 2 + \log 3)$
$\qquad\qquad\ = -50 \times (0.3010 + 0.4771)$
$\qquad\qquad\ = -38.905 = -39 + 0.095$

따라서 6^{-50}은 소수점 아래 39째 자리에서 처음으로 0이 아닌 숫자가 나타난다.

17 $\log \left(\dfrac{3}{4}\right)^{100} = 100\log \dfrac{3}{4} = 100(\log 3 - 2\log 2)$
$\qquad\qquad\qquad = 100 \times (0.4771 - 0.6020)$
$\qquad\qquad\qquad = -12.49 = -13 + 0.51$

따라서 $\left(\dfrac{3}{4}\right)^{100}$은 소수점 아래 13째 자리에서 처음으로 0이 아닌 숫자가 나타난다.

18 $\log \left(\dfrac{9}{2}\right)^{10} = 10\log \dfrac{2}{9} = 10(\log 2 - 2\log 3)$
$\qquad\qquad\qquad = 10 \times (0.3010 - 0.9542)$
$\qquad\qquad\qquad = -6.532 = -7 + 0.468$

따라서 $\left(\dfrac{9}{2}\right)^{20}$은 소수점 아래 7째 자리에서 처음으로 0이 아닌 숫자가 나타난다.

20 $\log 6^{10} = 10(\log 2 + \log 3) = 7.781$
$\log 6 = \log 2 + \log 3 = 0.7781$이므로
$\log 6 < 0.781 < \log 7$
$7 + \log 6 < 7.781 < 7 + \log 7$
$\log(10^7 \times 6) < \log 6^{10} < \log(10^7 \times 7)$
$\therefore 10^7 \times 6 < 6^{10} < 10^7 \times 7$
따라서 6^{10}의 최고 자리의 숫자는 6이다.

21 $\log \left(\dfrac{1}{3}\right)^{10} = -10\log 3 = -5 + 0.229$
$\log 1 < 0.229 < \log 2$
$-5 + \log 1 < -5 + 0.229 < -5 + \log 2$
$\log(10^{-5} \times 1) < \log \left(\dfrac{1}{3}\right)^{10} < \log(10^{-5} \times 2)$
$\therefore 10^{-5} \times 1 < \left(\dfrac{1}{3}\right)^{10} < 10^{-5} \times 2$

따라서 $\left(\dfrac{1}{3}\right)^{20}$의 소수점 아래 처음으로 나타나는 0이 아닌 숫자는 1이다.

22 $\log x^2$과 $\log x^4$의 소수 부분이 같으므로
$\log x^4 - \log x^2 = 4\log x - 2\log x = 2\log x$에서 $2\log x$는 정수이다.
$10 \le x < 100$에서 $1 \le \log x < 2$
$\therefore 2 \le 2\log x < 4$
따라서 $2\log x = 2$ 또는 $2\log x = 3$이므로
$x = 10$ 또는 $x = 10^{\frac{3}{2}}$

23 $\log x$와 $\log x^3$의 소수 부분이 같으므로
$\log x^3 - \log x = 3\log x - \log x = 2\log x$에서 $2\log x$는 정수이다.
$100 \le x < 1000$에서 $2 \le \log x < 3$
$\therefore 4 \le 2\log x < 6$
따라서 $2\log x = 4$ 또는 $2\log x = 5$이므로
$x = 100$ 또는 $x = 10^{\frac{5}{2}}$

24 $\log x^2$과 $\log x^5$의 소수 부분이 같으므로
$\log x^5 - \log x^2 = 5\log x - 2\log x = 3\log x$에서 $3\log x$는 정수이다.
$10 \le x < 100$에서 $1 \le \log x < 2$
$\therefore 3 \le 3\log x < 6$
따라서 $3\log x = 3$ 또는 $3\log x = 4$ 또는 $3\log x = 5$이므로
$x = 10$ 또는 $x = 10^{\frac{4}{3}}$ 또는 $x = 10^{\frac{5}{3}}$

25 $\log \sqrt[4]{x} = \log x^{\frac{1}{4}} = \dfrac{1}{4}\log x$
$\qquad\qquad = 2 + \dfrac{\alpha}{4} \ \left(0 \le \dfrac{\alpha}{4} < \dfrac{1}{4}\right)$

따라서 $\log x$의 소수 부분은 α, $\log \sqrt[4]{x}$의 소수 부분은 $\dfrac{\alpha}{4}$이므로
$\alpha + \dfrac{\alpha}{4} = 1, \ \dfrac{5}{4}\alpha = 1$
$\therefore \alpha = \dfrac{4}{5}$

26 $\log x^2 = 2\log x = 2 + 2\alpha \ (0 \le 2\alpha < 1)$
따라서 $\log x$의 소수 부분은 α, $\log x^2$의 소수 부분은 2α이므로
$\alpha + 2\alpha = 1, \ 3\alpha = 1$
$\therefore \alpha = \dfrac{1}{3}$

27 $\log \sqrt{x} = \log x^{\frac{1}{2}} = \dfrac{1}{2}\log x = \dfrac{3}{2} + \dfrac{\alpha}{2}$
$\qquad\qquad = 1 + \left(\dfrac{1}{2} + \dfrac{\alpha}{2}\right) \ \left(\dfrac{1}{2} < \dfrac{1}{2} + \dfrac{\alpha}{2} < \dfrac{3}{4}\right)$

따라서 $\log x$의 소수 부분은 α, $\log \sqrt{x}$의 소수 부분은 $\dfrac{1}{2} + \dfrac{\alpha}{2}$이므로
$\alpha + \dfrac{1}{2} + \dfrac{\alpha}{2} = 1, \ \dfrac{3}{2}\alpha = \dfrac{1}{2}, \ 3\alpha = 1$
$\therefore \alpha = \dfrac{1}{3}$

29 $F = -4$이므로 $F = -4$를 대입하면
$-4 = 10\log \dfrac{B}{A}, \ \log \dfrac{B}{A} = -\dfrac{4}{10}$
로그의 정의에 의하여
$\dfrac{B}{A} = 10^{-\frac{4}{10}} = 10^{-1 + \frac{6}{10}} = 10^{-1} \cdot 10^{\frac{6}{10}}$
$\qquad = 10^{-1} \cdot (10^{\frac{3}{10}})^2 = \dfrac{4}{10} = \dfrac{2}{5}$

따라서 투과하기 전 세기의 $\dfrac{2}{5}$배이다.

14 지수함수의 뜻과 그 그래프 본문 44쪽

02

x	...	-1	0	1	...
y	...	2	1	$\dfrac{1}{2}$	...

위의 표에서 얻은 순서쌍 $(x,\ y)$를 좌표로 하는 점을 좌표평면 위에 나타내고 매끄러운 곡선으로 연결하면 오른쪽 그림과 같다.

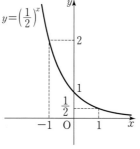

03 밑이 1보다 큰 지수함수는 증가함수이고, 밑이 0보다 크고 1보다 작은 지수함수는 감소함수이다.

04 $y=2^x=f(x)$라 하면 $y=\left(\dfrac{1}{2}\right)^x=2^{-x}=f(-x)$이므로 y축에 대하여 대칭이다.

05 $x=0$일 때 $y=a^0=1$이므로, $y=a^x$의 그래프는 a의 값에 관계없이 항상 점 $(0,\ 1)$을 지난다.

06 지수함수 $y=\left(\dfrac{1}{3}\right)^x=3^{-x}$의 그래프는 지수함수 $y=3^x$의 그래프를 y축에 대하여 대칭이동한 것이다. 따라서 지수함수 $y=\left(\dfrac{1}{3}\right)^x$의 그래프는 오른쪽 그림과 같다.

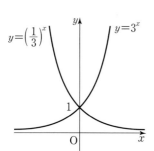

07 지수함수 $y=-3^x$의 그래프는 지수함수 $y=3^x$의 그래프를 x축에 대하여 대칭이동한 것이다. 따라서 지수함수 $y=-3^x$의 그래프는 오른쪽 그림과 같다.

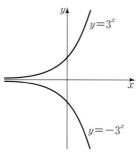

08 지수함수 $y=-3^{-x}$의 그래프는 지수함수 $y=3^x$의 그래프를 원점에 대하여 대칭이동한 것이다. 따라서 지수함수 $y=-3^{-x}$의 그래프는 오른쪽 그림과 같다.

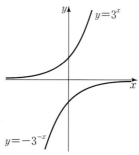

09 지수함수 $y=3^{x+1}+1$의 그래프는 지수함수 $y=3^x$의 그래프를 x축의 방향으로 -1만큼, y축의 방향으로 1만큼 평행이동한 것이다. 따라서 지수함수 $y=3^{x+1}+1$의 그래프는 오른쪽 그림과 같다.

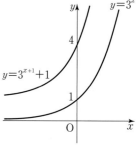

12 $y=3^{2x-6}+5=(3^2)^{x-3}+5=9^{x-3}+5$

14 함수 $f(x)=3\cdot9^x+1$의 그래프는 $f(x)=3\cdot9^x$의 그래프를 y축 방향으로 1만큼 평행이동한 것이므로 $\{y\,|\,y>1\}$이다.

15 $x=0$일 때 $y=a^0+1=2$이므로, $y=a^x$의 그래프는 a의 값에 관계없이 항상 점 $(0,\ 2)$를 지난다.

16 $x=1$일 때 $y=a^0+4=5$이므로, $y=a^{1-x}+4$의 그래프는 a의 값에 관계없이 항상 점 $(1,\ 5)$를 지난다.

17 함수 $y=5^x+2$의 그래프는 $y=5^x$의 그래프를 y축 방향으로 2만큼 평행이동한 것이므로 오른쪽과 같다.
이때, 점근선의 방정식이 $y=2$이므로 $a=2$이다.

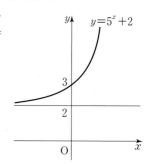

18 함수 $y=2^{3-x}-6$의 그래프는 오른쪽과 같다.
이때, 점근선의 방정식이 $y=-6$이므로 $a=-6$이다.

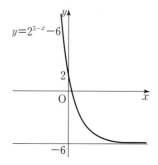

20 $y=27^x=3^{3x}$이고
$y=9\cdot3^{3x}+9=3^{3x+2}+9=3^{3\left(x+\frac{2}{3}\right)}+9$
즉, 주어진 함수 $y=27^x$의 그래프를 x축 방향으로 $-\dfrac{2}{3}$만큼, y축 방향으로 9만큼 평행이동하면, 함수 $y=9\cdot3^{3x}+9$의 그래프가 된다.
$\therefore m=-\dfrac{2}{3},\ n=9$
따라서 구하는 값은 $\left(-\dfrac{2}{3}\right)\times9=-6$

21 함수 $y=3^x$을 x축 방향으로 m만큼, y축 방향으로 n만큼 평행이동시킨 함수는 $y=3^{x-m}+n$이다.
이 함수의 그래프가 두 점 $(-2,\ 1)$, $(0,\ 25)$를 지나므로
$1=3^{(-2)-m}+n$ $\qquad$ ...... ㉠
$25=3^{0-m}+n$ $\qquad$ ...... ㉡
㉡-㉠은
$24=3^{-m}-3^{(-2)-m}=3^{-m}(1-3^{-2})$

$$=3^{-m}\left(1-\frac{1}{9}\right)=3^{-m}\cdot\frac{8}{9}$$

$$\therefore 3^{-m}=24\cdot\frac{9}{8}=27=3^3$$

$$-m=3 \quad \therefore m=-3$$

식 ㉠에 $m=-3$을 대입하면

$$1=3^{(-2)-(-3)}+n \quad \therefore n=-2$$

따라서 구하는 값은 $m\times n=(-3)\times(-2)=6$

22 $y=f(x)$는 x절편 -1, y절편 1인 일차함수이므로

$$\frac{x}{-1}+\frac{y}{1}=1, \ y=x+1$$

$$\therefore f(x)=x+1$$

$$y=2^{2-f(x)}=2^{2-(x+1)}$$

$$=2^{-x+1}=2^{-(x-1)}=\left(\frac{1}{2}\right)_{x-1}$$

따라서 $y=2^{2-f(x)}$의 그래프의 개형은 오른쪽 그림과 같다.

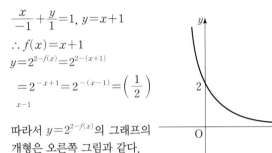

15 지수함수의 최대 · 최소 본문 48쪽

01 밑을 3으로 통일시키고 지수를 비교한다.

$$3^{0.5}=3^{\frac{1}{2}}$$

$$\sqrt[4]{27}=\sqrt[4]{3^3}=3^{\frac{3}{4}}$$

$$\sqrt[3]{9}=\sqrt[3]{3^2}=3^{\frac{2}{3}}$$

이때, $y=3^x$의 그래프는 x의 값이 증가하면 y의 값도 증가하고,

$\frac{1}{2}<\frac{2}{3}<\frac{3}{4}$이므로 $3^{\frac{1}{2}}<3^{\frac{2}{3}}<3^{\frac{3}{4}}$

$$\therefore 3^{0.5}<\sqrt[3]{9}<\sqrt[4]{27}$$

02 밑을 3으로 통일시키고 지수를 비교한다.

$$\left(\frac{1}{3}\right)^{-2}=(3^{-1})^{-2}=3^2$$

$$9^{0.75}=(3^2)^{\frac{3}{4}}=3^{\frac{3}{2}}$$

$$\sqrt[4]{27}=(3^3)^{\frac{1}{4}}=3^{\frac{3}{4}}$$

이때, $y=3^x$의 그래프는 x의 값이 증가하면 y의 값도 증가하고,

$\frac{3}{4}<\frac{3}{2}<2$이므로 $3^{\frac{3}{4}}<3^{\frac{3}{2}}<3^2$

$$\therefore \sqrt[4]{27}<9^{0.75}<\left(\frac{1}{3}\right)^{-2}$$

03 밑을 2로 통일시키고 지수를 비교한다.

$$\sqrt[3]{4}=4^{\frac{1}{3}}=(2^2)^{\frac{1}{3}}=2^{\frac{2}{3}}$$

$$0.5^{-\frac{1}{3}}=\left(\frac{1}{2}\right)^{-\frac{1}{3}}=(2^{-1})^{-\frac{1}{3}}=2^{\frac{1}{3}}$$

$$\sqrt{2}=2^{\frac{1}{2}}$$

이때, $y=2^x$의 그래프는 x의 값이 증가하면 y의 값도 증가하고,

$\frac{1}{3}<\frac{1}{2}<\frac{2}{3}$이므로 $2^{\frac{1}{3}}<2^{\frac{1}{2}}<2^{\frac{2}{3}}$

$$\therefore 0.5^{-\frac{1}{3}}<\sqrt{2}<\sqrt[3]{4}$$

04 $\sqrt[3]{5}=5^{\frac{1}{3}}, \ 25^{-\frac{1}{3}}=(5^2)^{-\frac{1}{3}}=5^{-\frac{2}{3}}$

$$\sqrt{\sqrt[3]{125}}=\left((5^3)^{\frac{1}{3}}\right)^{\frac{1}{2}}=5^{3\cdot\frac{1}{3}\cdot\frac{1}{2}}=5^{\frac{1}{2}}$$

$$0.2^{0.25}=\left(\frac{1}{5}\right)^{\frac{1}{4}}=(5^{-1})^{\frac{1}{4}}=5^{-\frac{1}{4}}$$

밑이 5로 같으므로 가장 큰 수 M은 $5^{\frac{1}{2}}(=\sqrt{\sqrt[3]{125}})$이고, 두 번째로 큰 수 m은 $5^{\frac{1}{3}}(=\sqrt[3]{5})$이다.

$$\frac{M}{m}=\frac{5^{\frac{1}{2}}}{5^{\frac{1}{3}}}=5^{\frac{1}{2}-\frac{1}{3}}=5^{\frac{1}{6}}=5^k \quad \therefore k=\frac{1}{6}$$

06 함수 $y=2^{x-1}+8$은 x값이 증가할 때, y값도 증가하는 증가함수이다.

따라서 최댓값은 $x=4$일 때이므로

$$2^{4-1}+8=16$$

또한 최솟값은 $x=-1$일 때이므로

$$2^{-1-1}+8=\frac{33}{4}$$

따라서 구하는 값은

$$mn=16\times\frac{33}{4}=132$$

07 함수 $y=2^{-x+2}-4$는 x값이 증가할수록 y값은 감소하는 감소함수이다.

따라서 최댓값은 $x=-3$일 때이므로

$$2^{-(-3)+2}-4=32-4=28$$

또한 최솟값은 $x=1$일 때이므로

$$2^{-1+2}-4=2-4=-2$$

따라서 구하는 값은 $|m-n|=|28-(-2)|=30$

08 함수 $y=2^{1-x}+2$는 x값이 증가할수록 y값은 감소하는 감소함수이다.

따라서 최댓값은 $x=-1$일 때이므로

$$2^{1-(-1)}+2=4+2=6$$

또한 최솟값은 $x=2$일 때이므로

$$2^{1-2}+2=\frac{1}{2}+2=\frac{5}{2}$$

따라서 구하는 값은

$$mn=6\times\frac{5}{2}=15$$

10 $y=2\cdot3^x-9^x=2\cdot3^x-(3^x)^2$

$3^x=t$로 놓으면 $-1\le x\le 1$에서

$3^{-1}\le 3^x\le 3^1 \quad \therefore \frac{1}{3}\le t\le 3$

이때, 주어진 함수는

$$y=2t-t^2=-(t-1)^2+1$$

이고, 그 그래프는 오른쪽과 같다.

따라서 최댓값은 $t=1$일 때이므로 1

또한 최솟값은 $t=3$일 때이므로 -3

12 ㄱ. $x=0$일 때 $f(x)=g(x)=1$, $x<0$일 때 $f(x)<g(x)$

따라서 ㄱ은 옳지 않다.

ㄴ. $f(x+1)g(x+1)=a^{x+1}\times b^{x+1}=ab\times a^x\times b^x$
$$=abf(x)g(x)$$

따라서 ㄴ은 옳다.

ㄷ. $f(-2x)g(x)=a^{-2x}\times b^x=\left(\frac{1}{a^2}\right)^x\times b^x=\left(\frac{b}{a^2}\right)^x$

$$f(-2y)g(y)=a^{-2y}\times b^y=\left(\frac{1}{a^2}\right)^y\times b^y=\left(\frac{b}{a^2}\right)^y$$

$a>b>1$이므로 $\frac{b}{a^2}<1$이다.

지수함수 $\left(\dfrac{b}{a^2}\right)^k$은 감소함수이므로

$x<y$일 때 $\left(\dfrac{b}{a^2}\right)^x>\left(\dfrac{b}{a^2}\right)^y$

따라서 ㄷ은 옳지 않다.
따라서 옳은 것은 ㄴ뿐이다.

13 ㄱ. $(a,\ b)\in G \longrightarrow b=4^a$이므로

$\sqrt{b}=\sqrt{4^a}=4^{\frac{a}{2}}$

즉, $\left(\dfrac{a}{2},\ \sqrt{b}\right)\in G$이므로 ㄱ은 옳다.

ㄴ. $(-a,\ b)\in G \longrightarrow b=4^{-a}$, $\left(\dfrac{1}{a},\ b\right)\in G \longrightarrow b=4^{\frac{1}{a}}$

두 식에서 $4^{-a}=4^{\frac{1}{a}}$을 만족하는 실수 a가 존재하지 않으므로 ㄴ은 옳지 않다.

ㄷ. $(a,\ b)\in G \longrightarrow b=4^a$, $(c,\ d)\in G \longrightarrow d=4^c$

두 식을 곱하면 $b\times d=4^a\times 4^c \longrightarrow bd=4^{a+c}$이므로

$(a+c,\ bd)\in G$

따라서 ㄷ은 옳지 않다.

따라서 옳은 것은 ㄱ뿐이다.

14 조건 (나)에 의해서

$f(x)\cdot f(-x)=\{2^{x+a}+b\}\cdot\{2^{-x+a}+b\}$
$\qquad\qquad\quad=2^{2a}+b(2^{x+a}+2^{-x+a})+b^2 \ \cdots\cdots\ \bigcirc$

$b\{f(x)+f(-x)\}=b(2^{x+a}+b+2^{-x+a}+b)$
$\qquad\qquad\qquad\quad=b(2^{x+a}+2^{-x+a})+2b^2 \ \cdots\cdots\ \bigcirc\!\!\!\bigcirc$

두 식은 $\bigcirc=\bigcirc\!\!\!\bigcirc$이므로 $2^{2a}=b^2$에서 $2^a=b$이다. $(\because a>0, b>0)$

따라서 함수 $f(x)$는 $f(x)=2^{x+a}+2^a$이고, 조건 (가)에 따라 $x=1$일 때를 이용하면

$f(1)=2^{1+a}+2^a=2^a(2+1)=3\cdot2^a=12$, $2^a=4=2^2$

$\therefore a=2$

$2^a=b$ $\quad\therefore b=4$

따라서 구하는 값은 $|a-b|=|2-4|=2$

16 함수 $y=4^x$ 위의 점들을

$A_1,\ A_2,\ A_3,$

함수 $y=2x$ 위의 점들을

$B_1,\ B_2,\ B_3$로 하자.

점 A_n과 점 B_n $(n=1,\ 2,$

$3)$은 y좌표가 같고,

점 A_{n+1}과 점 B_n $(n=1,$

$2)$은 x좌표가 같으므로

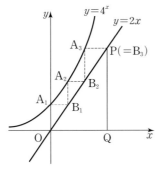

$A_1(0,\ 1) \longrightarrow B_1\left(\dfrac{1}{2},\ 1\right)$

$\longrightarrow A\left(\dfrac{1}{2},\ 2\right) \longrightarrow B(1,\ 2) \longrightarrow A_3(1,\ 4) \longrightarrow B_3(2,\ 4)$

$B_3=P$이므로 점 P의 좌표는 $(2,\ 4)$이다.

또한 점 P에 대하여 x축에 내린 수선의 발 Q의 좌표는 $(2,\ 0)$이다.

따라서 삼각형 OPQ의 넓이는 $\dfrac{1}{2}\times2\times4=4$

16 로그함수의 뜻과 그 그래프 본문 **52**쪽

02 로그함수 $y=\log_{\frac{1}{2}} x$의 그래프는 지수함수 $y=\left(\dfrac{1}{2}\right)^x$의 역함수

이므로 로그함수 $y=\log_{\frac{1}{2}} x$의 그래프는 지수함수 $y=\left(\dfrac{1}{2}\right)^x$의

그래프를 직선 $y=x$
에 대하여 대칭이동
한 것이다.
따라서 로그함수
$y=\log_{\frac{1}{2}} x$ 의 그래
프는 오른쪽 그림과
같다.

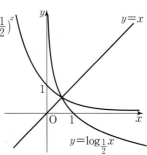

03 증가하는 함수의 역함수는 증가하는 함수이고, 감소하는 함수의 역함수는 감소하는 함수이다. $0<a<1$일 때 $y=a^x$이 감소함수이므로 $y=\log_a x$도 감소함수이다.

04 지수함수 $f(x)=a^x$은 정의역이 $(-\infty,\ \infty)$, 치역이 $(0,\ \infty)$인 일대일대응이므로 역함수 $g(x)$가 존재하고, 이는 정의역이 $(0,\ \infty)$이고 치역이 $(-\infty,\ \infty)$인 함수가 된다.

05 $\log_a 1=0$이므로 $y=\log_a x$의 그래프는 a의 값에 관계없이 점 $(1,\ 0)$을 지난다.

07 $y=\log_2 x+3$의 그래프는 $y=\log_2 x$의 그래프를 y축 방향으로 3만큼 평행이동한 것이다.

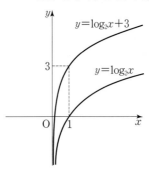

08 $y=\log_2 (-x)$의 그래프는 $y=\log_2 x$의 그래프를 y축에 대하여 대칭이동한 것이다.

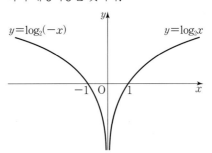

09 $y=-\log_3 x$의 그래프는 $y=\log_3 x$의 그래프를 x축에 대하여 대칭이동한 것이다.

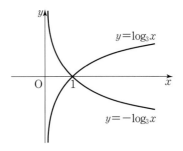

10 주어진 함수는 $y=\log_2(-x)$의 그래프를 x축 방향으로 3만큼, y축 방향으로 6만큼 평행이동한 것이다.

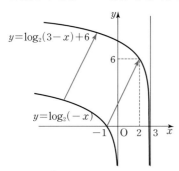

11 $y=\log_a \dfrac{1}{x}=\log_a x^{-1}=-\log_a x$

이므로, $y=\log_a x$의 그래프를 x축에 대하여 대칭이동한 것이다.

13 $y=\log_5(125x-625)=\log_5 125(x-5)$
$=\log_5 5^3+\log_5(x-5)=\log_5(x-5)+3$이므로,
$y=\log_5 x$의 그래프를 x축 방향으로 5만큼, y축 방향으로 3만큼 평행이동한 것이다.

14 로그의 밑 조건에서 $x-3>0$, $x-3\neq 1$이므로
$x>3$, $x\neq 4$ ...... ㉠
진수 조건에서 $-x^2+7x-6>0$이므로
$x^2-7x+6<0$, $(x-1)(x-6)<0$
$\therefore 1<x<6$ ...... ㉡
㉠, ㉡에서 $3<x<4$, $4<x<6$이므로 주어진 로그가 정의되도록 하는 정수 x는 5이다.

15 곡선 $y=\log_2(x-2)$는 곡선 $y=\log_2 x$를 x축 방향으로 2만큼 평행이동한 것이므로, 점근선 또한 $x=0$에서 $x=2$로 평행이동된다.
따라서 $k=2$이고 구하는 값은 $k^2=4$이다.

16 함수 $y=\log_4 x$의 그래프를 x축 방향으로 a만큼 평행이동시킨 함수 $y=\log_4(x-a)$의 그래프가 점 $(4, 2)$를 지나므로
$2=\log_4(4-a)$, $4-a=4^2$
$\therefore a=-12$
함수 $y=\log_b x$의 그래프도 점 $(4, 2)$를 지나므로
$2=\log_b 4$, $b^2=4$
$\therefore b=2$ ($\because b>0$)
$\therefore |a+b|=|-12+2|=10$

17 로그함수의 최대·최소 본문 55쪽

02 주어진 수를 밑이 3인 로그로 나타내면
$2\log_3 2=\log_3 2^2=\log_3 4$,
$\log_9 120=\log_{3^2} 120=\dfrac{1}{2}\log_3 120=\log_3 \sqrt{120}$,
$2=\log_3 3^2=\log_3 9$,
$\log_3 8+1=\log_3 8+\log_3 3=\log_3 24$
이때, $y=\log_3 x$의 그래프는 x의 값이 증가하면 y의 값도 증가하고, $4<9<\sqrt{120}<24$이므로
$\log_3 4<\log_3 9<\log_3\sqrt{120}<\log_3 24$
$\therefore 2\log_3 2<2<\log_9 120<\log_3 8+1$

03 주어진 수를 밑이 2인 로그로 나타내면

$\dfrac{1}{2}\log_2 5=\log_2 5^{\frac{1}{2}}=\log_2\sqrt{5}$,

$\log_4 81=\log_{2^2} 3^4=\log_2 3^{\frac{4}{2}}=\log_2 9$,

$3\log_4 3=3\log_{2^2} 3=\log_2 3^{\frac{3}{2}}=\log_2 3\sqrt{3}$

$1=\log_2 2$

이때, $y=\log_2 x$의 그래프는 x의 값이 증가하면 y의 값도 증가하고, $2<\sqrt{5}<3\sqrt{3}<9$이므로
$\log_2 2<\log_2\sqrt{5}<\log_2 3\sqrt{3}<\log_2 9$
$\therefore 1<\dfrac{1}{2}\log_2 5<3\log_4 3<\log_4 81$

04 $\log_{\frac{1}{3}} 5=\log_{3^{-1}} 5=-\log_3 5$,
$-2=-\log_3 3^2=-\log_3 9$,
$\dfrac{1}{2}\log_{\frac{1}{3}} 36=\dfrac{1}{2}\log_{3^{-1}} 6^2=-\log_3 6$
이때, $-\log_3 9<-\log_3 6<-\log_3 5$이므로
$m=-\log_3 5$, $n=-\log_3 6$
$\therefore \dfrac{m}{n}=\dfrac{-\log_3 5}{-\log_3 6}=\log_6 5$

06 함수 $y=\log_2 x+4$는 $y=\log_2 x$를 평행이동한 것이므로 증가함수이다.
따라서 $4\leq x\leq 8$에서 함수 $y=\log_2 x+4$는
$x=8$일 때 최대이고, 최댓값은
$y=\log_2 8+4=3+4=7$
$x=4$일 때 최소이고, 최솟값은
$y=\log_2 4+4=2+4=6$

07 함수 $y=\log_2(3x-1)-4$는 $y=\log_2 3x$를 평행이동한 것이므로 증가함수이다.
따라서 $1\leq x\leq 11$에서 함수 $y=\log_2(3x-1)-4$는
$x=11$일 때 최대이고, 최댓값은
$y=\log_2(3\cdot 11-1)-4=\log_2 32-4=1$
$x=1$일 때 최소이고, 최솟값은
$y=\log_2(3\cdot 1-1)-4=1-4=-3$

08 함수 $y=\log_2(-x+2)+2=\log_2(-(x-2))+2$는
$y=\log_2(-x)$의 그래프를 평행이동한 것이므로 감소함수이다.
따라서 $-6\leq x\leq 1$에서 함수 $y=\log_2(-x+2)+2$는
$x=-6$일 때 최대이고, 최댓값은
$y=\log_2(-(-6)+2)+2=3+2=5$
$x=1$일 때 최소이고, 최솟값은
$y=\log_2(-1+2)+2=2$

09 $y=\log_4\{x(x-4)+4\}=\log_4(x^2-4x+4)$
$=\log_{2^2}(x-2)^2=\log_2(x-2)$
즉, 함수 $y=\log_2(x-2)$는 증가함수이다.
따라서 $6\leq x\leq 10$에서 함수 $y=\log_4\{x(x-4)+4\}$는
$x=6$일 때 최소이고, 최솟값은 $y=\log_2 4=2$,
$x=10$일 때 최대이고, 최댓값은 $y=\log_2 8=3$

11 $y=(\log_3 x)^2-\log_3 x^4-2=(\log_3 x)^2-4\log_3 x-2$
$\log_3 x=t$로 놓으면 $3\leq x\leq 81$에서
$\log_3 3\leq \log_3 x\leq\log_3 81$ $\therefore 1\leq t\leq 4$
이때, 주어진 함수는
$y=t^2-4t-2=(t-2)^2-6$
따라서 $1\leq t\leq 4$에서 함수 $y=(t-2)^2-6$은
$t=4$일 때 최대이고, 최댓값은 $y=(4-2)^2-6=-2$
$t=2$일 때 최소이고, 최솟값은 $y=-6$

12 $y=3\cdot 2^{x-1}$의 정의역은 실수 전체의 집합이고, 치역은 $\{y|y>0\}$ 이다.

$y=3\cdot 2^{x-1}$에서 $\dfrac{y}{3}=2^{x-1}$

양변에 2를 밑으로 하는 로그를 취하면

$\log_2 \dfrac{y}{3}=\log_2 2^{x-1}$

$\log_2 y-\log_2 3=x-1$

$\therefore x=\log_2 y-\log_2 3+1=\log_2 y+\log_2 \dfrac{2}{3}\ (y>0)$

이때, x와 y를 바꾸면

$y=\log_2 x+\log_2 \dfrac{2}{3}\ (x>0)$

13 진수의 조건에서 $x-3>0$이므로 정의역은 $\{x|x>3\}$이고, 치역은 실수 전체의 집합이다.

$y=\log_2(x-3)+1$에서

$y-1=\log_2(x-3)$

로그의 정의에 의하여

$2^{y-1}=x-3$

$\therefore x=2^{y-1}+3$

이때, x와 y를 바꾸면

$y=2^{x-1}+3$

14 진수의 조건에서 $x+1>0$이므로 정의역은 $\{x|x>-1\}$이고, 치역은 실수 전체의 집합이다.

$y=\log_3(x+1)-2$에서

$y+2=\log_3(x+1)$

로그의 정의에 의하여

$3^{y+2}=x+1$

$\therefore x=3^{y+2}-1$

이때, x와 y를 바꾸면

$y=3^{x+2}-1$

16 주어진 함수를 $y=f(x)$라 하면

$g(3)=k$에서 $f(k)=3$이므로

$f(k)=\log_2(k-1)-3=3$

$\log_2(k-1)=6$

$k-1=2^6$

$k=2^6+1=65$

$\therefore g(3)=65$

17 주어진 함수를 $y=f(x)$라 하면

$g(3)=k$에서 $f(k)=3$이므로

$f(k)=4^{-k+2}-5=3$

$4^{-k+2}=8$

$2^{-2k+4}=2^3$

$-2k+4=3$

$k=\dfrac{1}{2}$

$\therefore g(3)=\dfrac{1}{2}$

18 $g(a)=\dfrac{1}{4}$에서 $f\left(\dfrac{1}{4}\right)=a$이므로

$f\left(\dfrac{1}{4}\right)=\log_5 \dfrac{1}{4}=-\log_5 4=a$

$g(b)=2$에서 $f(2)=b$이므로

$f(2)=\log_5 2=b$

$a+b=-\log_5 4+\log_5 2=-2\log_5 2+\log_5 2$

$=-\log_5 2=\log_5 \dfrac{1}{2}=f\left(\dfrac{1}{2}\right)$

즉, $f\left(\dfrac{1}{2}\right)=a+b$의 꼴이다.

$\therefore g(a+b)=\dfrac{1}{2}$

19 두 점을 주어진 곡선의 방정식에 대입하면

$(-2,\ 0)\rightarrow 0=\log_2(-2a+b)$ $\therefore -2a+b=1$

$(0,\ 4)\rightarrow 4=\log_2 b$ $\therefore b=2^4=16$

$\therefore a=\dfrac{15}{2}$

따라서 구하는 값은 $ab=\dfrac{15}{2}\cdot 16=120$

20 $y=\log_7 x$에서

$a=\log_7 49=\log_7 7^2=2\log_7 7=2$ $\therefore a=2$

$\log_7 b=3=3\log_7 7=\log_7 7^3$ $\therefore b=7^3=343$

따라서 구하는 값은 $a+b=2+343=345$

21 $p=\log_a 2$

$q=\log_a 3$

$r=\log_a 6=\log_a 2+\log_a 3=p+q$

22 두 점 $P(a,\ 4)$, $Q(b,\ 4)$라 하자.

$9^a=4 \rightarrow a=\log_9 4=\log_{3^2} 2^2=\log_3 2$

$3^b=4 \rightarrow b=\log_3 4$

선분 PQ의 길이는 $\log_3 4-\log_3 2=\log_3 2$

23 $x=27$일 때, $y=\log_2 27=\log_2 3^3=3\log_2 3$이므로 점 P의 좌표는 $(0,\ 3\log_2 3)$이다. 이때, 선분 PO의 $2:1$ 내분점 Q 는 $(0,\ \log_2 3)$이다.

로그함수 $y=\log_2 x$에서 $y=\log_2 3$을 만족하는 a의 값은 3이다.

18 지수방정식 본문 60쪽

02 $3^{-x}=3^3$

이때, 밑이 같으므로 $-x=3$ $\therefore x=-3$

03 $2^{2x+1}=2^5$

이때, 밑이 같으므로 $2x+1=5$ $\therefore x=2$

04 $\dfrac{4^x}{2}=\dfrac{(2^2)^x}{2}=2^{2x-1}$이므로 $2^{2x-1}=2^{x+3}$

이때, 밑이 같으므로 $2x-1=x+3$ $\therefore x=4$

05 $4^{1-x}=(2^2)^{1-x}=2^{2(1-x)}$, $32=2^5$이므로 $2^{2(1-x)}=2^5$

이때, 밑이 같으므로 $2(1-x)=5$ $\therefore x=-\dfrac{3}{2}$

06 $5^{3x-2}=625=5^4$

이때, 밑이 같으므로 $3x-2=4$ $\therefore x=2$

07 $\left(\dfrac{1}{2}\right)^{-x+2}=2^{-(-x+2)}=2^{x-2}$이므로 $2^{x-2}=2^{2x}$

이때, 밑이 같으므로 $x-2=2x$ $\therefore x=-2$

08 $\dfrac{3}{2}=\left(\dfrac{2}{3}\right)^{-1}$이므로 $\left(\dfrac{2}{3}\right)^{-2x+3}=\left(\dfrac{2}{3}\right)^{x-1}$

이때, 밑이 같으므로 $-2x+3=x-1$ $\therefore x=\dfrac{4}{3}$

09 주어진 방정식의 양변을 지수의 밑이 2로 같도록 변형하면

$$\left(\frac{1}{2}\right)^{x+1}=(2^{-1})^{x+1}=2^{-x-1},$$

$a^3=4$에서 $a=4^{\frac{1}{3}}=(2^2)^{\frac{1}{3}}=2^{\frac{2}{3}}$

이므로, 주어진 방정식 $\left(\frac{1}{2}\right)^{x+1}=a$에서

$$2^{-x-1}=2^{\frac{2}{3}}$$

이때, 밑이 같으므로 $-x-1=\frac{2}{3}$ $\therefore x=-\frac{5}{3}$

10 $2^{3x^2-4x-9}=\frac{1}{4}=2^{-2}$이므로

$3x^2-4x-9=-2$의 해를 구한다. 즉,

$3x^2-4x-7=0,$

$(3x-7)(x+1)=0$

$\therefore x=\frac{7}{3}$ $(\because x>0)$

12 지수가 같으므로 밑이 같거나 지수가 0이어야 한다.

(ⅰ) $x+1=2$이면 $x=1$

(ⅱ) $x=0$이면 $1^0=2^0$이므로 성립한다.

(ⅰ), (ⅱ)에서 주어진 방정식의 해는 $x=1$ 또는 $x=0$

13 지수가 같으므로 밑이 같거나 지수가 0이어야 한다.

(ⅰ) $x-1=4$이면 $x=5$

(ⅱ) $x-2=0$, 즉 $x=2$이면 $1^0=4^0$이므로 성립한다.

(ⅰ), (ⅱ)에서 주어진 방정식의 해는 $x=5$ 또는 $x=2$

14 지수가 같으므로 밑이 같거나 지수가 0이어야 한다.

(ⅰ) $x+3=4$이면 $x=1$

(ⅱ) $x=0$이면 $3^0=4^0$이므로 성립한다.

(ⅰ), (ⅱ)에서 주어진 방정식의 해는 $x=1$ 또는 $x=0$

15 지수가 같으므로 밑이 같거나 지수가 0이어야 한다.

(ⅰ) $3x+4=x+6$이면 $x=1$

(ⅱ) $x-2=0$, 즉 $x=2$이면 $10^0=8^0$이므로 성립한다.

(ⅰ), (ⅱ)에서 주어진 방정식의 해는 $x=1$ 또는 $x=2$

17 $3^{x-3}=7^{2x+1}$의 양변에 상용로그를 취하면

$\log 3^{x-3}=\log 7^{2x+1}$

$(x-3)\log 3=(2x+1)\log 7$

$x\log 3-3\log 3=2x\log 7+\log 7$

$(\log 3-2\log 7)x=\log 7+3\log 3$

$\therefore x=\dfrac{\log 7+3\log 3}{\log 3-2\log 7}$

18 $5^x+3^{x+2}=0$에서 $5^x=3^{x+2}$

양변에 상용로그를 취하면

$\log 5^x=\log 3^{x+2}$

$x\log 5=(x+2)\log 3$

$(\log 5-\log 3)x=2\log 3$

$\therefore x=\dfrac{2\log 3}{\log 5-\log 3}$

20 주어진 식에서 $2^x=t$ $(t>0)$로 치환하면

$t^2+8t-128=0$

$(t-8)(t+16)=0$

$t=2^x>0$이므로 $t=8$

따라서 $2^x=8=2^3$이므로

$x=3$

21 주어진 식에서 $3^x=t$ $(t>0)$로 치환하면

$t^2=6t+3t$

$t^2-9t=0$

$t(t-9)=0$

$t=3^x>0$이므로 $t=9$

따라서 $3^x=9=3^2$이므로

$x=2$

23 산술평균과 기하평균의 관계에 의해

$9^p+3^{q+3}\geq 2\sqrt{9^p\cdot 3^{q+3}}$

$9^p\cdot 3^{q+3}=3^{2p+q+3}=3^4=81$ $(\because 2p+q-1=0$이므로$)$

$9^p+3^{q+3}\geq 2\sqrt{9^p\cdot 3^{q+3}}=2\sqrt{81}=2\cdot 9=18$

따라서 구하는 최솟값은 $9^p=3^{q+3}$일 때 18이다.

24 $4^x-5\cdot 2^x+2=0$에서 $2^x=t$ $(t>0)$로 놓으면

$t^2-5t+2=0$이고 주어진 방정식의 두 근이 α, β이므로, 이 방정식의 두 근은 2^α, 2^β이다.

따라서 이차방정식의 근과 계수의 관계에 의하여

$2^\alpha\cdot 2^\beta=2$, $2^{\alpha+\beta}=2$

$\therefore \alpha+\beta=1$

25 주어진 방정식을 $4^x=t$로 놓으면

$t^2-16t+100=0$이고 주어진 방정식의 두 근이 α, β이므로, 이 방정식의 두 근은 4^α, 4^β이다.

따라서 이차방정식의 근과 계수의 관계에 의하여

$4^\alpha\cdot 4^\beta=100$, $4^{\alpha+\beta}=(2^{\alpha+\beta})^2=100$

$\therefore 2^{\alpha+\beta}=(100)^{\frac{1}{2}}=10$

26 방정식 $9^x-3^{x+1}+2=0$에서 $3^x=t$로 놓으면

$t^2-3t+2=0$

주어진 방정식의 두 근이 α, β이므로, 이 방정식의 두 근은 3^α, 3^β이다.

따라서 이차방정식의 근과 계수의 관계에 의하여 $3^\alpha+3^\beta=3$

27 $4^x-2^{x+1}+k=0$에서 $2^x=t$ $(t>0)$로 놓으면

$t^2-2t+k=0$ ······ ㉠

주어진 방정식이 서로 다른 두 실근을 가지면 방정식 ㉠은 서로 다른 두 양수인 실근을 갖는다.

(ⅰ) 이차방정식 ㉠의 판별식을 D라 하면

$$\frac{D}{4}=1-k>0 \quad \therefore k<1$$

(ⅱ) (두 근의 합)$=2>0$

(ⅲ) (두 근의 곱)$=k>0$

(ⅰ), (ⅱ), (ⅲ)에서 $0<k<1$

19 지수부등식 본문 64쪽

02 $(2^3)^{2-x}<2^5$, $2^{6-3x}<2^5$

이때, 밑이 1보다 크므로

$6-3x<5$, $-3x<-1$ $\therefore x>\frac{1}{3}$

03 $5^x>125$, $5^x>5^3$

이때, 밑이 1보다 크므로 $x>3$

04 $\left(\frac{1}{2}\right)^x\leq\left\{\left(\frac{1}{2}\right)^4\right\}^{x-1}$, $\left(\frac{1}{2}\right)^x\leq\left(\frac{1}{2}\right)^{4x-4}$

이때, 밑이 1보다 작으므로

$x\geq 4x-4$, $-3x\geq -4$ $\therefore x\leq\frac{4}{3}$

05 $\left(\frac{1}{3}\right)^{x+1}>\left\{\left(\frac{1}{3}\right)^3\right\}^{2x+1}$, $\left(\frac{1}{3}\right)^{x+1}>\left(\frac{1}{3}\right)^{6x+3}$

이때, 밑이 1보다 작으므로

$x+1<6x+3$, $5x>-2$ ∴ $x>-\dfrac{2}{5}$

06 $\left(\dfrac{1}{5}\right)^{x+1}>5^3$, $5^{-x-1}>5^3$

이때, 밑이 1보다 크므로

$-x-1>3$, $-x>4$ ∴ $x<-4$

08 $2\cdot2^x\le3^{2x+1}$에서

$2^{x+1}\le3^{2x+1}$

양변에 상용로그를 취하면

$\log2^{x+1}\le\log3^{2x+1}$

$(x+1)\log2\le(2x+1)\log3$

$(\log2-2\log3)x\le\log3-\log2$

이때, $\log2-2\log3<0$이므로

$x\ge\dfrac{\log3-\log2}{\log2-2\log3}$

09 $(\sqrt{8})^x<(\sqrt{27})^{x+2}$에서

$(2^{\frac{3}{2}})^x<(3^{\frac{3}{2}})^{x+2}$, $2^{\frac{3}{2}x}<3^{\frac{3}{2}x+3}$

양변에 상용로그를 취하면

$\dfrac{3}{2}x\log2<\left(\dfrac{3}{2}x+3\right)\log3$

$\dfrac{3}{2}(\log2-\log3)x<3\log3$

이때, $\log2-\log3<0$이므로

$x>\dfrac{2\log3}{\log2-\log3}$

11 $9^x+2\cdot3^{x+1}=(3^x)^2+6\cdot3^x$이므로

$3^x=t$ $(t>0)$로 놓으면 주어진 부등식은

$t^2+6t>16$, $t^2+6t-16>0$

$(t+8)(t-2)>0$

∴ $t<-8$ 또는 $t>2$

그런데 $t>0$이므로 $t>2$

즉, $3^x>2$

∴ $x>\log_32$

12 $3^{x-2}=\dfrac{1}{9}\cdot3^x$이므로

$3^x=t$ $(t>0)$로 놓으면 주어진 부등식은

$t^2-9t+1\le\dfrac{1}{9}t$, $9t^2-82t+9\le0$

$(9t-1)(t-9)\le0$ ∴ $\dfrac{1}{9}\le t\le9$

즉, $3^{-2}\le3^x\le3^2$

∴ $-2\le x\le2$

13 주어진 부등식에서 $3^x=t$로 치환하면

$t^2-9t+18<0$이다.

$(t-3)(t-6)<0$,

$3<t<6$

즉, $3<3^x<6$, $1<x<\log_36$

∴ $\alpha=1$, $\beta=\log_36$

구하는 값은

$\alpha+9^\beta=1+9^{\log_36}=1+6^2=37$

14 주어진 식에서 우변이 $4\cdot2^x=2^2\cdot2^x=2^{x+2}$이므로

$2^{x^2}<2^{x+2}$을 푼다.

$x^2-x-2<0$,

$(x-2)(x+1)<0$

∴ $-1<x<2$

즉, $\alpha=-1$, $\beta=2$

따라서 구하는 값은

$\alpha+\beta=(-1)+2=1$

15 주어진 식에서 우변이

$\left(\dfrac{1}{4}\right)^{x+2}=\left(\dfrac{1}{2^2}\right)^{x+2}=\left(\dfrac{1}{2}\right)^{2x+4}$이므로

$\left(\dfrac{1}{2}\right)^{x^2+1}>\left(\dfrac{1}{2}\right)^{2x+4}$을 푼다.

지수의 밑이 1보다 작으므로

$x^2+1<2x+4$

$x^2-2x-3<0$, $(x-3)(x+1)<0$

∴ $-1<x<3$

즉, $\alpha=-1$, $\beta=3$이므로 구하는 값은

$|\alpha-\beta|=|(-1)-3|=4$

16 주어진 식에서 우변이

$\sqrt{\sqrt[3]{3^6}}=3^{6\cdot\frac{1}{3}\cdot\frac{1}{2}}=3$이므로

$\left(\dfrac{1}{3}\right)^{x-4}\ge3$을 구한다.

$\left(\dfrac{1}{3}\right)^{x-4}=(3^{-1})^{x-4}=3^{-x+4}$이므로

$3^{-x+4}\ge3$, $-x+4\ge1$

∴ $x\le3$

x는 정수이므로 구하는 값은 3이다.

17 주어진 부등식을 $\dfrac{1}{3^x}=t$로 치환하여 푼다.

$t^2-6t-27\le0$

$(t+3)(t-9)\le0$

∴ $0<t\le9$ $\left(∵\dfrac{1}{3^x}=t$이므로 $t>0\right)$

즉, $0<\dfrac{1}{3^x}\le9$이므로 $x\ge-2$

따라서 정수 x의 최솟값은 -2이다.

18 주어진 부등식을 $2^x=t$로 치환하여 푼다.

$\left(t-\dfrac{1}{4}\right)(t-1)<0$ ∴ $\dfrac{1}{4}<t<1$

$2^x=t$에서

$t=\dfrac{1}{4}$일 때, $x=-2$

$t=1$일 때, $x=0$

이므로 x의 범위는

$-2<x<0$이다.

x는 정수이므로 구하는 값은 -1이다.

19 $2^x=t$로 치환하면 주어진 부등식은

$(8t-1)\left(\dfrac{1}{2^p}t-1\right)<0$, $\dfrac{8}{2^p}\left(t-\dfrac{1}{8}\right)(t-2^p)<0$

이때, p가 자연수이므로 $\dfrac{1}{8}<2^p$이다.

따라서 부등식 해는 $\dfrac{1}{8}<t<2^p$이다. $2^x=t$이므로

$2^{-3}<2^x<2^p$, $-3<x<p$

이를 만족하는 정수 x의 개수가 20개이므로 $x=-2$, -1, 0, $\cdots$, 17이다.

따라서 자연수 p의 값은 18이다.

20 $3^x=t\ (t>0)$로 놓으면 주어진 부등식은
$t^2-6t+k>0$
이 부등식이 모든 양의 실수 t에 대하여 성립하려면 이차방정식 $t^2-6t+k=0$의 판별식을 D라 할 때, $D<0$이어야 한다.
$\dfrac{D}{4}=9-k<0$ $\therefore k>9$
따라서 정수 k의 최솟값은 10이다.

21 일차함수 $y=f(x)$는 $f(-6)=0$이므로
$f(x)=a(x+6)\ (a>0)$이라 하자.
$3^{f(x)}\le81$에서 $81=3^4$ $\therefore f(x)\le4$
즉, $a(x+6)\le4$
$a>0$이므로 $x+6\le\dfrac{4}{a}$ $\therefore x\le\dfrac{4}{a}-6$
즉 주어진 부등식의 해가 $x\le\dfrac{4}{a}-6$이므로
$\dfrac{4}{a}-6=-4$에서 $\dfrac{4}{a}=2$
$\therefore a=2$
따라서 $f(x)=2(x+6)$이므로 $f(0)=12$

22 t일 후의 개체 수를 y라 하면
$y=100(1+0.1)^{\frac{t}{2}}$
따라서 20일 후의 개체 수는
$y=100\cdot1.1^{\frac{20}{2}}=100\cdot1.1^{10}=259$

23 $P(t)=A\left(\dfrac{2}{5}\right)^{\frac{t}{2}}=2000\times\left(\dfrac{2}{5}\right)^{\frac{t}{2}}=320$이므로
$\left(\dfrac{2}{5}\right)^{\frac{t}{2}}=\dfrac{320}{2000}=\dfrac{4}{25}=\left(\dfrac{2}{5}\right)^2$
$\dfrac{t}{2}=2$이므로 $t=4$

24 수심이 $10\ \text{m}$인 곳에서 빛의 세기는
$A(10)=840\left(\dfrac{1}{2}\right)^{\frac{10}{2}}=840\left(\dfrac{1}{2}\right)^5$ $\cdots\cdots$ ㉠
수심이 $50\ \text{m}$인 곳에서 빛의 세기는
$A(50)=840\left(\dfrac{1}{2}\right)^{\frac{50}{2}}=840\left(\dfrac{1}{2}\right)^{25}$ $\cdots\cdots$ ㉡
구하는 값은 ㉠÷㉡이므로
$840\left(\dfrac{1}{2}\right)^5\div840\left(\dfrac{1}{2}\right)^{25}=(2^{-1})^{-20}=2^{20}=a^k$
$\therefore a=2,\ k=20$
따라서 구하는 값은 $a+k=2+20=22$이다.

25 필름 A의 투과하는 빛의 세기는
$R_A=Q\times10^{-p}$
필름 B의 투과하는 빛의 세기는
$R_B=Q\times10^{-(p+5)}$
따라서 구하는 값은
$\dfrac{R_A}{R_B}=\dfrac{Q\times10^{-p}}{Q\times10^{-p-5}}=10^5=100000$

26 A회사 연평균 성장률 :
$G_A=\left(\dfrac{600}{150}\right)^{\frac{1}{10}}-1=4^{\frac{1}{10}}-1=\left(2^{\frac{1}{10}}\right)^2-1=\left(\dfrac{2^{\frac{11}{10}}}{2}\right)^2-1$
$=\left(\dfrac{2.14}{2}\right)^2-1=1.07^2-1=0.145$
B회사 연평균 성장률 :
$G_B=\left(\dfrac{750}{250}\right)^{\frac{1}{10}}-1=3^{\frac{1}{10}}-1=\dfrac{3^{\frac{11}{10}}}{3}-1=\dfrac{3.35}{3}-1=0.117$

구하는 값은 $\dfrac{G_A}{G_B}=\dfrac{0.145}{0.117}=1.24$

20 로그방정식 본문69쪽

02 로그의 진수는 양수이므로 $5x+1>0$
$\therefore x>-\dfrac{1}{5}$
로그의 정의에 의해 주어진 방정식은
$5x+1=3^4,\ 5x+1=81$ $\therefore x=16$
이것은 진수 조건 $x>-\dfrac{1}{5}$을 만족하므로, 구하는 해는 $x=16$

03 로그의 진수는 양수이므로 $x>0,\ x-3>0$
$\therefore x>3$
로그의 정의에 의해 주어진 방정식은
$x(x-3)=10,\ x^2-3x-10=0$
$(x-5)(x+2)=0$
$\therefore x=5$ 또는 $x=-2$
진수 조건에서 $x>3$이므로, 구하는 해는 $x=5$

04 로그의 밑 조건에서
$x-1>0,\ x-1\ne1$
$\therefore x>1,\ x\ne2$
로그의 정의에 의해 주어진 방정식은
$(x-1)^2=16$
$x-1=4$ 또는 $x-1=-4$
$\therefore x=5$ 또는 $x=-3$
밑 조건에서 $x>1,\ x\ne2$이므로, 구하는 해는 $x=5$

06 로그의 진수는 양수이므로
$x>0,\ x-2>0$
$\therefore x>2$
$2\log_3 x=\log_3 x^2$이고 $2=\log_3 9$이므로
$\log_3 x^2=\log_3 (x-2)+\log_3 9$
$\log_3 x^2=\log_3 9(x-2)$
밑이 같으므로
$x^2=9x-18,\ x^2-9x+18=0,\ (x-3)(x-6)=0$
$\therefore x=3$ 또는 $x=6$
진수 조건에서 $x>2$이므로, 구하는 해는
$x=3$ 또는 $x=6$

07 로그의 진수는 양수이므로
$x>0,\ x+2>0$
$\therefore x>0$
$\log_2 x+\log_2(x+2)=\log_2 x(x+2)$, $3=\log_2 8$이므로
$\log_2 x(x+2)=\log_2 8$
밑이 같으므로
$x(x+2)=8,\ x^2+2x-8=0,\ (x+4)(x-2)=0$
$\therefore x=-4$ 또는 $x=2$
진수 조건에서 $x>0$이므로, 구하는 해는 $x=2$

09 로그의 진수는 양수이므로
$x-2>0,\ x>0$
$\therefore x>2$
로그의 성질을 이용하여 주어진 방정식을 변형하면
$\log_2(x-2)=\log_{2^2} x$

$\log_2(x-2)=\dfrac{1}{2}\log_2 x$

$2\log_2(x-2)=\log_2 x$

$\log_2(x-2)^2=\log_2 x$

$(x-2)^2=x,\ x^2-5x+4=0,\ (x-1)(x-4)=0$

$\therefore x=1$ 또는 $x=4$

진수 조건에서 $x>2$이므로, 구하는 해는 $x=4$

10 로그의 진수는 양수이므로

$x>0,\ x^2+6x+9>0$

$\therefore x>0$

로그의 성질을 이용하여 주어진 방정식을 변형하면

$(좌변)=\log_2 x+\log_{2^2}(x+3)^2=\log_2 x(x+3)$

이므로, 주어진 방정식은

$\log_2 x(x+3)=2$

로그의 정의에 의해

$x(x+3)=4,\ x^2+3x-4=0$

$(x+4)(x-1)=0$

$\therefore x=-4$ 또는 $x=1$

진수 조건에서 $x>0$이므로, 구하는 해는 $x=1$

12 로그의 진수는 양수이므로 $x>0,\ x^6>0$

$\therefore x>0$

주어진 방정식을 변형하면

$(\log_3 x)^2+8=6\log_3 x$

$\log_3 x=t$로 놓으면

$t^2+8=6t,\ t^2-6t+8=0,\ (t-2)(t-4)=0$

$\therefore t=2$ 또는 $t=4$

따라서 $\log_3 x=2$ 또는 $\log_3 x=4$이므로

$x=3^2$ 또는 $x=3^4$

$\therefore x=9$ 또는 $x=81$

이것은 진수 조건 $x>0$을 만족하므로, 구하는 해는

$x=9$ 또는 $x=81$

13 로그의 진수는 양수이므로 $x>0$

주어진 방정식 $(\log_2 x)^2-4\log_2 x=12$에서 $\log_2 x=t$로 놓으면

$t^2-4t=12,\ t^2-4t-12=0,\ (t+2)(t-6)=0$

$\therefore t=-2$ 또는 $t=6$

따라서 $\log_2 x=-2$ 또는 $\log_2 x=6$이므로

$x=2^{-2}$ 또는 $x=2^6$

$\therefore x=\dfrac{1}{4}$ 또는 $x=64$

이것은 진수 조건 $x>0$을 만족하므로, 구하는 해는

$x=\dfrac{1}{4}$ 또는 $x=64$

15 로그의 진수는 양수이므로 $x>0$

주어진 방정식의 양변에 2를 밑으로 하는 로그를 취하면

$\log_2 x^{\log_2 x}=\log_2 8x^2$

$(\log_2 x)^2=2\log_2 x+3$

$\log_2 x=t$로 놓으면

$t^2-2t-3=0$

$(t+1)(t-3)=0$

$\therefore t=-1$ 또는 $t=3$

따라서 $\log_2 x=-1$ 또는 $\log_2 x=3$이므로

$x=2^{-1}$ 또는 $x=2^3$

$\therefore x=\dfrac{1}{2}$ 또는 $x=8$

이것은 진수 조건 $x>0$을 만족하므로, 구하는 해는

$x=\dfrac{1}{2}$ 또는 $x=8$

17 $(\log_2 x)^2-5\log_2 x+2=0$에서 $\log_2 x=t$로 놓으면

$t^2-5t+2=0$ ...... ㉠

이때, 주어진 방정식의 두 근이 $\alpha,\ \beta$이므로 ㉠의 두 근은 $\log_2\alpha,\ \log_2\beta$이다.

따라서 근과 계수의 관계에 의해

$\log_2\alpha+\log_2\beta=5,\ \log_2\alpha\beta=5$

$\therefore \alpha\beta=2^5=32$

18 $\log x-6\log_x 10+a=0$에서

$\log_x 10=\dfrac{1}{\log x}$이므로

$\log x=t$로 놓으면

$t-\dfrac{6}{t}+a=0$

$t^2+at-6=0$ ...... ㉠

이때, 주어진 방정식의 두 근을 $\alpha,\ \beta$라 하면 ㉠의 두 근은 $\log\alpha,\ \log\beta$이다.

따라서 근과 계수의 관계에 의해

$\log\alpha+\log\beta=-a$

$\therefore \log\alpha\beta=-a$

주어진 조건에서 두 근의 곱이 10, 즉 $\alpha\beta=10$이므로

$\log 10=-a\ \therefore a=-1$

19 $\log_x 3=\dfrac{1}{\log_3 x}$이므로 방정식 $\log_3 x=3\log_x 3+2$에서

$\log_3 x=t$로 놓으면

$t=\dfrac{3}{t}+2$

양변에 t를 곱하면

$t^2=3+2t,\ t^2-2t-3=0,\ (t-3)(t+1)=0$

$\therefore t=-1$ 또는 $t=3$

따라서 $\log_3 x=-1$ 또는 $\log_3 x=3$이므로

$x=\dfrac{1}{3}$ 또는 $x=27$

$\alpha>\beta$이므로 $\alpha=27,\ \beta=\dfrac{1}{3}$

$\therefore \dfrac{\alpha}{\beta}=81$

20 x에 대한 이차방정식이므로 판별식을 이용하여 구한다.

$D=(-\log_2 a)^2-4(\log_2 a+3)$

$\ \ =(\log_2 a)^2-4\log_2 a-12$

$\ \ =(\log_2 a-6)(\log_2 a+2)<0$

$-2<\log_2 a<6,$

$\log_2 2^{-2}<\log_2 a<\log_2 2^6,$

$\dfrac{1}{4}<a<64$

$\therefore \alpha=\dfrac{1}{4},\ \beta=64$

따라서 구하는 값은 $\alpha\beta=\dfrac{1}{4}\times 64=16$

21 로그부등식 본문73쪽

02 진수는 양수이므로 $2x>0,\ x-2>0$

$\therefore x > 2$ $\qquad$ ...... ㉠

주어진 부등식에서 $0 < ($밑$) < 1$이므로

$2x \geq x - 2$

$\therefore x \geq -2$ $\qquad$ ...... ㉡

㉠, ㉡의 공통 범위를 구하면 $x > 2$

03 진수는 양수이므로 $x > 0$, $x + 8 > 0$

$\therefore x > 0$ $\qquad$ ...... ㉠

주어진 부등식에서

$\log_3 x(x+8) \leq \log_3 3^2$

이때, (밑) > 1이므로

$x(x+8) \leq 9$

$x^2 + 8x - 9 \leq 0$

$(x-1)(x+9) \leq 0$

$\therefore -9 \leq x \leq 1$ $\qquad$ ...... ㉡

㉠, ㉡의 공통 범위를 구하면 $0 < x \leq 1$

04 진수는 양수이므로 $x > 0$, $5 - x > 0$

$\therefore 0 < x < 5$ $\qquad$ ...... ㉠

주어진 부등식에서

$\log_6 x(5-x) < \log_6 6$

이때, (밑) > 1이므로

$x(5-x) < 6$

$5x - x^2 < 6$

$x^2 - 5x + 6 > 0$

$(x-2)(x-3) > 0$

$\therefore x < 2$ 또는 $x > 3$ $\qquad$ ...... ㉡

㉠, ㉡의 공통 범위를 구하면

$0 < x < 2$ 또는 $3 < x < 5$

06 진수는 양수이므로 $x - 4 > 0$, $x - 2 > 0$

$\therefore x > 4$ $\qquad$ ...... ㉠

주어진 부등식에서

$\log_3 (x-4) \geq \dfrac{1}{2} \log_3 (x-2)$

$2\log_3 (x-4) \geq \log_3 (x-2)$

$\log_3 (x-4)^2 \geq \log_3 (x-2)$

이때, (밑) > 1이므로

$(x-4)^2 \geq x - 2$, $x^2 - 9x + 18 \geq 0$, $(x-3)(x-6) \geq 0$

$\therefore x \leq 3$ 또는 $x \geq 6$ $\qquad$ ...... ㉡

㉠, ㉡의 공통 범위를 구하면 $x \geq 6$

07 진수는 양수이므로 $x - 2 > 0$, $x + 6 > 0$

$\therefore x > 2$ $\qquad$ ...... ㉠

주어진 부등식에서

$\log_2 (x-2) < \dfrac{1}{2} \log_2 (x+6) + 1$

$2\log_2 (x-2) < \log_2 (x+6) + \log_2 4$

$\log_2 (x-2)^2 < \log_2 4(x+6)$

이때, (밑) > 1이므로

$(x-2)^2 < 4(x+6)$, $x^2 - 8x - 20 < 0$, $(x+2)(x-10) < 0$

$\therefore -2 < x < 10$ $\qquad$ ...... ㉡

㉠, ㉡의 공통 범위를 구하면 $2 < x < 10$

09 진수는 양수이므로 $x > 0$ $\qquad$ ...... ㉠

주어진 부등식에서 $\log x = t$로 놓으면

$t^2 - 2 < t$, $t^2 - t - 2 < 0$, $(t+1)(t-2) < 0$

$\therefore -1 < t < 2$

따라서 $-1 < \log x < 2$이므로

$\log 10^{-1} < \log x < \log 10^2$

$\therefore \dfrac{1}{10} < x < 100$ $\qquad$ ...... ㉡

㉠, ㉡의 공통 범위를 구하면 $\dfrac{1}{10} < x < 100$

10 진수는 양수이므로 $2x > 0$ $\therefore x > 0$ $\qquad$ ...... ㉠

주어진 부등식에서 $(\log_2 2 + \log_2 x)^2 - 3\log_2 x < 7$

이때, $\log_2 x = t$로 치환하면

$(1+t)^2 - 3t < 7$, $t^2 - t - 6 < 0$, $(t-3)(t+2) < 0$

$\therefore -2 < t < 3$

$\log_2 x = t$이므로 $2^{-2} < x < 2^3$ $\therefore \dfrac{1}{4} < x < 8$ ...... ㉡

㉠, ㉡의 공통 범위는 $\dfrac{1}{4} < x < 8$이므로 $\alpha = \dfrac{1}{4}$, $\beta = 8$

$\therefore 4\alpha + \beta = 4 \cdot \dfrac{1}{4} + 8 = 9$

12 진수는 양수이므로 $x > 0$ $\qquad$ ...... ㉠

$x^{\log x} > x^2$의 양변에 상용로그를 취하면

$\log x^{\log x} > \log x^2$

$\log x \cdot \log x > 2\log x$

$(\log x)^2 - 2\log x > 0$

이때, $\log x = t$로 놓으면

$t^2 - 2t > 0$, $t(t-2) > 0$

$\therefore t < 0$ 또는 $t > 2$

따라서 $\log x < 0$ 또는 $\log x > 2$이므로

$x < 1$ 또는 $x > 100$ $\qquad$ ...... ㉡

㉠, ㉡의 공통 범위를 구하면

$0 < x < 1$ 또는 $x > 100$

13 진수는 양수이므로 $x > 0$ $\qquad$ ...... ㉠

주어진 부등식의 양변에 상용로그를 취하면

$\log 100x^{\log x} < \log x^3$

$\log 100 + \log x \cdot \log x < 3\log x$

$(\log x)^2 - 3\log x + 2 < 0$

이때, $\log x = t$로 놓으면

$t^2 - 3t + 2 < 0$, $(t-1)(t-2) < 0$

$\therefore 1 < t < 2$

따라서 $1 < \log x < 2$이므로

$10 < x < 100$ $\qquad$ ...... ㉡

㉠, ㉡의 공통 범위를 구하면

$10 < x < 100$

14 $(f \circ f)(x) = f(f(x)) = \log_3 (\log_3 x)$에서

진수는 양수이므로 $x > 0$, $\log_3 x > 0$

$\therefore x > 1$ $\qquad$ ...... ㉠

$(f \circ f)(x) \leq 1$이므로 $\log_3 (\log_3 x) \leq 1$

$\log_3 (\log_3 x) \leq \log_3 3$에서

$\log_3 x \leq 3$, $\log_3 x \leq \log_3 27$

$\therefore x \leq 27$ $\qquad$ ...... ㉡

㉠, ㉡의 공통 범위를 구하면 $1 < x \leq 27$

따라서 구하는 자연수 x의 개수는

$27 - 1 = 26$(개)

15 진수는 양수이므로 $x > 0$, $\log_2 x > 0$

$\therefore x > 1$ $\qquad$ ...... ㉠

$\log_4 (\log_2 x) \leq \log_4 4$에서 $\log_2 x \leq 4$

$\therefore x \leq 16$ ...... ㉡

㉠, ㉡의 공통 범위를 구하면 $1 < x \leq 16$이므로

$A = \{x \mid 1 < x \leq 16\}$

$x^2 - 5ax + 4a^2 = (x-a)(x-4a) < 0$

$\therefore a < x < 4a$

$B = \{x \mid a < x < 4a\}$

$A \cap B = B$이면 $B \subset A$이므로 $a \geq 1$이고 $4a \leq 16$

$\therefore 1 \leq a \leq 4$

따라서 자연수 a는 1, 2, 3, 4이므로 4개이다.

16 현재 닭의 수가 80마리인 농장에서 t개월 후의 닭의 개체수를 $P(t)$라 하면

$P(t) = 80 \cdot 2^{\frac{t}{3}}$

이고, 500마리 이상일 때를 부등식을 이용하여 구한다.

$80 \cdot 2^{\frac{t}{3}} \geq 500,\ 2^{\frac{t}{3}} \geq \dfrac{500}{80} = \dfrac{25}{4}$

로그의 성질을 이용하여

$\dfrac{t}{3} \geq \log_2\left(\dfrac{25}{4}\right) = 2\log_2 5 - 2,\ t \geq 6\log_2 5 - 6$

이때 $\log_2 5 = \dfrac{\log 5}{\log 2} = \dfrac{\log \dfrac{10}{2}}{\log 2} = \dfrac{\log 10 - \log 2}{\log 2}$

$= \dfrac{1 - 0.3}{0.3} = \dfrac{7}{3}$이므로

$t \geq 6 \times \dfrac{7}{3} - 6 = 14 - 6 = 8$

17 $N = 120$일 때 시간을 t_1이라 하면

$t_1 = 1 - a \log\left(1 - \dfrac{120}{200}\right) = 1 - a\log\dfrac{4}{10} = 1 - a(\log 4 - 1)$

$= 1 + a - 2a\log 2 = 1 + a - 2a \cdot 0.3 = 0.4a + 1$

$N = 40$일 때 시간을 t_2라 하면

$t_2 = 1 - a\log\left(1 - \dfrac{40}{200}\right) = 1 - a\log\dfrac{8}{10} = 1 - a(\log 8 - 1)$

$= 1 + a - 3a\log 2 = 1 + a - 3a \cdot 0.3 = 0.1a + 1$

$t_1 = t_2 \times 1.5$이므로

$0.4a + 1 = (0.1a + 1) \times 1.5$,

$0.4a + 1 = 0.15a + 1.5$,

$0.25a = 0.5$

$\therefore a = 2$

18 약물을 주입하기 시작한 지 30분 후 정맥에서의 약물 농도가 $2(\text{ng/mL})$이므로

$\log(10 - 2) = 1 - 30k$

$30k = 1 - \log 8 = \log\dfrac{5}{4}$

$\therefore k = \dfrac{1}{30}\log\dfrac{5}{4}$

약물을 주입하기 시작한 지 60분 후 정맥에서의 약물 농도가 $a(\text{ng/mL})$이므로

$\log(10 - a) = 1 - 60k = 1 - 2\log\dfrac{5}{4} = \log\dfrac{32}{5}$

$10 - a = \dfrac{32}{5}$

$\therefore a = 10 - \dfrac{32}{5} = \dfrac{18}{5} = 3.6$

19 초기 온도가 $20\,^\circ\text{C}$이므로 $f(x) = 20 + k\log(8x + 1)$

$f\left(\dfrac{9}{8}\right) = 180$이므로 $20 + k\log\left(8 \cdot \dfrac{9}{8} + 1\right) = 180$

$\therefore k = 160$

이때, 구하는 최소 시간을 t라 하면 $f(t) \geq 340$이어야 하므로

$20 + 160\log(8t + 1) \geq 340,\ 160\log(8t + 1) \geq 320$

$\log(8t + 1) \geq 2,\ 8t + 1 \geq 100\quad \therefore t \geq \dfrac{99}{8}$

따라서 건물의 온도가 $340\,^\circ\text{C}$ 이상이 되는 데 걸리는 최소 시간은 $\dfrac{99}{8}$ 분이다.

Ⅱ. 삼각함수

01 일반각과 호도법 본문 **84**쪽

01
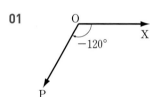

02
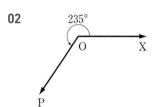

03
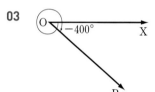

04
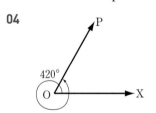

06 $640^\circ = 360^\circ \times 1 + 280^\circ$이므로 640°는 제4사분면의 각이다.

07 $-150^\circ = 360^\circ \times (-1) + 210^\circ$이므로 -150°는 제3사분면의 각이다.

08 $-700^\circ = 360^\circ \times (-2) + 20^\circ$이므로 -700°는 제1사분면의 각이다.

16 $7\pi = 2 \cdot 3\pi + \pi$이므로 $2n\pi + \pi$

17 $\dfrac{14}{3}\pi = 2 \cdot 2\pi + \dfrac{2}{3}\pi$이므로 $2n\pi + \dfrac{2}{3}\pi$

18 $-15\pi = 2 \cdot (-8)\pi + \pi$이므로 $2n\pi + \pi$

19 $-\dfrac{7}{10}\pi = 2 \cdot (-1)\pi + \dfrac{13}{10}\pi$이므로 $2n\pi + \dfrac{13}{10}\pi$

22 θ가 제1사분면의 각이므로 일반각으로 나타내면

$2n\pi < \theta < 2n\pi + \dfrac{\pi}{2}$ (단, n은 정수)

$\therefore \dfrac{2}{3}n\pi < \dfrac{\theta}{3} < \dfrac{2}{3}n\pi + \dfrac{\pi}{6}$

위의 식에 $n=0,\ 1,\ 2,\ 3,\ \cdots$을 차례로 대입하여 $\dfrac{\theta}{3}$를 나타내는 동경의 위치를 찾으면

(ⅰ) $n=0$일 때,

$0 < \dfrac{\theta}{3} < \dfrac{\pi}{6} \Rightarrow \dfrac{\theta}{3}$는 제1사분면의 각

(ⅱ) $n=1$일 때,

$\dfrac{2}{3}\pi < \dfrac{\theta}{3} < \dfrac{5}{6}\pi \Rightarrow \dfrac{\theta}{3}$는 제2사분면의 각

(ⅲ) $n=2$일 때,

$\dfrac{4}{3}\pi < \dfrac{\theta}{3} < \dfrac{3}{2}\pi \Rightarrow \dfrac{\theta}{3}$는 제3사분면의 각

$n=3,\ 4,\ 5,\ \cdots$에 대해서도 동경의 위치가 제1사분면, 제2사분면, 제3사분면으로 반복된다. 따라서 $\dfrac{\theta}{3}$를 나타내는 동경이 존재할 수 있는 사분면은 제1사분면, 제2사분면, 제3사분면이다.

24 각 θ를 나타내는 동경과 각 7θ를 나타내는 동경이 일직선 위에 있고 방향이 서로 반대이므로

$7\theta - \theta = (2n+1)\pi$ (n은 정수)

$6\theta = (2n+1)\pi$

$\therefore \theta = \dfrac{2n+1}{6}\pi$ ...... ㉠

이때, 각 θ의 범위가 $\dfrac{\pi}{2} < \theta < \pi$이므로

$\dfrac{\pi}{2} < \dfrac{2n+1}{6}\pi < \pi,\ 3 < 2n+1 < 6,\ 1 < n < \dfrac{5}{2}$

n은 정수이므로 $n=2$

이 값을 ㉠에 대입하면 $\theta = \dfrac{5}{6}\pi$

25 각 θ를 나타내는 동경과 각 5θ를 나타내는 동경이 x축에 대하여 서로 대칭이므로, 두 각의 합이 x축 양의 방향의 동경과 같다. 즉,

$\theta + 5\theta = 2n\pi$ (n은 정수)

$6\theta = 2n\pi$

$\therefore \theta = \dfrac{n}{3}\pi$ ...... ㉠

이때, 각 θ의 범위가 $\dfrac{\pi}{2} < \theta < \pi$이므로

$\dfrac{\pi}{2} < \dfrac{n}{3}\pi < \pi,\ \dfrac{3}{2} < n < 3$

n은 정수이므로 $n=2$

이 값을 ㉠에 대입하면 $\theta = \dfrac{2}{3}\pi$

26 각 θ를 나타내는 동경과 각 4θ를 나타내는 동경이 y축에 대하여 서로 대칭이므로, 두 각의 합이 x축 음의 방향의 동경과 같다. 즉,

$\theta + 4\theta = (2n+1)\pi$ (n은 정수)

$\therefore \theta = \dfrac{2n+1}{5}\pi$ ...... ㉠

이때, 각 θ의 범위가 $0 < \theta < \dfrac{\pi}{2}$이므로

$0 < \dfrac{2n+1}{5}\pi < \dfrac{\pi}{2},\ -\dfrac{1}{2} < n < \dfrac{3}{4}$

n은 정수이므로 $n=0$

이 값을 ㉠에 대입하면 $\theta = \dfrac{\pi}{5}$

28 $S = \dfrac{1}{2}r^2\theta$이므로

$\theta = 4,\ S = 32$에서 $r = 4$

따라서 호의 길이는

$l = r\theta = 4 \cdot 4 = 16$

29 반지름이 r이고, 호의 길이가 l인 부채꼴의 둘레의 길이는 $l + 2r$이므로 $l + 2r = 32$

$\therefore l = 32 - 2r = 32 - 2\cdot 4 = 24$

따라서 부채꼴의 넓이는

$S = \dfrac{1}{2}rl = \dfrac{1}{2}\cdot 4 \cdot 24 = 48$

30 부채꼴의 둘레의 길이는

$2r + l = 20$ $\therefore l = 20 - 2r$

부채꼴의 넓이는

$S = \dfrac{1}{2}rl = \dfrac{1}{2}r(20 - 2r)$

$\quad = -r^2 + 10r = -(r-5)^2 + 25$

따라서 $r = 5$일 때 부채꼴의 넓이가 최대이고, 최댓값 $S = 25$를 갖는다.

$\therefore S + 2r = 25 + 2\cdot 5 = 35$

31 반지름이 r, 중심각이 θ인 부채꼴의 넓이는 $\dfrac{1}{2}r^2\theta$이다.

주어진 문제에서 와이퍼로 유리창을 닦는 고무판의 길이가 $40\ \text{cm}$이므로 구하는 값은 반지름이 $50\ \text{cm}$인 부채꼴의 넓이에서 반지름이 $(50-40)\text{cm}$인 부채꼴의 넓이를 빼준다. 즉,

$S = \dfrac{1}{2}\cdot 50^2 \cdot \dfrac{4}{5}\pi - \dfrac{1}{2}\cdot 10^2 \cdot \dfrac{4}{5}\pi$

$\quad = \dfrac{1}{2}\cdot(50^2 - 10^2)\cdot \dfrac{4}{5}\pi$

$\quad = \dfrac{1}{2}\cdot 2400 \cdot \dfrac{4}{5}\pi = 960\pi\ (\text{cm}^2)$

02 삼각함수 본문 89쪽

02 그림과 같이 $\theta = \dfrac{4}{3}\pi$를 나타내는 동경 위에 x좌표가 -1인 점 P를 잡으면

P$(-1,\ -\sqrt{3})$

$r = \sqrt{(-1)^2 + (-\sqrt{3})^2}$

$\quad = 2$이므로

$\sin\dfrac{4}{3}\pi = \dfrac{y}{r} = -\dfrac{\sqrt{3}}{2}$,

$\cos\dfrac{4}{3}\pi = \dfrac{x}{r} = -\dfrac{1}{2},\ \tan\dfrac{4}{3}\pi = \dfrac{y}{x} = \sqrt{3}$

03 그림과 같이 $\theta = -\dfrac{\pi}{6}$를 나타내는 동경 위에 x좌표가 $\sqrt{3}$인 점 P를 잡으면

P$(\sqrt{3},\ -1)$

$r = \sqrt{(\sqrt{3})^2 + (-1)^2} = 2$

이므로

$\sin\left(-\dfrac{\pi}{6}\right) = -\dfrac{1}{2}$,

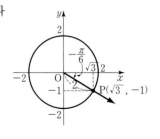

$$\cos\left(-\frac{\pi}{6}\right)=\frac{\sqrt{3}}{2},\ \tan\left(-\frac{\pi}{6}\right)=-\frac{\sqrt{3}}{3}$$

04 $\mathrm{P}(-4,\ 3)$은 제2사분면의 점
이고
$$r=\sqrt{(-4)^2+3^2}=5$$
이므로
$$\sin\theta=\frac{3}{5},$$
$$\cos\theta=-\frac{4}{5},\ \tan\theta=-\frac{3}{4}$$

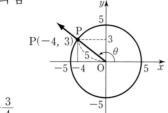

05 $\mathrm{P}(-\sqrt{5},\ -2)$는 제3사분면의 점이고
$$r=\sqrt{(-\sqrt{5})^2+(-2)^2}=3$$
이므로
$$\sin\theta=-\frac{2}{3},$$
$$\cos\theta=-\frac{\sqrt{5}}{3},$$
$$\tan\theta=\frac{2}{\sqrt{5}}=\frac{2\sqrt{5}}{5}$$

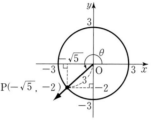

06 $\mathrm{P}(-5,\ 12)$는 제2사분면의 점
이고
$$r=\sqrt{(-5)^2+12^2}=13$$
이므로
$$\sin\theta=\frac{12}{13},$$
$$\cos\theta=-\frac{5}{13},$$
$$\tan\theta=-\frac{12}{5}$$

07 $\mathrm{P}(3,\ -4)$는 제4사분면의 점이고
$$r=\overline{\mathrm{OP}}=\sqrt{3^2+(-4)^2}=5$$
이므로
$$\sin\theta=\frac{y}{r}=-\frac{4}{5},\ \cos\theta=\frac{x}{r}=\frac{3}{5}$$
$$\therefore\cos\theta-\sin\theta=\frac{3}{5}-\left(-\frac{4}{5}\right)=\frac{7}{5}$$

09 $\pi<\frac{4}{3}\pi<\frac{3}{2}\pi$이므로 $\frac{4}{3}\pi$는 제3사분면의 각이다.
$$\therefore\cos\frac{4}{3}\pi<0$$

10 $-\pi<-\frac{5}{7}\pi<-\frac{\pi}{2}$이므로 $-\frac{5}{7}\pi$는 제3사분면의 각이다.
$$\therefore\tan\left(-\frac{5}{7}\pi\right)>0$$

11 $\pi<\frac{5}{4}\pi<\frac{3}{2}\pi$이므로 $\frac{5}{4}\pi$는 제3사분면의 각이다.
$$\therefore\cos\frac{5}{4}\pi<0$$

13 $\sin\theta\cos\theta>0$에서
$\sin\theta>0,\ \cos\theta>0$ 또는 $\sin\theta<0,\ \cos\theta<0$이므로
θ는 제1사분면 또는 제3사분면의 각이다.
그런데 $\sin\theta+\cos\theta<0$이므로
$$\sin\theta<0,\ \cos\theta<0$$
따라서 θ는 제3사분면의 각이다.

15 $\pi<\theta<\frac{3}{2}\pi$에서 θ는 제3사분면의 각이므로
$$\sin\theta<0,\ \tan\theta>0$$
따라서 $\sin\theta-\tan\theta<0$이다.
$$|\sin\theta|+\sqrt{(\sin\theta-\tan\theta)^2}$$
$$=|\sin\theta|+|\sin\theta-\tan\theta|$$
$$=-\sin\theta-\sin\theta+\tan\theta$$
$$=-2\sin\theta+\tan\theta$$

03 삼각함수 사이의 관계 본문 92쪽

02 $\sin^2\theta+\cos^2\theta=1$이므로
$$\sin^2\theta=1-\cos^2\theta=1-\left(-\frac{1}{2}\right)^2=\frac{3}{4}$$
이때, 각 θ가 제2사분면의 각이므로 $\sin\theta>0$
$$\sin\theta=\frac{\sqrt{3}}{2}$$
$$\tan\theta=\frac{\sin\theta}{\cos\theta}=\frac{\frac{\sqrt{3}}{2}}{-\frac{1}{2}}=-\sqrt{3}$$

03 $\sin^2\theta+\cos^2\theta=1$이므로
$$\sin^2\theta=1-\cos^2\theta=1-\left(-\frac{5}{8}\right)^2=\frac{39}{64}$$
이때, 각 θ가 제2사분면의 각이므로 $\sin\theta>0$
$$\sin\theta=\frac{\sqrt{39}}{8}$$
$$\tan\theta=\frac{\sin\theta}{\cos\theta}=\frac{\frac{\sqrt{39}}{8}}{-\frac{5}{8}}=-\frac{\sqrt{39}}{5}$$

04 $\sin^2\theta+\cos^2\theta=1$이므로
$$\sin^2\theta=1-\cos^2\theta=1-\left(\frac{5}{13}\right)^2=\frac{144}{169}$$
이때, 각 θ가 제4사분면의 각이므로 $\sin\theta<0$
$$\sin\theta=-\frac{12}{13}$$
$$\tan\theta=\frac{\sin\theta}{\cos\theta}=\frac{-\frac{12}{13}}{\frac{5}{13}}=-\frac{12}{5}$$

05 $\sin\theta+\cos\theta=\frac{1}{2}$의 양변을 제곱하면
$$\sin^2\theta+2\sin\theta\cos\theta+\cos^2\theta=\frac{1}{4}$$
$\sin^2\theta+\cos^2\theta=1$이므로
$$1+2\sin\theta\cos\theta=\frac{1}{4}$$
$$\sin\theta\cos\theta=-\frac{3}{8}$$

06 $\dfrac{\cos\theta}{\sin\theta}+\dfrac{\sin\theta}{\cos\theta}=\dfrac{\cos^2\theta+\sin^2\theta}{\sin\theta\cos\theta}=\dfrac{1}{\sin\theta\cos\theta}$
$$=\frac{1}{-\frac{3}{8}}=-\frac{8}{3}$$

07 $\sin^3\theta+\cos^3\theta$

$$= (\sin\theta + \cos\theta)^3 - 3\sin\theta\cos\theta(\sin\theta + \cos\theta)$$
$$= \left(\frac{1}{2}\right)^3 - 3\cdot\left(-\frac{3}{8}\right)\cdot\frac{1}{2} = \frac{11}{16}$$

09 $\sin^2\theta + \cos^2\theta = 1$이므로

$$(\sin\theta + \cos\theta)^2 = \sin^2\theta + 2\sin\theta\cos\theta + \cos^2\theta$$
$$= 1 + 2\cdot\frac{1}{6} = \frac{4}{3}$$

이때, 각 θ가 제3사분면의 각이므로
$\sin\theta < 0,\ \cos\theta < 0$이고 $\sin\theta + \cos\theta < 0$

$$\therefore \sin\theta + \cos\theta = -\frac{2\sqrt{3}}{3}$$

10 $\sin^2\theta + \cos^2\theta = 1$이므로

$$(\cos\theta - \sin\theta)^2 = \cos^2\theta - 2\sin\theta\cos\theta + \sin^2\theta$$
$$= 1 - 2\cdot\left(-\frac{1}{4}\right) = \frac{3}{2}$$

이때, 각 θ가 제2사분면의 각이므로
$\cos\theta < 0,\ \sin\theta > 0$이고 $\cos\theta - \sin\theta < 0$

$$\therefore \cos\theta - \sin\theta = -\frac{\sqrt{6}}{2}$$

11 $\sin\theta + \cos\theta = \frac{4}{3}$의 양변을 제곱하면

$$(\sin\theta + \cos\theta)^2 = \left(\frac{4}{3}\right)^2$$
$$\sin^2\theta + 2\sin\theta\cos\theta + \cos^2\theta = \frac{16}{9}$$
$$1 + 2\sin\theta\cos\theta = \frac{16}{9}$$
$$\therefore \sin\theta\cos\theta = \frac{7}{18}$$

따라서 주어진 식을 정리하여 풀면
$$\tan\theta + \frac{1}{\tan\theta} = \frac{\sin\theta}{\cos\theta} + \frac{\cos\theta}{\sin\theta} = \frac{\sin^2\theta + \cos^2\theta}{\sin\theta\cos\theta}$$
$$= \frac{1}{\sin\theta\cos\theta} = \frac{18}{7}$$

12 $\dfrac{1}{1+\tan\theta} + \dfrac{1}{1-\tan\theta} = \dfrac{(1-\tan\theta) + (1+\tan\theta)}{(1+\tan\theta)(1-\tan\theta)}$
$$= \frac{2}{1-\tan^2\theta}$$

이때, $1 + \tan^2\theta = \dfrac{1}{\cos^2\theta}$에서

$$\tan^2\theta = \frac{1}{\cos^2\theta} - 1 = \left(\frac{1}{\cos\theta}\right)^2 - 1 = \left(\frac{5}{3}\right)^2 - 1 = \frac{16}{9}$$

이므로 위 식에 대입하면
$$\frac{2}{1-\tan^2\theta} = \frac{2}{1-\frac{16}{9}} = \frac{2}{-\frac{7}{9}} = -\frac{18}{7}$$

13 이차방정식의 근과 계수의 관계에서

$$\sin\theta + \cos\theta = -\frac{3}{4} \quad \cdots\cdots \text{㉠}$$
$$\sin\theta\cos\theta = \frac{k}{4} \quad \cdots\cdots \text{㉡}$$

㉠의 양변을 제곱하면
$$\sin^2\theta + 2\sin\theta\cos\theta + \cos^2\theta = \frac{9}{16}$$
$$1 + 2\sin\theta\cos\theta = \frac{9}{16}$$
$$\therefore \sin\theta\cos\theta = -\frac{7}{32} \quad \cdots\cdots \text{㉢}$$

㉡, ㉢에서 $\dfrac{k}{4} = -\dfrac{7}{32}$ $\quad\therefore k = -\dfrac{7}{8}$

14 이차방정식의 근과 계수의 관계에서
$$(\sin\theta + \cos\theta) + (\sin\theta - \cos\theta) = 2 \quad \cdots\cdots \text{㉠}$$
$$(\sin\theta + \cos\theta)(\sin\theta - \cos\theta) = k \quad \cdots\cdots \text{㉡}$$
㉠에서 $2\sin\theta = 2$ $\quad\therefore \sin\theta = 1 \quad \cdots\cdots \text{㉢}$
㉡에서 $\sin^2\theta - \cos^2\theta = k$, $\sin^2\theta - (1-\sin^2\theta) = k$
$$\therefore 2\sin^2\theta - 1 = k \quad \cdots\cdots \text{㉣}$$
㉢, ㉣에서
$2\cdot 1^2 - 1 = k$ $\quad\therefore k = 1$

04 삼각함수의 그래프 본문 95쪽

01 $\sin\left(-\dfrac{\pi}{3}\right) = -\sin\dfrac{\pi}{3} = -\dfrac{\sqrt{3}}{2}$

02 $\sin\dfrac{7}{3}\pi = \sin\left(2\pi + \dfrac{\pi}{3}\right) = \sin\dfrac{\pi}{3} = \dfrac{\sqrt{3}}{2}$

03 $\sin\dfrac{13}{6}\pi = \sin\left(2\pi + \dfrac{\pi}{6}\right) = \sin\dfrac{\pi}{6} = \dfrac{1}{2}$

05 $f(x) = 2\sin 3x$라 하면
$$f(x) = 2\sin 3x = 2\sin(3x + 2\pi)$$
$$= 2\sin 3\left(x + \frac{2}{3}\pi\right) = f\left(x + \frac{2}{3}\pi\right)$$

즉 $f(x) = f\left(x + \dfrac{2}{3}\pi\right)$이므로 주기는 $\dfrac{2}{3}\pi$이다.

이때, $-1 \le \sin 3x \le 1$에서 $-2 \le 2\sin 3x \le 2$이므로
치역은 $\{y \mid -2 \le y \le 2\}$이다.
따라서 $y = 2\sin 3x$의 그래프는 다음과 같다.

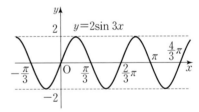

06 $f(x) = 3\sin\dfrac{1}{2}x$라 하면
$$f(x) = 3\sin\frac{1}{2}x = 3\sin\left(\frac{1}{2}x + 2\pi\right)$$
$$= 3\sin\frac{1}{2}(x + 4\pi) = f(x + 4\pi)$$

즉 $f(x) = f(x + 4\pi)$이므로 주기는 4π이다.

이때, $-1 \le \sin\dfrac{1}{2}x \le 1$에서 $-3 \le 3\sin\dfrac{1}{2}x \le 3$이므로
치역은 $\{y \mid -3 \le y \le 3\}$이다.
따라서 $y = 3\sin\dfrac{1}{2}x$의 그래프는 다음과 같다.

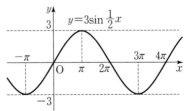

07 $f(x) = 2\sin\left(x - \dfrac{\pi}{4}\right)$라 하면

$f(x)=2\sin\left(x-\dfrac{\pi}{4}\right)=2\sin\left(x-\dfrac{\pi}{4}+2\pi\right)=f(x+2\pi)$

이므로 주기는 2π이다.

이때, $-1\le\sin\left(x-\dfrac{\pi}{4}\right)\le1$에서

$-2\le2\sin\left(x-\dfrac{\pi}{4}\right)\le2$이므로

치역은 $\{y\,|-2\le y\le2\}$이다.

따라서 $y=2\sin\left(x-\dfrac{\pi}{4}\right)$의 그래프는 다음과 같다.

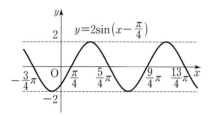

08 $f(x)=1+3\sin2x$라 하면

$\quad f(x)=1+3\sin2x=1+3\sin\left(2x+2\pi\right)$

$\quad\quad\quad=1+3\sin2(x+\pi)=f(x+\pi)$

이므로 주기는 π이다.

이때, $-1\le\sin2x\le1$에서 $-3\le3\sin2x\le3$,

$-2\le1+3\sin2x\le4$이므로 치역은 $\{y\,|-2\le y\le4\}$이다.

따라서 $y=1+3\sin2x$의 그래프는 다음과 같다.

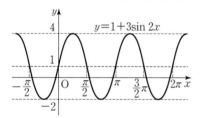

09 $\cos\left(-\dfrac{\pi}{3}\right)=\cos\dfrac{\pi}{3}=\dfrac{1}{2}$

10 $\cos\dfrac{17}{4}\pi=\cos\left(4\pi+\dfrac{\pi}{4}\right)=\cos\dfrac{\pi}{4}=\dfrac{\sqrt{2}}{2}$

11 $\cos\left(-\dfrac{13}{6}\pi\right)=\cos\dfrac{13}{6}\pi=\cos\left(2\pi+\dfrac{\pi}{6}\right)$

$\quad\quad\quad\quad\quad\quad\quad=\cos\dfrac{\pi}{6}=\dfrac{\sqrt{3}}{2}$

12 $f(x)=2\cos x$라 하면

$\quad f(x)=2\cos x=2\cos\left(x+2\pi\right)=f(x+2\pi)$

즉 $f(x)=f(x+2\pi)$이므로 주기는 2π이다.

이때, $-1\le\cos x\le1$에서 $-2\le2\cos x\le2$이므로

치역은 $\{y\,|-2\le y\le2\}$이다.

따라서 $y=2\cos x$의 그래프는 다음과 같다.

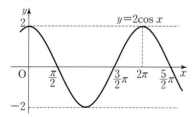

13 $f(x)=\cos2x$라 하면

$\quad f(x)=\cos2x=\cos(2x+2\pi)$

$\quad\quad\quad=\cos2(x+\pi)=f(x+\pi)$

즉 $f(x)=f(x+\pi)$이므로 주기는 π이다.

$-1\le\cos2x\le1$이므로 치역은 $\{y\,|-1\le y\le1\}$이다.

따라서 $y=\cos2x$의 그래프는 다음과 같다.

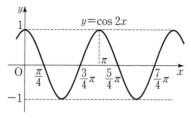

14 $f(x)=\cos3x$라 하면

$\quad f(x)=\cos3x=\cos(3x+2\pi)$

$\quad\quad\quad=\cos3\left(x+\dfrac{2}{3}\pi\right)=f\left(x+\dfrac{2}{3}\pi\right)$

즉 $f(x)=f\left(x+\dfrac{2}{3}\pi\right)$이므로 주기는 $\dfrac{2}{3}\pi$이다.

$-1\le\cos3x\le1$이므로 치역은 $\{y\,|-1\le y\le1\}$이다.

따라서 $y=\cos3x$의 그래프는 다음과 같다.

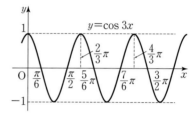

15 $f(x)=2\cos6x$라 하면

$\quad f(x)=2\cos(6x+2\pi)$

$\quad\quad\quad=2\cos6\left(x+\dfrac{\pi}{3}\right)=f\left(x+\dfrac{\pi}{3}\right)$

즉 $f(x)=f\left(x+\dfrac{\pi}{3}\right)$이므로 주기는 $\dfrac{\pi}{3}$이다.

$-1\le\cos6x\le1$ $\quad\therefore -2\le2\cos6x\le2$

따라서 최댓값은 2, 최솟값은 -2이다.

16 $f(x)=3\cos\dfrac{1}{2}x$라 하면

$\quad f(x)=3\cos\dfrac{1}{2}x=3\cos\left(\dfrac{1}{2}x+2\pi\right)$

$\quad\quad\quad=3\cos\dfrac{1}{2}(x+4\pi)=f(x+4\pi)$

즉 $f(x)=f(x+4\pi)$이므로 주기는 4π이다.

$-1\le\cos\dfrac{1}{2}x\le1$ $\quad\therefore -3\le3\cos\dfrac{1}{2}x\le3$

따라서 최댓값은 3, 최솟값은 -3이다.

17 $f(x)=4-\cos3x$라 하면

$\quad f(x)=4-\cos3x=4-\cos(3x+2\pi)$

$\quad\quad\quad=4-\cos3\left(x+\dfrac{2}{3}\pi\right)=f\left(x+\dfrac{2}{3}\pi\right)$

즉 $f(x)=f\left(x+\dfrac{2}{3}\pi\right)$이므로 주기는 $\dfrac{2}{3}\pi$이다.

$-1\le\cos3x\le1$, $-1\le-\cos3x\le1$

$\therefore 3\le4-\cos3x\le5$

따라서 최댓값은 5, 최솟값은 3이다.

18 $\tan\left(-\dfrac{\pi}{3}\right)=-\tan\dfrac{\pi}{3}=-\sqrt{3}$

19 $\tan\dfrac{5}{4}\pi=\tan\left(\pi+\dfrac{\pi}{4}\right)=\tan\dfrac{\pi}{4}=1$

20 $\tan\left(-\dfrac{13}{6}\pi\right)=-\tan\dfrac{13}{6}\pi=-\tan\left(2\pi+\dfrac{\pi}{6}\right)$

$\qquad\qquad=-\tan\dfrac{\pi}{6}=-\dfrac{\sqrt{3}}{3}$

23 $f(x)=\tan 4x$라 하면

$\qquad f(x)=\tan 4x=\tan(4x+\pi)$

$\qquad\qquad=\tan 4\left(x+\dfrac{\pi}{4}\right)=f\left(x+\dfrac{\pi}{4}\right)$

$\qquad f(x)=f\left(x+\dfrac{\pi}{4}\right)$이므로 주기는 $\dfrac{\pi}{4}$이다.

따라서 $y=\tan 4x$의 그래프는 $\dfrac{\pi}{4}$간격으로 그 모양이 반복된다. 즉 $y=\tan 4x$의 그래프는 $y=\tan x$의 그래프를 x축 방향으로 $\dfrac{1}{4}$배한 것이므로, 점근선은

$\qquad x=\dfrac{1}{4}\left(n\pi+\dfrac{\pi}{2}\right)=\dfrac{n}{4}\pi+\dfrac{\pi}{8}$ (n은 정수)

24 $f(x)=\tan\dfrac{1}{3}x$라 하면

$\qquad f(x)=\tan\dfrac{1}{3}x=\tan\left(\dfrac{1}{3}x+\pi\right)$

$\qquad\qquad=\tan\dfrac{1}{3}(x+3\pi)=f(x+3\pi)$

$\qquad f(x)=f(x+3\pi)$이므로 주기는 3π이다.

따라서 $y=\tan\dfrac{1}{3}x$의 그래프는 3π간격으로 그 모양이 반복된다. 즉 $y=\tan\dfrac{1}{3}x$의 그래프는 $y=\tan x$의 그래프를 x축 방향으로 3배한 것이므로, 점근선은

$\qquad x=3\left(n\pi+\dfrac{\pi}{2}\right)=3n\pi+\dfrac{3}{2}\pi$ (n은 정수)

25 $y=\tan\left(x-\dfrac{\pi}{4}\right)$의 그래프는 $y=\tan x$의 그래프를 x축 방향으로 $\dfrac{\pi}{4}$만큼 평행이동한 것이다.

따라서 주기는 π이고, 점근선은

$\qquad x=\left(n\pi+\dfrac{\pi}{2}\right)+\dfrac{\pi}{4}=n\pi+\dfrac{3}{4}\pi$ (n은 정수)

26 $y=\tan\left(x-\dfrac{\pi}{2}\right)+4$의 그래프는 $y=\tan x$의 그래프를 x축 방향으로 $\dfrac{\pi}{2}$만큼, y축 방향으로 4만큼 평행이동한 그래프이다.

따라서 주기는 π이고, 점근선은

$\qquad x=\left(n\pi+\dfrac{\pi}{2}\right)+\dfrac{\pi}{2}=n\pi+\pi=(n+1)\pi$

$\qquad\quad=n'\pi$ (n, n'은 정수)

27 $y=\tan(2x-2\pi)$의 그래프는 $y=\tan 2(x-\pi)$이므로 $y=\tan(2x-2\pi)$의 그래프는 $y=\tan 2x$의 그래프를 x축 방향으로 π만큼 평행이동한 것이다.

이때, $f(x)=\tan 2x$라 하면

$\qquad f(x)=\tan 2x=\tan(2x+\pi)$

$\qquad\qquad=\tan 2\left(x+\dfrac{\pi}{2}\right)=f\left(x+\dfrac{\pi}{2}\right)$

$f(x)=f\left(x+\dfrac{\pi}{2}\right)$이므로 $y=\tan 2x$의 주기는 $\dfrac{\pi}{2}$이다. 또, $y=\tan 2x$의 그래프는 $y=\tan x$의 그래프를 x축 방향으로 $\dfrac{1}{2}$배한 것이므로, 점근선은

$\qquad x=\dfrac{1}{2}\left(n\pi+\dfrac{\pi}{2}\right)=\dfrac{n}{2}\pi+\dfrac{\pi}{4}$ (n은 정수)

따라서 $y=\tan(2x-2\pi)$의 주기는 $\dfrac{\pi}{2}$이고 점근선은

$\qquad x=\left(\dfrac{n}{2}\pi+\dfrac{\pi}{4}\right)+\pi=\dfrac{n+2}{2}\pi+\dfrac{\pi}{4}$

$\qquad\quad=\dfrac{n'}{2}\pi+\dfrac{\pi}{4}$ (n, n'은 정수)

28 그림과 같이 표시한 부분의 넓이가 같다. 따라서 주어진 부분의 넓이는

$(2\pi-\pi)\times(k-(-k))$

이다. 따라서

$2\pi k=\dfrac{\pi}{2}$에서

$k=\dfrac{1}{4}$이다.

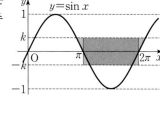

29 함수 $f(x)=a\cos x+2$의 그래프는 함수 $y=a\cos x$의 그래프를 y축 방향으로 2만큼 평행이동한 것이다.

조건 $a>0$에서 $a\cos x$가 최대일 때, $f(x)$도 최대이고, $a\cos x$가 최소일 때, $f(x)$도 최소이다. 즉,

$\cos x=1$일 때, 최댓값 $M=a+2$이고

$\cos x=-1$일 때, 최솟값 $m=-a+2$를 갖는다.

$M-m=(a+2)-(-a+2)=2a$에서

$M-m=4$이므로

$2a=4$ $\therefore a=2$

30 그림과 같이 표시한 부분의 넓이가 같다.

따라서 구하는 넓이의 값은

$\left(\dfrac{3}{2}\pi-\dfrac{\pi}{2}\right)\times k=k\pi$이고 이 값이 6π라 하였으므로 $k=6$이다.

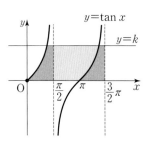

31 함수 $f(x)$는 주기가 2이므로

$\qquad f(x)=f(x+2)$

따라서

$\qquad f(2)=f(4)=f(6)=\cdots=4$

즉, $f(2k)=4$ ($k=1$, 2, 3, $\cdots$)의 꼴을 갖는다.

따라서 구하는 값은

$\qquad f(16)=4$

○5 삼각함수의 성질 본문 **101**쪽

02 $\cos\left(-\dfrac{11}{6}\pi\right)=\cos\left(-2\pi+\dfrac{\pi}{6}\right)=\cos\dfrac{\pi}{6}=\dfrac{\sqrt{3}}{2}$

03 $\tan\dfrac{17}{4}\pi=\tan\left(4\pi+\dfrac{\pi}{4}\right)=\tan\dfrac{\pi}{4}=1$

04 $\sin\left(-\dfrac{\pi}{4}\right)=-\sin\dfrac{\pi}{4}=-\dfrac{\sqrt{2}}{2}$

05 $\cos\left(-\dfrac{\pi}{6}\right)=\cos\dfrac{\pi}{6}=\dfrac{\sqrt{3}}{2}$

06 $\tan\left(-\dfrac{\pi}{3}\right)=-\tan\dfrac{\pi}{3}=-\sqrt{3}$

07 $\sin\dfrac{4}{3}\pi=\sin\left(\pi+\dfrac{\pi}{3}\right)=-\sin\dfrac{\pi}{3}=-\dfrac{\sqrt{3}}{2}$

08 $\cos225°=\cos(180°+45°)=-\cos45°=-\dfrac{\sqrt{2}}{2}$

09 $\cos\dfrac{5}{6}\pi=\cos\left(\pi-\dfrac{\pi}{6}\right)=-\cos\dfrac{\pi}{6}=-\dfrac{\sqrt{3}}{2}$

10 $\tan\dfrac{5}{4}\pi=\tan\left(\pi+\dfrac{\pi}{4}\right)=\tan\dfrac{\pi}{4}=1$

11 $\tan\left(-\dfrac{5}{4}\pi\right)=-\tan\dfrac{5}{4}\pi=-\tan\left(\pi+\dfrac{\pi}{4}\right)$
$\qquad\qquad =-\tan\dfrac{\pi}{4}=-1$

12 $\sin\dfrac{2}{3}\pi=\sin\left(\dfrac{\pi}{2}+\dfrac{\pi}{6}\right)=\cos\dfrac{\pi}{6}=\dfrac{\sqrt{3}}{2}$

13 $\cos\dfrac{2}{3}\pi=\cos\left(\dfrac{\pi}{2}+\dfrac{\pi}{6}\right)=-\sin\dfrac{\pi}{6}=-\dfrac{1}{2}$

14 $\cos\dfrac{3}{4}\pi=\cos\left(\dfrac{\pi}{2}+\dfrac{\pi}{4}\right)=-\sin\dfrac{\pi}{4}=-\dfrac{\sqrt{2}}{2}$

15 $\tan\dfrac{3}{4}\pi=\tan\left(\dfrac{\pi}{2}+\dfrac{\pi}{4}\right)=-\dfrac{1}{\tan\dfrac{\pi}{4}}=-1$

16 $\tan120°=\tan(90°+30°)=-\dfrac{1}{\tan30°}=-\sqrt{3}$

17 ㄱ. $\cos(-\theta)=\cos\theta$

ㄴ. $\cos\left(\dfrac{\pi}{2}+\theta\right)=-\sin\theta$

ㄷ. $\cos(\pi+\theta)=-\cos\theta$

ㄹ. $\cos\left(\dfrac{3}{2}\pi+\theta\right)=\sin\theta$

ㅁ. $\cos\left(\dfrac{\pi}{2}-\theta\right)=\sin\theta$

ㅂ. $\cos(\pi-\theta)=-\cos\theta$

18 ㄱ. $\sin(\pi+\theta)=-\sin\theta$, $\cos\left(\dfrac{\pi}{2}+\theta\right)=-\sin\theta$이므로
$\qquad\sin(\pi+\theta)=\cos\left(\dfrac{\pi}{2}+\theta\right)$ (참)

ㄴ. $\cos(\pi+\theta)=-\cos\theta$, $\sin\left(\dfrac{\pi}{2}+\theta\right)=\cos\theta$이므로
$\qquad\cos(\pi+\theta)\neq\sin\left(\dfrac{\pi}{2}+\theta\right)$ (거짓)

ㄷ. $\sin(\pi-\theta)=\sin\theta$, $\cos\left(\dfrac{\pi}{2}-\theta\right)=\sin\theta$이므로
$\qquad\sin(\pi-\theta)=\cos\left(\dfrac{\pi}{2}-\theta\right)$ (참)

19 $\cos(90°-\theta)=\sin\theta$이므로
$\cos^2\theta+\cos^2(90°-\theta)=\sin^2\theta+\cos^2\theta=\boxed{1}$
$\cos^2 1°+\cos^2 2°+\cos^2 3°+\cdots+\cos^2 89°$
$=(\cos^2 1°+\cos^2 89°)+(\cos^2 2°+\cos^2 88°)+\cdots+\cos^2 45°$
$=1\times44+\left(\dfrac{\sqrt{2}}{2}\right)^2=44+\dfrac{1}{2}=\boxed{\dfrac{89}{2}}$

20 $\sin\left(\dfrac{\pi}{2}+\theta\right)=\cos\theta$, $\cos(\pi+\theta)=-\cos\theta$,

$\tan\left(\dfrac{\pi}{2}-\theta\right)=\dfrac{1}{\tan\theta}$이므로

$\sin\left(\dfrac{\pi}{2}+\theta\right)+\cos(\pi+\theta)-\tan\theta\tan\left(\dfrac{\pi}{2}-\theta\right)$

$=\cos\theta+(-\cos\theta)-\tan\theta\,\dfrac{1}{\tan\theta}$

$=-1$

21 $\sin(180°+\theta)=-\sin\theta$이고 $180°=18\theta$이므로
$\sin(18\theta+\theta)=-\sin\theta$이다. 즉,
$\sin n\theta+\sin(18\theta+n\theta)=0$, 주어진 식에 적용하면,
$\sin\theta+\sin2\theta+\cdots+\sin36\theta$
$=(\sin\theta+\sin19\theta)+(\sin2\theta+\sin20\theta)+\cdots$
$\qquad\qquad\qquad\qquad\qquad +(\sin18\theta+\sin36\theta)$
$=0\times18=0$

06 삼각함수의 활용 본문104쪽

01 $y=\sin x$의 그래프와 직선 $y=\dfrac{\sqrt{3}}{2}$은 그림과 같다.

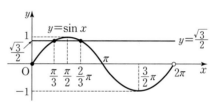

따라서 교점의 x좌표를 구하면
$x=\dfrac{\pi}{3}$ 또는 $x=\dfrac{2}{3}\pi$

02 $2\sin x=-\sqrt{3}$에서 $\sin x=-\dfrac{\sqrt{3}}{2}$이고, $y=\sin x$의 그래프와

직선 $y=-\dfrac{\sqrt{3}}{2}$은 그림과 같다.

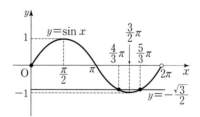

따라서 교점의 x좌표를 구하면
$x=\dfrac{4}{3}\pi$ 또는 $x=\dfrac{5}{3}\pi$

03 $y=\cos x$의 그래프와 직선 $y=-\dfrac{\sqrt{3}}{2}$은 그림과 같다.

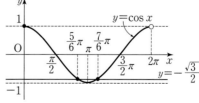

따라서 교점의 x좌표를 구하면

$x=\dfrac{5}{6}\pi$ 또는 $x=\dfrac{7}{6}\pi$

04 $\sqrt{2}\cos x=1$에서 $\cos x=\dfrac{1}{\sqrt{2}}$이고, $y=\cos x$의 그래프와

직선 $y=\dfrac{1}{\sqrt{2}}$은 그림과 같다.

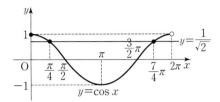

따라서 교점의 x좌표를 구하면

$x=\dfrac{\pi}{4}$ 또는 $x=\dfrac{7}{4}\pi$

05 $y=\tan x$의 그래프와 직선 $y=\sqrt{3}$은 그림과 같다.

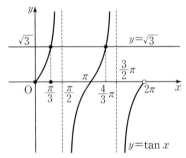

따라서 교점의 x좌표를 구하면

$x=\dfrac{\pi}{3}$ 또는 $x=\dfrac{4}{3}\pi$

06 $\sqrt{3}\tan x=1$에서 $\tan x=\dfrac{1}{\sqrt{3}}$이고, $y=\tan x$의 그래프와

직선 $y=\dfrac{1}{\sqrt{3}}$은 그림과 같다.

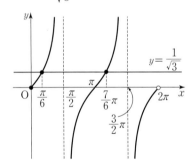

따라서 교점의 x좌표를 구하면

$x=\dfrac{\pi}{6}$ 또는 $x=\dfrac{7}{6}\pi$

07 $y=\sin x$의 그래프와 직선 $y=\dfrac{1}{2}$은 그림과 같다.

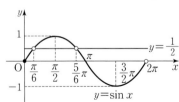

따라서 교점의 x좌표를 구하면

$x=\dfrac{\pi}{6}$ 또는 $x=\dfrac{5}{6}\pi$

따라서 $\sin x>\dfrac{1}{2}$의 해는 $y=\sin x$의 그래프가 직선 $y=\dfrac{1}{2}$

보다 윗부분에 있는 x의 값의 범위이므로

$\dfrac{\pi}{6}<x<\dfrac{5}{6}\pi$

08 $\sqrt{2}\sin x\geq1$에서 $\sin x\geq\dfrac{1}{\sqrt{2}}$이고, $y=\sin x$의 그래프와

직선 $y=\dfrac{1}{\sqrt{2}}$은 그림과 같다.

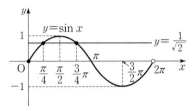

따라서 교점의 x좌표를 구하면

$x=\dfrac{\pi}{4}$ 또는 $x=\dfrac{3}{4}\pi$

따라서 $\sin x\geq\dfrac{1}{\sqrt{2}}$의 해는 $y=\sin x$의 그래프가 직선 $y=\dfrac{1}{\sqrt{2}}$

보다 윗부분에 있거나 경계에 있는 x의 값의 범위이므로

$\dfrac{\pi}{4}\leq x\leq\dfrac{3}{4}\pi$

09 $y=\cos x$의 그래프와 직선 $y=\dfrac{1}{2}$은 그림과 같다.

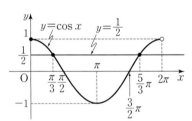

따라서 교점의 x좌표를 구하면

$x=\dfrac{\pi}{3}$ 또는 $x=\dfrac{5}{3}\pi$

따라서 $\cos x\leq\dfrac{1}{2}$의 해는 $y=\cos x$의 그래프가 직선 $y=\dfrac{1}{2}$

보다 아랫부분에 있거나 경계에 있는 x의 값의 범위이므로

$\dfrac{\pi}{3}\leq x\leq\dfrac{5}{3}\pi$

10 $2\cos x-\sqrt{3}>0$에서 $\cos x>\dfrac{\sqrt{3}}{2}$이고, $y=\cos x$의 그래프

와 직선 $y=\dfrac{\sqrt{3}}{2}$은 그림과 같다.

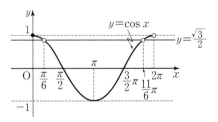

따라서 교점의 x좌표를 구하면

$x=\dfrac{\pi}{6}$ 또는 $x=\dfrac{11}{6}\pi$

따라서 $\cos x>\dfrac{\sqrt{3}}{2}$의 해는 $y=\cos x$의 그래프가 직선

$y=\dfrac{\sqrt{3}}{2}$ 보다 윗부분에 있는 x의 값의 범위이므로

$0\leq x<\dfrac{\pi}{6}$ 또는 $\dfrac{11}{6}\pi<x<2\pi$

11 $y=\tan x$의 그래프와 직선 $y=\sqrt{3}$은 그림과 같다.

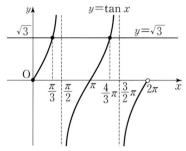

따라서 교점의 x좌표를 구하면

$x=\dfrac{\pi}{3}$ 또는 $x=\dfrac{4}{3}\pi$

따라서 $\tan x\leq\sqrt{3}$의 해는 $y=\tan x$의 그래프가 직선 $y=\sqrt{3}$ 보다 아랫부분에 있거나 경계에 있는 x의 값의 범위이므로

$0\leq x\leq\dfrac{\pi}{3}$ 또는 $\dfrac{\pi}{2}<x\leq\dfrac{4}{3}\pi$ 또는 $\dfrac{3}{2}\pi<x<2\pi$

12 $\tan x+1<0$에서 $\tan x<-1$이고, $y=\tan x$의 그래프와 직선 $y=-1$은 그림과 같다.

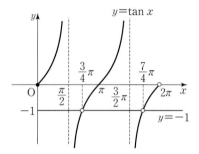

따라서 교점의 x좌표를 구하면

$x=\dfrac{3}{4}\pi$ 또는 $x=\dfrac{7}{4}\pi$

따라서 $\tan x<-1$의 해는 $y=\tan x$의 그래프가 직선 $y=-1$보다 아랫부분에 있는 x의 값의 범위이므로

$\dfrac{\pi}{2}<x<\dfrac{3}{4}\pi$ 또는 $\dfrac{3}{2}\pi<x<\dfrac{7}{4}\pi$

13 함수 $y=\sin\pi x$의 주기는 $\dfrac{2\pi}{|\pi|}=2$이고, 최댓값은 1, 최솟값은 -1이다.

따라서 함수 $y=\sin\pi x$의 그래프와 직선 $y=\dfrac{1}{3}x$는 그림과 같다.

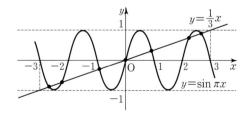

따라서 두 함수의 그래프의 교점이 7개이므로

방정식 $\sin\pi x=\dfrac{1}{3}x$의 실근의 개수는 7이다.

14 모든 실수 x에 대하여 부등식 $x^2-2x\sin\theta+2\sin\theta>0$이 항상 성립해야 하므로 방정식 $x^2-2x\sin\theta+2\sin\theta=0$의 판별식을 D라 하면

$\dfrac{D}{4}=\sin^2\theta-2\sin\theta<0$

$\sin\theta(\sin\theta-2)<0$

$\therefore 0<\sin\theta\leq1\ (\because -1\leq\sin\theta\leq1)$

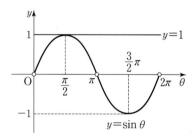

따라서 그림에서 구하는 θ의 값의 범위는

$0<\theta<\pi$

15 함수 $y=f(x)$의 그래프가 x축과 만나는 점의 좌표가 $(0,\ 0)$, $(2,\ 0)$이므로 방정식 $f(x)=0$의 해는 $x=0$ 또는 $x=2$

즉 $f(\cos x)=0$에서 $\cos x=t\ (-1\leq t\leq1)$로 놓으면 방정식 $f(t)=0$의 해는 $t=0$, 즉 $\cos x=0$

$\therefore x=\dfrac{\pi}{2}$ 또는 $x=\dfrac{3}{2}\pi$

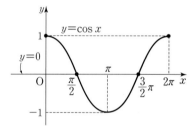

따라서 방정식 $f(\cos x)=0$의 서로 다른 실근의 개수는 2이다.

16 삼각함수 $y=\sin x$의 그래프와 직선 $y=\dfrac{1}{2}$의 그래프는 다음과 같다.

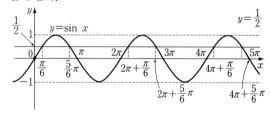

$\sin x=\dfrac{1}{2}$을 만족하는 양수 x를 작은 것부터 크기순으로 나열하면 $\dfrac{\pi}{6}$, $\dfrac{5}{6}\pi$, $2\pi+\dfrac{\pi}{6}$, $2\pi+\dfrac{5}{6}\pi$, $4\pi+\dfrac{\pi}{6}$, $4\pi+\dfrac{5}{6}\pi$, $\cdots$

이므로 6번째 수는 $4\pi+\dfrac{5}{6}\pi=\dfrac{29}{6}\pi$

07 사인법칙 본문 108쪽

02 사인법칙에 의하여 $\dfrac{b}{\sin 30^\circ}=\dfrac{5}{\sin 45^\circ}$이므로

$$b \sin 45° = 5 \sin 30°, \quad \frac{\sqrt{2}}{2} b = \frac{5}{2}$$

$$\therefore b = \frac{5}{\sqrt{2}} = \frac{5\sqrt{2}}{2}$$

03 $A+B+C=180°$이므로 $C=180°-(30°+120°)=30°$

사인법칙에 의하여 $\dfrac{12}{\sin 120°} = \dfrac{c}{\sin 30°}$ 이므로

$$c \sin 120° = 12 \sin 30°, \quad \frac{\sqrt{3}}{2} c = 6$$

$$\therefore c = \frac{12}{\sqrt{3}} = 4\sqrt{3}$$

04 사인법칙에 의하여 $\dfrac{1}{\sin A} = \dfrac{\sqrt{2}}{\sin 135°}$ 이므로

$$\sqrt{2} \sin A = \sin 135°$$

$$\therefore \sin A = \frac{\sqrt{2}}{2} \cdot \frac{\sqrt{2}}{2} = \frac{1}{2}$$

$0° < A < 180°$이므로

$A=30°$ 또는 $A=150°$

그런데 $A+C<180°$이어야 하므로 $A=30°$

05 사인법칙에 의하여 $\dfrac{2}{\sin 30°} = \dfrac{2\sqrt{2}}{\sin B}$ 이므로

$$2 \sin B = 2\sqrt{2} \sin 30°$$

$$\therefore \sin B = 2\sqrt{2} \cdot \frac{1}{2} \cdot \frac{1}{2} = \frac{\sqrt{2}}{2}$$

$0° < B < 180°$이므로

$B=45°$ 또는 $B=135°$

06 사인법칙에 의하여 $\dfrac{2}{\sin 45°} = \dfrac{\sqrt{6}}{\sin C}$ 이므로

$$2 \sin C = \sqrt{6} \sin 45°$$

$$\therefore \sin C = \sqrt{6} \cdot \frac{\sqrt{2}}{2} \cdot \frac{1}{2} = \frac{\sqrt{3}}{2}$$

$0° < C < 180°$이므로 $C=60°$ 또는 $C=120°$

08 $\triangle ABC$의 외접원의 반지름의 길이를 R라고 하면

사인법칙에 의하여 $\dfrac{12}{\sin 150°} = 2R$

$$\therefore R = \frac{12}{\frac{1}{2}} \cdot \frac{1}{2} = 12$$

09 $A+B+C=180°$이므로 $A=180°-(100°+50°)=30°$

사인법칙에 의하여 $\dfrac{6}{\sin 30°} = 2R$

$$\therefore R = \frac{6}{\frac{1}{2}} \cdot \frac{1}{2} = 6$$

10 $b=c=2$에서 $\triangle ABC$는 $B=C$인 이등변삼각형이므로

$$B=C=\frac{1}{2}(180°-120°)=30°$$

사인법칙에 의하여

$$\frac{2}{\sin 30°} = 2R$$

$$\therefore R = \frac{2}{\frac{1}{2}} \cdot \frac{1}{2} = 2$$

11 $\sin A + \sin B + \sin C = \dfrac{a}{2R} + \dfrac{b}{2R} + \dfrac{c}{2R}$

$$= \frac{a+b+c}{2R} = \frac{a+b+c}{2 \cdot 10} = \frac{3}{2}$$

$$\therefore a+b+c = \frac{3}{2} \cdot 20 = 30$$

12 $A+B+C=180°$이므로 $A+B=180°-C$

따라서 $\sin(A+B)=\sin(180°-C)=\sin C$이므로

$5 \sin(A+B) \sin C = 5 \sin^2 C = 4 \quad \therefore \sin^2 C = \dfrac{4}{5}$

이때 $0° < C < 180°$에서 $\sin C > 0$이므로 $\sin C = \dfrac{2}{\sqrt{5}}$

$\triangle ABC$의 외접원의 반지름의 길이를 R라고 하면

사인법칙에 의하여 $c = 2R \sin C = 2 \cdot \sqrt{5} \cdot \dfrac{2}{\sqrt{5}} = 4$

13 $\triangle ABD$에서 사인법칙에 의하여 $\sin A = \dfrac{\overline{BD}}{2 \cdot 3} = \dfrac{\overline{BD}}{6}$

또, $\triangle BCD$에서 사인법칙에 의하여 $\sin C = \dfrac{\overline{BD}}{2 \cdot 6} = \dfrac{\overline{BD}}{12}$

$$\therefore \frac{\sin A}{\sin C} = \frac{\frac{\overline{BD}}{6}}{\frac{\overline{BD}}{12}} = 2$$

15 $a:b:c = \sin A : \sin B : \sin C = 2 : \sqrt{5} : 1$이므로

$a=2k, \; b=\sqrt{5}k, \; c=k \, (k>0)$라고 하면

$$\frac{a^2+b^2+c^2}{ac} = \frac{(2k)^2 + (\sqrt{5}k)^2 + k^2}{2k \cdot k}$$

$$= \frac{4k^2 + 5k^2 + k^2}{2k^2} = \frac{10k^2}{2k^2} = 5$$

16 $A+B+C=180°$이므로

$\sin(A+B) : \sin(B+C) : \sin(C+A)$

$= \sin(180°-C) : \sin(180°-A) : \sin(180°-B)$

$= \sin C : \sin A : \sin B$

따라서 사인법칙에 의하여

$\sin C : \sin A : \sin B = c : a : b = 5 : 4 : 7$

$\therefore a : b : c = 4 : 7 : 5$

18 삼각형 ABC의 외접원의 반지름의 길이를 R라고 하면 사인

법칙에 의하여 $\sin A = \dfrac{a}{2R}, \; \sin B = \dfrac{b}{2R}$

이것을 주어진 식에 대입하면 $\dfrac{a \cdot a}{2R} = \dfrac{b \cdot b}{2R}, \; a^2 = b^2$

$\therefore a=b \, (\because a>0, \, b>0)$

따라서 삼각형 ABC는 $a=b$인 이등변삼각형이다.

19 삼각형 ABC의 외접원의 반지름의 길이를 R라고 하면 사인

법칙에 의하여 $\sin A = \dfrac{a}{2R}, \; \sin B = \dfrac{b}{2R}, \; \sin C = \dfrac{c}{2R}$

이것을 주어진 식에 대입하면 $(b-c) \cdot \dfrac{a}{2R} = b \cdot \dfrac{b}{2R} - c \cdot \dfrac{c}{2R}$

$(b-c)a = b^2 - c^2$

$(b-c)a - (b-c)(b+c) = 0$

$(b-c)\{a-(b+c)\} = 0$

그런데 삼각형의 두 변의 길이의 합은 나머지 한 변의 길이보다 크므로

$a-(b+c) \neq 0 \quad \therefore b=c$

따라서 삼각형 ABC는 $b=c$인 이등변삼각형이다.

02 코사인법칙에 의하여

$b^2 = 3^2 + 6^2 - 2 \cdot 3 \cdot 6 \cos 60° = 9 + 36 - 2 \cdot 3 \cdot 6 \cdot \dfrac{1}{2}$

$\qquad = 27$

$b > 0$이므로 $b = \sqrt{27} = 3\sqrt{3}$

03 코사인법칙에 의하여

$c^2 = 12^2 + 6^2 - 2 \cdot 12 \cdot 6 \cdot \cos 120°$

$\qquad = 144 + 36 - 2 \cdot 12 \cdot 6 \cdot \left(-\dfrac{1}{2}\right) = 252$

$c > 0$이므로

$c = \sqrt{252} = 6\sqrt{7}$

04 코사인법칙의 변형 공식에 의하여

$\cos A = \dfrac{b^2 + c^2 - a^2}{2bc} = \dfrac{(\sqrt{6})^2 + (2\sqrt{2})^2 - (\sqrt{2})^2}{2 \cdot \sqrt{6} \cdot 2\sqrt{2}}$

$\qquad = \dfrac{6 + 8 - 2}{8\sqrt{3}} = \dfrac{\sqrt{3}}{2}$

이때 $0° < A < 180°$이므로 $A = 30°$

05 코사인법칙의 변형 공식에 의하여

$\cos B = \dfrac{2^2 + (2\sqrt{3})^2 - 2^2}{2 \cdot 2 \cdot 2\sqrt{3}} = \dfrac{3}{2\sqrt{3}} = \dfrac{\sqrt{3}}{2}$

$0° < B < 180°$이므로

$B = 30°$

06 코사인법칙의 변형 공식에 의하여

$\cos C = \dfrac{a^2 + b^2 - c^2}{2ab} = \dfrac{3^2 + 5^2 - 7^2}{2 \cdot 3 \cdot 5} = -\dfrac{1}{2}$

$0° < C < 180°$이므로 $C = 120°$

07 코사인법칙에 의하여

$b^2 = 3^2 + 6^2 - 2 \cdot 3 \cdot 6 \cos 60° = 9 + 36 - 2 \cdot 3 \cdot 6 \cdot \dfrac{1}{2} = 27$

$b > 0$이므로 $b = 3\sqrt{3}$

이때 $\triangle ABC$의 외접원의 반지름의 길이를 R라고 하면 사인법칙에 의하여 $\dfrac{3\sqrt{3}}{\sin 60°} = 2R$

$\therefore R = \dfrac{3\sqrt{3}}{2\sin 60°} = \dfrac{3\sqrt{3}}{2 \cdot \dfrac{\sqrt{3}}{2}} = 3$

따라서 $\triangle ABC$의 외접원의 넓이는 $\pi \cdot 3^2 = 9\pi$

09 코사인법칙에 의하여

$b^2 = 2^2 + (\sqrt{6} + \sqrt{2})^2 - 2 \cdot 2 \cdot (\sqrt{6} + \sqrt{2}) \cdot \cos 45° = 8$

$\therefore b = 2\sqrt{2} \ (\because b > 0)$

사인법칙에 의하여 $\dfrac{2\sqrt{2}}{\sin 45°} = \dfrac{2}{\sin C}$, $2\sqrt{2} \sin C = 2 \cdot \dfrac{\sqrt{2}}{2}$

$\therefore \sin C = \dfrac{1}{2}$

$0° < C < 180°$이므로 $C = 30°$ 또는 $C = 150°$

그런데 $B + C < 180°$이므로 $C = 30°$

이때 $A + B + C = 180°$이므로

$A = 180° - (45° + 30°) = 105°$

11 사인법칙에 의하여

$\sin A : \sin B : \sin C = a : b : c = 3 : 5 : 7$

$a = 3k, b = 5k, c = 7k(k > 0)$라고 하면

$\cos C = \dfrac{(3k)^2 + (5k)^2 - (7k)^2}{2 \cdot 3k \cdot 5k} = -\dfrac{1}{2}$

$\therefore C = 120°$

12 사인법칙에 의하여

$a : b : c = \sin A : \sin B : \sin C = 1 : \sqrt{2} : \sqrt{3}$

따라서 $a = k, b = \sqrt{2}k, c = \sqrt{3}k(k > 0)$로 놓으면

$\cos B = \dfrac{(\sqrt{3}k)^2 + k^2 - (\sqrt{2}k)^2}{2 \cdot \sqrt{3}k \cdot k} = \dfrac{\sqrt{3}}{3}$

13 $6\sin A = 2\sqrt{3} \sin B = 3\sin C$의 각 변을 $6\sqrt{3}$으로 나누면

$\dfrac{\sin A}{\sqrt{3}} = \dfrac{\sin B}{3} = \dfrac{\sin C}{2\sqrt{3}}$

$\sin A : \sin B : \sin C = a : b : c = \sqrt{3} : 3 : 2\sqrt{3}$

따라서 $a = \sqrt{3}k, b = 3k, c = 2\sqrt{3}k(k > 0)$로 놓으면

$\cos A = \dfrac{b^2 + c^2 - a^2}{2bc} = \dfrac{(3k)^2 + (2\sqrt{3}k)^2 - (\sqrt{3}k)^2}{2 \cdot 3k \cdot 2\sqrt{3}k} = \dfrac{\sqrt{3}}{2}$

$0° < A < 180°$이므로 $A = 30°$

14 $(a+b) : (b+c) : (c+a) = 5 : 7 : 6$에서 양수 k에 대하여

$a + b = 5k \qquad \cdots\cdots \ \bigcirc$

$b + c = 7k \qquad \cdots\cdots \ \bigcirc\!\!\!\bigcirc$

$c + a = 6k \qquad \cdots\cdots \ \textcircled{\tiny c}$

$\bigcirc + \bigcirc\!\!\!\bigcirc + \textcircled{\tiny c}$을 하면

$2(a+b+c) = 18k$

$\therefore a + b + c = 9k \qquad \cdots\cdots \ \textcircled{\tiny 2}$

$\textcircled{\tiny 2} - \bigcirc\!\!\!\bigcirc$에서 $a = 2k$

$\textcircled{\tiny 2} - \textcircled{\tiny c}$에서 $b = 3k$

$\textcircled{\tiny 2} - \bigcirc$에서 $c = 4k$

따라서 코사인법칙의 변형 공식에 의하여

$\cos A = \dfrac{(3k)^2 + (4k)^2 - (2k)^2}{2 \cdot 3k \cdot 4k} = \dfrac{7}{8}$

15 코사인법칙의 변형 공식에 의하여

$\cos C = \dfrac{4^2 + 5^2 - 7^2}{2 \cdot 4 \cdot 5} = -\dfrac{1}{5}$

$0° < C < 180°$에서 $\sin C > 0$이므로

$\sin C = \sqrt{1 - \cos^2 C} = \dfrac{2\sqrt{6}}{5}$

따라서 $\triangle ABC$의 외접원의 반지름의 길이를 R라고 하면 사인법칙에 의하여

$\dfrac{7}{\sin C} = 2R$

$\therefore R = \dfrac{7}{2\sin C} = \dfrac{7}{\dfrac{4\sqrt{6}}{5}} = \dfrac{35\sqrt{6}}{24}$

16 $\overline{CF} = \overline{CH} = \sqrt{6^2 + 3^2} = 3\sqrt{5}$

$\overline{FH} = \sqrt{3^2 + 3^2} = 3\sqrt{2}$

따라서 $\triangle CFH$에서 코사인법칙의 변형 공식에 의하여

$\cos \theta = \dfrac{(3\sqrt{5})^2 + (3\sqrt{5})^2 - (3\sqrt{2})^2}{2 \cdot 3\sqrt{5} \cdot 3\sqrt{5}} = \dfrac{4}{5}$

18 $a = 3, b = 5, c = 7$이라 하면 가장 큰 각은 변 $c = 7$의 대각이다.

이때 코사인법칙의 변형 공식에 의하여

$\cos C = \dfrac{a^2 + b^2 - c^2}{2ab} = \dfrac{3^2 + 5^2 - 7^2}{2 \cdot 3 \cdot 5} = -\dfrac{1}{2}$

$0° < C < 180°$이므로 $C = 120°$

19 $a = \sqrt{6}, b = 2, c = \sqrt{3} + 1$이라 하면 가장 작은 각은 변 $b = 2$의 대각이다.

코사인법칙의 변형 공식에 의하여

$\cos B = \dfrac{a^2 + c^2 - b^2}{2ac} = \dfrac{(\sqrt{6})^2 + (\sqrt{3} + 1)^2 - 2^2}{2 \cdot \sqrt{6} \cdot (\sqrt{3} + 1)} = \dfrac{\sqrt{2}}{2}$

$\therefore B = 45°$

20 $\dfrac{2a-b}{2}=\dfrac{2b-c}{3}=\dfrac{4c-5a}{5}=k\,(k>0)$라고 하면

$2a-b=2k$, $2b-c=3k$, $4c-5a=5k$

세 식을 연립하여 풀면

$a=3k$, $b=4k$, $c=5k$

이때 가장 짧은 변의 길이가 a이므로 A가 삼각형의 세 각 중 가장 작은 각이다.

따라서 코사인법칙의 변형 공식에 의하여

$\cos\theta=\cos A=\dfrac{(4k)^2+(5k)^2-(3k)^2}{2\cdot4k\cdot5k}=\dfrac{4}{5}$

22 $a\cos B=b\cos A+c$에서

$a\cdot\dfrac{a^2+c^2-b^2}{2ac}=b\cdot\dfrac{b^2+c^2-a^2}{2bc}+c$

양변에 $2c$를 곱하여 정리하면 $a^2=b^2+c^2$

따라서 a가 빗변인 직각삼각형이다.

23 $\triangle$ABC의 외접원의 반지름의 길이를 R라고 하면

$\sin A=\dfrac{a}{2R}$, $\sin B=\dfrac{a}{2R}$, $\cos C=\dfrac{a^2+b^2-c^2}{2ab}$

이므로 이것을 주어진 식에 대입하면

$\dfrac{a}{2R}=2\cdot\dfrac{b}{2R}\cdot\dfrac{a^2+b^2-c^2}{2ab}$

$a^2=a^2+b^2-c^2$

$b^2=c^2$

$\therefore b=c\,(\because b>0,\,c>0)$

따라서 $\triangle$ABC는 $b=c$인 이등변삼각형이다.

24 $\cos A=\dfrac{b^2+c^2-a^2}{2bc}$, $\cos C=\dfrac{a^2+b^2-c^2}{2ab}$이므로

이것을 주어진 식에 대입하면

$a\cdot\dfrac{a^2+b^2-c^2}{2ab}=c\cdot\dfrac{b^2+c^2-a^2}{2bc}$

$a^2+b^2-c^2=b^2+c^2-a^2$

$a^2=c^2$

$\therefore a=c\,(\because a>0,\,c>0)$

따라서 $\triangle$ABC는 $a=c$인 이등변삼각형이다.

25 $\cos A=\dfrac{b^2+c^2-a^2}{2bc}$, $\cos B=\dfrac{c^2+a^2-b^2}{2ca}$이므로

이것을 주어진 식에 대입하면

$a\cdot\dfrac{c^2+a^2-b^2}{2ca}-b\cdot\dfrac{b^2+c^2-a^2}{2bc}=c$

$(c^2+a^2-b^2)-(b^2+c^2-a^2)=2c^2$

$\therefore a^2=b^2+c^2$

따라서 $\triangle$ABC는 빗변의 길이가 a인 직각삼각형이다.

26 $\triangle$ABC의 외접원의 반지름의 길이를 R라 하면 사인법칙에 의하여

$\sin A=\dfrac{a}{2R}$, $\sin B=\dfrac{b}{2R}$, $\sin C=\dfrac{c}{2R}$

또, 코사인법칙의 변형 공식에 의하여

$\cos A=\dfrac{b^2+c^2-a^2}{2bc}$, $\cos B=\dfrac{a^2+c^2-b^2}{2ac}$

따라서 이를 주어진 등식에 대입하면

$\dfrac{a}{2R}+\dfrac{b}{2R}=\dfrac{c}{2R}\left(\dfrac{b^2+c^2-a^2}{2bc}+\dfrac{a^2+c^2-b^2}{2ac}\right)$

$2a^2b+2ab^2=ab^2+ac^2-a^3+a^2b+bc^2-b^3$

$a(a^2-c^2+b^2)+b(a^2-c^2+b^2)=0$

$(a+b)(a^2-c^2+b^2)=0$

$\therefore a+b=0$ 또는 $a^2-c^2+b^2=0$

그런데 $a>0$, $b>0$에서 $a+b\neq0$이므로

$a^2-c^2+b^2=0$, 즉 $a^2+b^2=c^2$

따라서 $\triangle$ABC는 $\angle C=90°$인 직각삼각형이다.

27 $A+B+C=180°$이므로 $A+C=180°-B$

$\therefore \sin\left(\dfrac{A-B+C}{2}\right)=\sin\left(\dfrac{180°-2B}{2}\right)$

$\qquad\qquad\qquad\quad=\sin(90°-B)=\cos B$

이것을 주어진 식에 대입하면

$\sin A=2\cos B\sin C$ $\qquad\cdots\cdots$ ㉠

이때 $\triangle$ABC의 외접원의 반지름의 길이를 R라고 하면

$\sin A=\dfrac{a}{2R}$, $\sin C=\dfrac{c}{2R}$, $\cos B=\dfrac{c^2+a^2-b^2}{2ca}$

이므로 이것을 ㉠에 대입하면

$\dfrac{a}{2R}=2\cdot\dfrac{c^2+a^2-b^2}{2ca}\cdot\dfrac{c}{2R}$

$a^2=c^2+a^2-b^2$, $b^2=c^2$

$\therefore b=c\,(\because b>0,\,c>0)$

따라서 $\triangle$ABC는 $b=c$인 이등변삼각형이다.

09 도형의 넓이 본문 115쪽

02 $\triangle$ABC의 넓이를 S라고 하면

$S=\dfrac{1}{2}\cdot6\cdot5\cdot\sin120°$

$\quad=\dfrac{1}{2}\cdot6\cdot5\cdot\dfrac{\sqrt3}{2}=\dfrac{15\sqrt3}{2}$

03 헤론의 공식을 이용하면

$s=\dfrac{5+8+9}{2}=11$에서 $\triangle$ABC의 넓이 S는

$S=\sqrt{11(11-5)(11-8)(11-9)}$

$\quad=\sqrt{11\cdot6\cdot3\cdot2}=6\sqrt{11}$

04 $\triangle$ABC의 넓이를 S라고 하면

$S=\dfrac{1}{2}\cdot\sqrt3\cdot20=10\sqrt3$

05 내접원의 반지름의 길이를 r라고 하면

$\dfrac{1}{2}\cdot r\cdot18=18$ $\therefore r=2$

06 $\triangle$ABC의 넓이를 S라고 하면

$S=\dfrac{1}{2}\cdot4\cdot c\sin135°$

$\quad=\dfrac{1}{2}\cdot4\cdot c\cdot\dfrac{\sqrt2}{2}=2$

$\therefore c=\sqrt2$

따라서 코사인법칙에 의하여

$a^2=4^2+(\sqrt2)^2-2\cdot4\cdot\sqrt2\cos135°$

$\quad=16+2-2\cdot4\cdot\sqrt2\cdot\left(-\dfrac{\sqrt2}{2}\right)=26$

$a>0$이므로 $a=\sqrt{26}$

08 $B=D=120°$이므로

$\square$ABCD$=6\cdot9\cdot\sin120°=6\cdot9\cdot\dfrac{\sqrt3}{2}=27\sqrt3$

09 $A+B=180°$이므로 $A=180°-135°=45°$

$\therefore \square$ABCD$=3\cdot4\cdot\sin45°=3\cdot4\cdot\dfrac{\sqrt2}{2}=6\sqrt2$

10 평행사변형 ABCD에서 $\overline{AD}=\overline{BC}=4$이고 넓이가 $4\sqrt2$이므로

$$2 \cdot 4 \cdot \sin A = 4\sqrt{2}, \ \sin A = \frac{\sqrt{2}}{2}$$

$90° < A < 180°$이므로 $A = 135°$

12 $\square ABCD = \frac{1}{2} \cdot 4 \cdot 11 \cdot \sin 150°$

$$= \frac{1}{2} \cdot 4 \cdot 11 \cdot \frac{1}{2} = 11$$

13 $\square ABCD = \frac{1}{2} \cdot 6 \cdot 8 \cdot \sin 45°$

$$= \frac{1}{2} \cdot 6 \cdot 8 \cdot \frac{\sqrt{2}}{2} = 12\sqrt{2}$$

14 두 대각선의 길이를 p, q라고 하면

$p + q = 8$에서 $q = 8 - p > 0$

$\therefore 0 < p < 8$

사각형 $ABCD$의 넓이를 S라고 하면

$$S = \frac{1}{2}pq \sin 60° = \frac{1}{2}p(8-p) \cdot \frac{\sqrt{3}}{2}$$

$$= \frac{\sqrt{3}}{4}(-p^2 + 8p) = -\frac{\sqrt{3}}{4}(p-4)^2 + 4\sqrt{3}$$

따라서 $p = 4$일 때 사각형 $ABCD$의 넓이의 최댓값은 $4\sqrt{3}$이다.

Ⅲ. 수열

01 수열의 뜻 본문 122쪽

01 $a_n = n + 7$에서 n 대신 6을 대입하면

$a_6 = 6 + 7 = 13$

02 $a_n = 3n - 4$에서 n 대신 4를 대입하면

$a_4 = 3 \times 4 - 4 = 8$

03 $a_n = \dfrac{5n-1}{2}$에서 n 대신 8을 대입하면

$a_8 = \dfrac{5 \times 8 - 1}{2} = \dfrac{39}{2}$

04 $a_1 = 2$, $a_4 = 17 \rightarrow 17 - 2 = 15$

05 $a_1 = \dfrac{1}{2}$, $a_4 = \dfrac{1}{8} \rightarrow \dfrac{1}{2} - \dfrac{1}{8} = \dfrac{3}{8}$

06 $a_1 = 1-1$, $a_2 = 2-1$, $a_3 = 3-1$, $a_4 = 4-1$, $\cdots$

$\therefore a_n = n - 1$

07 $a_1 = \dfrac{1}{2 \times 1}$, $a_2 = \dfrac{1}{2 \times 2}$, $a_3 = \dfrac{1}{2 \times 3}$, $a_4 = \dfrac{1}{2 \times 4}$, $\cdots$

$\therefore a_n = \dfrac{1}{2n}$

08 $a_1 = (-1)^{1+1}$, $a_2 = (-1)^{2+1}$, $a_3 = (-1)^{3+1}$,

$a_4 = (-1)^{4+1}$, $\cdots$

$\therefore a_n = (-1)^{n+1}$

09 $a_1 = 1 \cdot (1+2)$, $a_2 = 2 \cdot (2+2)$, $a_3 = 3 \cdot (3+2)$,

$a_4 = 4 \cdot (4+2)$, $\cdots$

$\therefore a_n = n(n+2)$

10 $a_1 = 1^3$, $a_2 = 2^3$, $a_3 = 3^3$, $a_4 = 4^3$ $\cdots$

$\therefore a_n = n^3$

02 등차수열 본문 123쪽

01 공차를 d라 하면 $d = 9 - 5 = 4$이므로 $5 - a_1 = 4$ $\therefore a_1 = 1$

02 공차를 d라 하면 $d = -\dfrac{3}{2} - (-1) = -\dfrac{1}{2}$이므로

$-1 - a_1 = -\dfrac{1}{2}$ $\therefore a_1 = -\dfrac{1}{2}$

03 $d = 4 - 2 = 2$이므로 주어진 수열은 공차가 2인 등차수열이다.

$2 - 2 = 0$, $6 + 2 = 8$

04 $-6 - (-3) = -3$이므로 주어진 수열은 공차가 -3인 등차수열이다.

$6 + (-3) = 3$, $3 + (-3) = 0$

05 $a_n = -3 + (n-1) \cdot (-4) = -4n + 1$

06 $a_n = -1 + (n-1) \cdot \dfrac{1}{3} = \dfrac{1}{3}n - \dfrac{4}{3}$

07 공차를 d라 하면 $a_7 = 45$에서 $a_7 = a_1 + 6d$이므로

$3 + 6d = 45$, $6d = 42$

$\therefore d = 7$

08 공차를 d라 하면 $a_9 = -22$에서 $a_9 = a_1 + 8d$이므로

$18 + 8d = -22$, $8d = -40$

$\therefore d = -5$

09 첫째항이 1, 공차가 $4-1=3$인 등차수열이므로

$a_n = 1 + (n-1) \cdot 3 = 3n - 2$

10 첫째항 3, 공차가 $9-3=6$인 등차수열이므로

$a_n = 3 + (n-1) \cdot 6 = 6n - 3$

11 첫째항이 -2, 공차가 $-4 - (-2) = -2$인 등차수열이므로

$a_n = -2 + (n-1) \cdot (-2) = -2n$

12 첫째항 $\dfrac{1}{5}$, 공차가 $\dfrac{3}{5} - \dfrac{1}{5} = \dfrac{2}{5}$인 등차수열이므로

$a_n = \dfrac{1}{5} + (n-1) \cdot \dfrac{2}{5} = \dfrac{2}{5}n - \dfrac{1}{5}$

13 첫째항 9, 공차가 $5-9=-4$인 등차수열이므로

$a_n = 9 + (n-1) \cdot (-4) = -4n + 13$

14 첫째항이 -8, 공차가 4이므로

$a_n = -8 + (n-1) \cdot 4 = 4n - 12$

$\therefore a_{10} = 4 \cdot 10 - 12 = 28$

15 첫째항이 -1, 공차가 $4 - (-1) = 5$이므로

$a_n = -1 + (n-1) \cdot 5 = 5n - 6$

$\therefore a_8 = 5 \cdot 8 - 6 = 34$

16 첫째항이 1, 공차가 $-5 - 1 = -6$이므로

$a_n = 1 + (n-1) \cdot (-6) = -6n + 7$

$\therefore a_8 = -6 \cdot 8 + 7 = -41$

17 첫째항이 $-\dfrac{1}{3}$, 공차가 $-1 - \left(-\dfrac{1}{3}\right) = -\dfrac{2}{3}$이므로

$a_n = -\dfrac{1}{3} + (n-1) \cdot \left(-\dfrac{2}{3}\right) = -\dfrac{2}{3}n + \dfrac{1}{3}$

$\therefore a_8 = -\dfrac{2}{3} \times 8 + \dfrac{1}{3} = -5$

18 등차수열 $\{a_n\}$의 첫째항을 a, 공차를 d라 하면

$a_2 = a + d = 8$ $\cdots$ ㉠

$a_6 = a + 5d = 16$ $\cdots$ ㉡

㉠, ㉡을 연립하여 풀면 $a = 6$, $d = 2$

$\therefore a_n = 6 + (n-1) \cdot 2 = 2n + 4$

03 등차중항 본문 125쪽

01 x가 5와 13의 등차중항이므로

$$x = \frac{5+13}{2} = 9$$

02 x가 -4와 -10의 등차중항이므로

$$x = \frac{-4+(-10)}{2} = -7$$

03 3이 x와 $2x$의 등차중항이므로

$$3 = \frac{x+2x}{2}, \ 3x = 6, \ x = 2$$

04 x가 1과 5의 등차중항이므로

$$x = \frac{1+5}{2} = 3$$

y가 5와 9의 등차중항이므로

$$y = \frac{5+9}{2} = 7$$

$$\therefore x = 3, \ y = 7$$

05 x가 -1과 -11의 등차중항이므로

$$x = \frac{-1+(-11)}{2} = -6$$

y가 -11과 -21의 등차중항이므로

$$y = \frac{-11+(-21)}{2} = -16$$

$$\therefore x = -6, \ y = -16$$

06 11이 4와 x의 등차중항이므로 $11 = \frac{4+x}{2}$, $x = 18$

y가 x와 32의 등차중항이므로 $y = \frac{x+32}{2} = \frac{18+32}{2} = 25$

$$\therefore x = 18, \ y = 25$$

07 y가 6과 14의 등차중항이므로 $y = \frac{6+14}{2} = 10$

6이 x와 y의 등차중항이므로 $6 = \frac{x+y}{2} = \frac{x+10}{2}$, $x = 2$

14가 y와 z의 등차중항이므로 $14 = \frac{y+z}{2} = \frac{10+z}{2}$, $z = 18$

$$\therefore x = 2, \ y = 10, \ z = 18$$

08 a^2+a가 30과 $-2a$의 등차중항이므로

$$a^2+a = \frac{30+(-2a)}{2}$$

$$a^2+2a-15=0, \ (a-3)(a+5)=0$$

$$\therefore a=3 \ \text{또는} \ a=-5$$

따라서 모든 a의 값의 합은 $3+(-5)=-2$

04 등차수열을 이루는 수 본문 126쪽

02 구하는 세 수를 $a-d$, a, $a+d$로 놓으면

$$(a-d)+a+(a+d)=15 \quad \cdots \ \text{㉠}$$

$$(a-d) \times a \times (a+d) = 45 \quad \cdots \ \text{㉡}$$

㉠에서 $3a=15$ $\therefore a=5$

$a=5$를 ㉡에 대입하면

$$(5-d) \cdot 5 \cdot (5+d) = 45$$

$$25-d^2=9, \ d^2=16$$

$$\therefore d=4 \ \text{또는} \ d=-4$$

따라서 구하는 세 수는 1, 5, 9이다.

03 w, x, y, z는 이 순서대로 등차수열을 이루므로

$w = a-3d$, $x = a-d$, $y = a+d$, $z = a+3d$로 놓으면

$$(a-3d)+(a-d)+(a+d)+(a+3d)=56$$

$$4a=56 \quad \therefore a=14$$

w와 z의 곱이 52이므로

$$(a-3d)(a+3d)=52, \ (14-3d)(14+3d)=52$$

$$196-9d^2=52, \ d^2=16 \quad \therefore d=4 \ \text{또는} \ d=-4$$

따라서 네 수 중 가장 큰 수는 $14+3 \cdot 4=26$

04 w, x, y, z는 이 순서대로 등차수열을 이루므로

$w = a-3d$, $x = a-d$, $y = a+d$, $z = a+3d$로 놓으면

$$(a-3d)+(a-d)+(a+d)+(a+3d)=32$$

$$4a=32 \quad \therefore a=8$$

x와 y의 곱이 60이므로

$$(a-d)(a+d)=60, \ (8-d)(8+d)=60$$

$$64-d^2=60, \ d^2=4 \quad \therefore d=2 \ \text{또는} \ d=-2$$

따라서 $wz = (a-3d)(a+3d) = 64-36 = 28$

05 삼차방정식의 세 근을 $a-d$, a, $a+d$로 놓으면 삼차방정식의 근과 계수의 관계에 의하여 세 근의 합은

$$(a-d)+a+(a+d)=6$$

$$3a=6 \quad \therefore a=2$$

주어진 방정식의 한 근이 2이므로 방정식에 $x=2$를 대입하면

$$8-6 \cdot 4 + 2k + 10 = 0, \ 2k = 6$$

$$\therefore k=3$$

05 등차수열의 합 본문 127쪽

01 $S_{12} = \dfrac{12(4+40)}{2} = 264$

02 $S_{10} = \dfrac{10(1+35)}{2} = 180$

03 $S_{10} = \dfrac{10\{2 \cdot 3 + (10-1) \cdot (-5)\}}{2} = -195$

04 $S_{15} = \dfrac{15\{2 \cdot (-4) + (15-1) \cdot 3\}}{2} = 255$

05 첫째항이 1, 공차가 4인 등차수열의 첫째항부터 제16항까지의 합이므로

$$\frac{16\{2 \cdot 1 + (16-1) \cdot 4\}}{2} = 496$$

06 첫째항이 0, 공차가 -2인 등차수열의 첫째항부터 제20항까지의 합이므로

$$\frac{20\{2 \cdot 0 + (20-1) \cdot (-2)\}}{2} = -380$$

07 주어진 등차수열의 첫째항이 1, 공차가 6이므로 이 수열의 제n항을 145라 하면

$$145 = 1 + (n-1) \cdot 6 \quad \therefore n = 25$$

따라서 이 수열의 합은 $\dfrac{25(1+145)}{2} = 1825$

08 주어진 등차수열의 첫째항이 1, 공차가 -3이므로 이 수열의 제n항을 -86이라 하면

$$-86 = 1 + (n-1) \cdot (-3) \quad \therefore n = 30$$

따라서 이 수열의 합은 $\dfrac{30\{1+(-86)\}}{2} = -1275$

09 공차를 d라 하면

$$a_6 = 1 + (6-1)d = 11, \ 5d = 10 \quad \therefore d = 2$$

따라서 첫째항부터 제20항까지의 합은

$$\frac{20\{2 \cdot 1 + (20-1) \cdot 2\}}{2} = 400$$

10 첫째항을 a, 공차를 d라 하면

$a_3 = a + 2d = 13$ … ㉠

$a_7 = a + 6d = 33$ … ㉡

㉠, ㉡을 연립하여 풀면 $a = 3$, $d = 5$

따라서 첫째항부터 제10항까지의 합은

$$\frac{10\{2 \cdot 3 + (10-1) \cdot 5\}}{2} = 255$$

11 첫째항이 6, 끝항이 48, 항수가 $n+2$인 등차수열의 합이 594이므로

$$\frac{(n+2)(6+48)}{2} = 594, \; n+2 = 22 \quad \therefore n = 20$$

12 첫째항이 -18, 끝항이 10, 항수가 $n+2$인 등차수열의 합이 -56이므로

$$\frac{(n+2)(-18+10)}{2} = -56, \; n+2 = 14 \quad \therefore n = 12$$

13 $a_n = 17 + (n-1) \cdot (-3) = -3n + 20$

$-3n + 20 < 0$에서 $n > 6.66\cdots$

즉 수열 $\{a_n\}$은 제7항부터 음수이므로 첫째항부터 제6항까지의 합이 최대이다.

14 $a_n = -19 + (n-1) \cdot 2 = 2n - 21$

$2n - 21 > 0$에서 $n > 10.5$

즉 수열 $\{a_n\}$은 제11항부터 양수이므로 첫째항부터 제10항까지의 합이 최소이다.

15 등차수열 $\{a_n\}$의 첫째항을 a, 공차를 d라 하면

$a_6 = a + 5d = 5$ … ㉠

$a_{14} = a + 13d = -11$ … ㉡

㉠, ㉡을 연립하여 풀면 $a = 15$, $d = -2$

$\therefore a_n = 15 + (n-1) \cdot (-2) = -2n + 17$

$-2n + 17 < 0$에서 $n > 8.5$

즉 수열 $\{a_n\}$은 제9항부터 음수이므로 첫째항부터 제8항까지의 합이 최대이다.

따라서 $a_8 = -2 \cdot 8 + 17 = 1$이므로 구하는 최댓값은

$$S_8 = \frac{8(15+1)}{2} = 64$$

06 등비수열 본문 129쪽

01 $\dfrac{-4}{4} = -1$이므로 공비는 -1

02 $\dfrac{6}{3} = 2$이므로 공비는 2

03 공비를 r라 하면 $r = \dfrac{18}{6} = 3$이므로 $6 = 3a_1$ $\therefore a_1 = 2$

04 공비를 r라 하면 $r = \dfrac{4}{-2} = -2$이므로 $-2 = -2a_1$

$\therefore a_1 = 1$

05 $r = \dfrac{1250}{250} = 5$이므로

$2 \times 5 = 10$, $10 \times 5 = 50$

06 $r = \dfrac{-16}{-4} = 4$이므로

$\square \times 4 = -4$에서 $\square = -1$, $-64 \times 4 = -256$

07 $a_n = ar^{n-1}$이므로 $a_n = 5 \cdot (-2)^{n-1}$

08 $a_n = ar^{n-1}$이므로 $a_n = 2 \cdot \left(\dfrac{1}{3}\right)^{n-1}$

09 공비를 r라 하면 $a_4 = \dfrac{1}{8}$에서

$a_4 = 1 \cdot r^3 = \dfrac{1}{8}$, $r^3 = \dfrac{1}{8}$ $\therefore r = \dfrac{1}{2}$

10 공비를 r라 하면 $a_5 = 162$에서

$a_5 = 2 \cdot r^4 = 162$, $r^4 = 81$ $\therefore r = 3$

11 첫째항이 1, 공비가 $\dfrac{1}{4}$인 등비수열이므로

$$a_n = \left(\dfrac{1}{4}\right)^{n-1}$$

12 첫째항이 1, 공비가 $-\dfrac{1}{3}$인 등비수열이므로

$$a_n = \left(-\dfrac{1}{3}\right)^{n-1}$$

13 첫째항이 9, 공비가 $\dfrac{1}{3}$인 등비수열이므로

$$a_n = 9 \cdot \left(\dfrac{1}{3}\right)^{n-1}$$

14 첫째항이 32, 공비가 $-\dfrac{1}{2}$인 등비수열이므로

$$a_n = 32 \cdot \left(-\dfrac{1}{2}\right)^{n-1}$$

15 첫째항이 $\dfrac{1}{4}$, 공비가 2인 등비수열이므로

$$a_n = \dfrac{1}{4} \cdot 2^{n-1}$$

16 첫째항이 3, 공비가 2이므로

$a_n = 3 \cdot 2^{n-1}$

$\therefore a_4 = 3 \cdot 2^3 = 24$

17 첫째항이 2, 공비가 2이므로

$a_n = 2 \cdot 2^{n-1} = 2^n$ $\therefore a_{10} = 2^{10}$

18 첫째항이 4, 공비가 $\dfrac{1}{2}$이므로

$a_n = 4 \cdot \left(\dfrac{1}{2}\right)^{n-1}$ $\therefore a_{10} = 4 \cdot \left(\dfrac{1}{2}\right)^9 = \dfrac{1}{2^7}$

19 첫째항이 18, 공비가 $\dfrac{1}{3}$이므로

$a_n = 18 \cdot \left(\dfrac{1}{3}\right)^{n-1}$ $\therefore a_{10} = 18 \cdot \left(\dfrac{1}{3}\right)^9 = \dfrac{2}{3^7}$

20 등비수열 $\{a_n\}$의 첫째항을 a, 공비를 r라 하면

$a_2 = ar = 3$ … ㉠

$a_5 = ar^4 = 81$ … ㉡

㉡ ÷ ㉠을 하면 $r^3 = 27$ $\therefore r = 3$

$r = 3$을 ㉠에 대입하면 $a = 1$

$\therefore a_n = 3^{n-1}$

07 등비중항 본문 131쪽

01 x가 3과 12의 등비중항이므로

$x^2 = 3 \cdot 12 = 36$ $\therefore x = \pm 6$

02 x가 2와 72의 등비중항이므로

$x^2 = 2 \cdot 72 = 144$ $\therefore x = \pm 12$

03 y가 -2와 -8의 등비중항이므로

$y^2 = (-2) \cdot (-8) = 16$ $\therefore y = \pm 4$

04 x가 1과 9의 등비중항이므로

$x^2 = 1 \cdot 9 = 9$ $\therefore x = \pm 3$

9가 x와 y의 등비중항이므로

$9^2 = x \cdot y$ $\therefore y = \pm 27$

05 6이 a와 $9a$의 등비중항이므로

$6^2 = a \cdot 9a = 9a^2$, $a^2 = 4$ $\therefore a = \pm 2$

06 $a+2$가 $a-2$와 $a+10$의 등비중항이므로

$(a+2)^2 = (a-2)(a+10)$

$a^2 + 4a + 4 = a^2 + 8a - 20$

$4a = 24$ $\therefore a = 6$

07 $a+1$은 $3a$와 $\dfrac{3}{4}a$의 등비중항이므로

$(a+1)^2 = 3a \cdot \dfrac{3}{4}a$, $a^2 + 2a + 1 = \dfrac{9}{4}a^2$

$5a^2 - 8a - 4 = 0$

$(5a+2)(a-2) = 0$ $\therefore a = -\dfrac{2}{5}$ 또는 $a = 2$

08 $x, y, 12$가 등차수열을 이루므로 $2y = x + 12$

$2, x, y$가 등비수열을 이루므로 $x^2 = 2y$

$x^2 = x + 12$, $(x-4)(x+3) = 0$

$\therefore x = 4, y = 8$ $(\because xy > 0)$

따라서 $x + y = 4 + 8 = 12$

○8 등비수열의 합 본문 132쪽

01 $S_5 = \dfrac{1 \cdot (2^5 - 1)}{2 - 1} = 2^5 - 1 = 31$

02 $S_5 = \dfrac{2(3^5 - 1)}{3 - 1} = 3^5 - 1 = 242$

03 $S_5 = \dfrac{4\{1 - (-2)^5\}}{1 - (-2)} = \dfrac{4 \cdot (1 + 32)}{3} = 44$

04 $S_5 = \dfrac{-16\left\{1 - \left(\dfrac{1}{2}\right)^5\right\}}{1 - \dfrac{1}{2}} = -31$

05 $S_5 = 5 \times 12 = 60$

06 $S_{10} = \dfrac{3(9^{10} - 1)}{9 - 1} = \dfrac{3}{8}(9^{10} - 1)$

07 $S_{15} = \dfrac{5\{1 - (-2)^{15}\}}{1 - (-2)} = \dfrac{5}{3}(1 + 2^{15})$

08 $S_7 = \dfrac{-4(3^7 - 1)}{3 - 1} = -2(3^7 - 1)$

09 $S_8 = \dfrac{-7\left\{1 - \left(\dfrac{1}{2}\right)^8\right\}}{1 - \dfrac{1}{2}} = -14\left\{1 - \left(\dfrac{1}{2}\right)^8\right\}$

10 첫째항이 1, 공비가 7이므로

$S_n = \dfrac{1 \cdot (7^n - 1)}{7 - 1} = \dfrac{1}{6}(7^n - 1)$

11 공비가 1이므로 $S_n = 8n$

12 첫째항이 2, 공비가 $-\dfrac{1}{2}$이므로

$S_n = \dfrac{2\left\{1 - \left(-\dfrac{1}{2}\right)^n\right\}}{1 - \left(-\dfrac{1}{2}\right)} = \dfrac{4}{3}\left\{1 - \left(-\dfrac{1}{2}\right)^n\right\}$

13 첫째항이 4, 공비가 -1이므로

$S_n = \dfrac{4\{1 - (-1)^n\}}{1 - (-1)} = 2\{1 - (-1)^n\}$

14 첫째항이 1, 공비가 $\sqrt{3}$이므로

$S_n = \dfrac{1 \cdot \{(\sqrt{3})^n - 1\}}{\sqrt{3} - 1} = \dfrac{1}{2}\{(\sqrt{3})^n - 1\}(\sqrt{3} + 1)$

16 주어진 등비수열의 일반항을 a_n이라 하면

$a_n = 3 \cdot 2^{n-1}$, $3 \cdot 2^{n-1} = 384$ $\therefore n = 8$

따라서 첫째항부터 제8항까지의 합은

$S_8 = \dfrac{3 \cdot (2^8 - 1)}{2 - 1} = 765$

17 주어진 등비수열의 일반항을 a_n이라 하면

$a_n = 1 \cdot (-2)^{n-1}$, $(-2)^{n-1} = 256$ $\therefore n = 9$

따라서 첫째항부터 제9항까지의 합은

$S_9 = \dfrac{1 \cdot \{1 - (-2)^9\}}{1 - (-2)} = \dfrac{1}{3}(1 + 512) = 171$

18 첫째항이 1, 공비가 $\sqrt{2}$인 등비수열이므로

$a_n = 1 \cdot (\sqrt{2})^{n-1}$

$a_k = (\sqrt{2})^{k-1} = 16$, $k = 9$

따라서 첫째항부터 제9항까지의 합은

$S_9 = \dfrac{1 \cdot \{(\sqrt{2})^9 - 1\}}{\sqrt{2} - 1} = \{(\sqrt{2})^9 - 1\}(\sqrt{2} + 1)$

20 첫째항이 3, 공비가 $\dfrac{1}{2}$인 등비수열의

제n항을 $\dfrac{3}{64}$이라 하면

$3 \cdot \left(\dfrac{1}{2}\right)^{n-1} = \dfrac{3}{64}$, $\left(\dfrac{1}{2}\right)^{n-1} = \dfrac{1}{64} = \left(\dfrac{1}{2}\right)^6$이므로 $n = 7$

$\therefore 3 + \dfrac{3}{2} + \dfrac{3}{4} + \dfrac{3}{8} + \cdots + \dfrac{3}{64} = \dfrac{3\left\{1 - \left(\dfrac{1}{2}\right)^7\right\}}{1 - \dfrac{1}{2}}$

$= 6\left\{1 - \left(\dfrac{1}{2}\right)^7\right\}$

21 첫째항이 4, 공비가 -2인 등비수열의 제n항을 -512라 하면

$4 \cdot (-2)^{n-1} = -512$, $(-2)^{n-1} = -128 = (-2)^7$

이때 $n - 1 = 7$이므로 $n = 8$

$\therefore 4 - 8 + 16 - 32 + \cdots - 512$

$= \dfrac{4 \cdot \{1 - (-2)^8\}}{1 - (-2)} = -340$

22 첫째항이 1, 공비가 i인 등비수열이고 i^{40}은 제41항이므로

$1 + i + i^2 + \cdots + i^{40} = \dfrac{1 \cdot (1 - i^{41})}{1 - i} = \dfrac{1 - (i^4)^{10} i}{1 - i}$

$= \dfrac{1 - i}{1 - i} = 1$

24 등비수열 $\{a_n\}$의 첫째항을 a, 공비를 r로 놓으면

$a_1 + a_3 = a + ar^2 = 10$ $\cdots$ ㉠

$a_3 + a_5 = ar^2 + ar^4 = r^2(a + ar^2) = 90$ $\cdots$ ㉡

㉡ ÷ ㉠을 하면

$r^2 = 9$

$\therefore r = 3$ $(\because r > 0)$

$r = 3$을 ㉠에 대입하면

$a + 9a = 10$ $\therefore a = 1$

따라서 주어진 수열의 첫째항부터 제6항까지의 합은

$S_6 = \dfrac{1 \cdot (3^6 - 1)}{3 - 1} = \dfrac{1}{2}(3^6 - 1) = 364$

09 수열의 합과 일반항 사이의 관계 _{본문 135쪽}

02 (i) $n=1$일 때, $a_1=S_1=1^2+1=2$

(ii) $n\geq2$일 때,

$$a_n=S_n-S_{n-1}$$
$$=n^2+n-\{(n-1)^2+(n-1)\}$$
$$=n^2+n-(n^2-n)$$
$$=2n \ (n\geq2) \quad \cdots \text{㉠}$$

이때 $a_1=2$는 ㉠에 $n=1$을 대입한 것과 같으므로

$a_n=2n \ (n\geq1)$

03 (i) $n=1$일 때, $a_1=S_1=1^2-2\times1+1=0$

(ii) $n\geq2$일 때,

$$a_n=S_n-S_{n-1}$$
$$=n^2-2n+1-\{(n-1)^2-2(n-1)+1\}$$
$$=n^2-2n+1-(n^2-4n+4)$$
$$=2n-3$$

따라서 구하는 수열의 일반항은

$a_1=0, \ a_n=2n-3 \ (n\geq2)$

05 (i) $n=1$일 때, $a_1=S_1=4^{1+1}-4=12$

(ii) $n\geq2$일 때,

$$a_n=S_n-S_{n-1}$$
$$=4^{n+1}-4-(4^n-4)$$
$$=4^n(4-1)$$
$$=3\cdot4^n \ (n\geq2) \quad \cdots \text{㉠}$$

이때 $a_1=12$는 ㉠에 $n=1$을 대입한 것과 같으므로

$a_n=3\cdot4^n \ (n\geq1)$

10 등비수열의 활용 _{본문 136쪽}

02 한 변의 길이가 8인 정삼각형의 넓이는 $\dfrac{\sqrt{3}}{4}\cdot8^2=16\sqrt{3}$

1회 시행 후 남아 있는 종이의 넓이는 $16\sqrt{3}\cdot\dfrac{3}{4}$

2회 시행 후 남아 있는 종이의 넓이는 $16\sqrt{3}\cdot\dfrac{3}{4}\cdot\dfrac{3}{4}$

$\vdots$

n회 시행 후 남아 있는 종이의 넓이는 $16\sqrt{3}\cdot\left(\dfrac{3}{4}\right)^n$

따라서 10회 시행 후 남아 있는 종이의 넓이는 $16\sqrt{3}\cdot\left(\dfrac{3}{4}\right)^{10}$

03 1회 시행 후 남은 조각의 넓이는 $64\cdot\dfrac{3}{4}$

2회 시행 후 남은 조각의 넓이는 $64\cdot\dfrac{3}{4}\cdot\dfrac{3}{4}$

$\vdots$

n회 시행 후 남은 조각의 넓이는 $64\cdot\left(\dfrac{3}{4}\right)^n$

따라서 20회 시행 후 남은 조각들의 넓이는

$64\cdot\left(\dfrac{3}{4}\right)^{20}$

05 이 공장에서 올해 생산된 제품의 수를 a, 제품 수의 증가율을 r라 하면

n년 후의 생산되는 제품의 수는 $a(1+r)^n$ (개)

10년 후의 제품 수가 10만 개이므로

$a(1+r)^{10}=10^5 \quad \cdots \text{㉠}$

20년 후의 제품 수가 50만 개이므로

$a(1+r)^{20}=5\times10^5 \quad \cdots \text{㉡}$

㉡$\div$㉠을 하면 $(1+r)^{10}=5 \quad \cdots \text{㉢}$

㉢을 ㉠에 대입하면 $a=2\times10^4$

따라서 30년 후에 생산되는 제품의 수는

$a(1+r)^{30}=a\{(1+r)^{10}\}^3=2\times10^4\times125=250$ (만 개)

로 예상할 수 있다.

06 $10(1+10\times0.04)=10\times1.4=14$ (만 원)

07 $100(1+0.05)^{10}=100\times1.63=163$ (만 원)

08 $\dfrac{30(1+0.015)\{(1+0.015)^{12}-1\}}{0.015}$

$=\dfrac{30\times1.015\times(1.2-1)}{0.015}$

$=406$ (만 원)

11 합의 기호 $\sum$ _{본문 138쪽}

01 $5+5^2+5^3+\cdots+5^n=\displaystyle\sum_{k=1}^{n}5^k$

02 6이 5개 있으므로 $\displaystyle\sum_{k=1}^{5}6$

03 주어진 수열의 제k항을 a_k라 하면

$a_k=\dfrac{1}{k}$이고 항수가 50이므로

$1+\dfrac{1}{2}+\dfrac{1}{3}+\cdots+\dfrac{1}{50}=\displaystyle\sum_{k=1}^{50}\dfrac{1}{k}$

04 첫째항이 1, 공차가 4인 등차수열의 합이므로

$a_k=1+(k-1)\cdot4=4k-3$

$4k-3=41 \quad \therefore k=11$

일반항이 $a_k=4k-3$이고, 첫째항부터 제11항까지의 합이므로

$1+5+9+\cdots+41=\displaystyle\sum_{k=1}^{11}(4k-3)$

05 $\displaystyle\sum_{k=1}^{3}2k=2\cdot1+2\cdot2+2\cdot3$

06 $\displaystyle\sum_{i=1}^{5}2^i=2^1+2^2+2^3+2^4+2^5$

07 $\displaystyle\sum_{j=1}^{4}j(j+3)=1\cdot4+2\cdot5+3\cdot6+4\cdot7$

08 $\displaystyle\sum_{k=1}^{n}(a_{2k-1}+a_{2k})=(a_1+a_2)+(a_3+a_4)+\cdots+(a_{2n-1}+a_{2n})$

$=\displaystyle\sum_{k=1}^{2n}a_k$

이므로 $\displaystyle\sum_{k=1}^{2n}a_k=2n^2$

위의 식의 양변에 $n=5$를 대입하면 $\displaystyle\sum_{k=1}^{10}a_k=2\cdot5^2=50$

12 $\sum$의 성질 _{본문 139쪽}

01 $\displaystyle\sum_{k=1}^{10}(4a_k+1)=4\displaystyle\sum_{k=1}^{10}a_k+\displaystyle\sum_{k=1}^{10}1=4\cdot3+1\cdot10=22$

02 $\displaystyle\sum_{k=1}^{10}(-a_k+2b_k)=-\displaystyle\sum_{k=1}^{10}a_k+2\displaystyle\sum_{k=1}^{10}b_k=-3+2\cdot5=7$

03 $\displaystyle\sum_{k=1}^{10}(a_k-1)^2=\displaystyle\sum_{k=1}^{10}(a_k^2-2a_k+1)$

$=\displaystyle\sum_{k=1}^{10}a_k^2-2\displaystyle\sum_{k=1}^{10}a_k+\displaystyle\sum_{k=1}^{10}1=5-2\cdot2+10=11$

04 $\displaystyle\sum_{k=1}^{10}(3a_k+2)^2=\displaystyle\sum_{k=1}^{10}(9a_k^2+12a_k+4)$

$$=9\sum_{k=1}^{10}a_k^2+12\sum_{k=1}^{10}a_k+\sum_{k=1}^{10}4$$
$$=9\cdot5+12\cdot2+4\cdot10=109$$

05 $\displaystyle\sum_{k=1}^{7}(k+4)-\sum_{k=1}^{7}(k-2)$
$$=\sum_{k=1}^{7}\{(k+4)-(k-2)\}=\sum_{k=1}^{7}6=6\cdot7=42$$

06 $\displaystyle\sum_{k=1}^{10}(k^2+2)-\sum_{k=1}^{10}(k^2-1)$
$$=\sum_{k=1}^{10}\{(k^2+2)-(k^2-1)\}=\sum_{k=1}^{10}3=3\cdot10=30$$

07 $\displaystyle\sum_{k=1}^{n}(k-3)^2-\sum_{k=1}^{n}(k^2-6k)$
$$=\sum_{k=1}^{n}\{(k-3)^2-(k^2-6k)\}=\sum_{k=1}^{n}9=9n$$

08 $\displaystyle\sum_{k=1}^{n}(a_k+b_k)^2=\sum_{k=1}^{n}(a_k^2+2a_kb_k+b_k^2)$
$$=\sum_{k=1}^{n}(a_k^2+b_k^2)+2\sum_{k=1}^{n}a_kb_k$$

이므로 $\displaystyle\sum_{k=1}^{n}(a_k^2+b_k^2)+2\cdot20=100$
$$\therefore\sum_{k=1}^{n}(a_k^2+b_k^2)=60$$

13 자연수의 거듭제곱의 합 본문 140쪽

01 $\displaystyle\sum_{k=1}^{10}(k+3)=\sum_{k=1}^{10}k+\sum_{k=1}^{10}3=\frac{10\cdot11}{2}+3\cdot10$
$$=55+30=85$$

02 $\displaystyle\sum_{k=1}^{10}(k^2+k+1)=\sum_{k=1}^{10}k^2+\sum_{k=1}^{10}k+\sum_{k=1}^{10}1$
$$=\frac{10\cdot11\cdot21}{6}+\frac{10\cdot11}{2}+1\cdot10$$
$$=385+55+10=450$$

03 $\displaystyle\sum_{k=1}^{10}(k^3-6k^2)=\sum_{k=1}^{10}k^3-6\sum_{k=1}^{10}k^2$
$$=\left(\frac{10\cdot11}{2}\right)^2-6\cdot\left(\frac{10\cdot11\cdot21}{6}\right)$$
$$=3025-2310=715$$

04 $\displaystyle\sum_{k=1}^{10}(2k+3)^2=\sum_{k=1}^{10}(4k^2+12k+9)$
$$=4\sum_{k=1}^{10}k^2+12\sum_{k=1}^{10}k+\sum_{k=1}^{10}9$$
$$=4\cdot\frac{10\cdot11\cdot21}{6}+12\cdot\frac{10\cdot11}{2}+9\cdot10$$
$$=1540+660+90=2290$$

05 $\displaystyle\sum_{k=3}^{10}k=\sum_{k=1}^{10}k-\sum_{k=1}^{2}k$
$$=\sum_{k=1}^{10}k-(1+2)$$
$$=\frac{10\cdot11}{2}-3=52$$

06 $\displaystyle\sum_{k=2}^{10}(2k-5)=\sum_{k=1}^{10}(2k-5)-(2\cdot1-5)$
$$=2\sum_{k=1}^{10}k-\sum_{k=1}^{10}5-(-3)$$
$$=2\cdot\frac{10\cdot11}{2}-50+3=63$$

07 $\displaystyle\sum_{k=3}^{10}k(k-1)=\sum_{k=1}^{10}k(k-1)-\sum_{k=1}^{2}k(k-1)$
$$=\sum_{k=1}^{10}(k^2-k)-\sum_{k=1}^{2}(k^2-k)$$
$$=\sum_{k=1}^{10}k^2-\sum_{k=1}^{10}k-\sum_{k=1}^{2}k^2+\sum_{k=1}^{2}k$$

$$=\frac{10\cdot11\cdot21}{6}-\frac{10\cdot11}{2}-(1+2^2)+(1+2)$$
$$=385-55-5+3=328$$

08 $\displaystyle\sum_{k=1}^{n-1}(4k-3)=4\sum_{k=1}^{n-1}k-\sum_{k=1}^{n-1}3$
$$=4\cdot\frac{(n-1)\cdot n}{2}-3(n-1)=2n^2-5n+3$$

$2n^2-5n+3=6$이므로 $2n^2-5n-3=0$
$(2n+1)(n-3)=0$
$\therefore n=3$ $(\because n$은 정수$)$

10 주어진 수열의 제k항을 a_k라 하면
$$a_k=(2k-1)^2$$
$$\therefore\sum_{k=1}^{n}a_k=\sum_{k=1}^{n}(2k-1)^2=\sum_{k=1}^{n}(4k^2-4k+1)$$
$$=4\sum_{k=1}^{n}k^2-4\sum_{k=1}^{n}k+\sum_{k=1}^{n}1$$
$$=4\cdot\frac{n(n+1)(2n+1)}{6}-4\cdot\frac{n(n+1)}{2}+1\cdot n$$
$$=\frac{n}{3}\{2(n+1)(2n+1)-6(n+1)+3\}$$
$$=\frac{n(4n^2-1)}{3}=\frac{n(2n+1)(2n-1)}{3}$$

11 주어진 수열의 제k항을 a_k라 하면
$$a_k=1+2+3+\cdots+k=\sum_{i=1}^{k}i=\frac{k(k+1)}{2}$$
$$\therefore\sum_{k=1}^{n}a_k=\sum_{k=1}^{n}\frac{k(k+1)}{2}=\frac{1}{2}\left\{\sum_{k=1}^{n}k^2+\sum_{k=1}^{n}k\right\}$$
$$=\frac{1}{2}\left\{\frac{1}{6}n(n+1)(2n+1)+\frac{1}{2}n(n+1)\right\}$$
$$=\frac{1}{2}\times\frac{1}{6}n(n+1)(2n+1+3)$$
$$=\frac{1}{6}n(n+1)(n+2)$$

12 주어진 수열의 제k항을 a_k라 하면
$a_k=3\cdot4^{k-1}$은 첫째항이 3, 공비가 4인 등비수열의 일반항이므로
$$\sum_{k=1}^{n}3\cdot4^{k-1}=\frac{3(4^n-1)}{4-1}=4^n-1$$

13 주어진 수열의 제k항을 a_k라 하면 $a_k=1+2^k$
$$\therefore\sum_{k=1}^{n}a_k=\sum_{k=1}^{n}(1+2^k)=\sum_{k=1}^{n}1+\sum_{k=1}^{n}2^k$$
$$=1\cdot n+\frac{2(2^n-1)}{2-1}=2^{n+1}+n-2$$

14 주어진 수열의 제k항을 a_k라 하면
$$a_k=(2k-1)\cdot2k=4k^2-2k$$
$19\cdot20=(2k-1)\cdot2k$에서 $k=10$
$$\therefore\sum_{k=1}^{10}(4k^2-2k)=4\cdot\frac{10\cdot11\cdot21}{6}-2\cdot\frac{10\cdot11}{2}$$
$$=1540-110=1430$$

15 이차방정식의 근과 계수의 관계에 의하여
$\alpha_k+\beta_k=k$, $\alpha_k\beta_k=-k$이므로
$$\alpha_k^3+\beta_k^3=(\alpha_k+\beta_k)^3-3\alpha_k\beta_k(\alpha_k+\beta_k)$$
$$=k^3-3\cdot(-k)\cdot k=k^3+3k^2$$
$$\therefore\sum_{k=1}^{5}(\alpha_k^3+\beta_k^3)=\sum_{k=1}^{5}(k^3+3k^2)$$
$$=\left(\frac{5\cdot6}{2}\right)^2+3\cdot\frac{5\cdot6\cdot11}{6}$$
$$=225+165=390$$

02 주어진 식은 $\displaystyle\sum_{k=1}^{19}\frac{1}{(k+1)(k+3)}$ 로 나타낼 수 있다.

$$\sum_{k=1}^{19}\frac{1}{(k+1)(k+3)}=\frac{1}{2}\sum_{k=1}^{19}\left(\frac{1}{k+1}-\frac{1}{k+3}\right)$$
$$=\frac{1}{2}\left\{\left(\frac{1}{2}-\frac{1}{4}\right)+\left(\frac{1}{3}-\frac{1}{5}\right)+\left(\frac{1}{4}-\frac{1}{6}\right)\right.$$
$$\left.+\cdots+\left(\frac{1}{19}-\frac{1}{21}\right)+\left(\frac{1}{20}-\frac{1}{22}\right)\right\}$$
$$=\frac{1}{2}\left(\frac{1}{2}+\frac{1}{3}-\frac{1}{21}-\frac{1}{22}\right)$$
$$=\frac{57}{154}$$

04 주어진 식은 $\displaystyle\sum_{k=1}^{10}\frac{1}{\sqrt{2k-1}+\sqrt{2k+1}}$ 로 나타낼 수 있다.

$$\sum_{k=1}^{10}\frac{1}{\sqrt{2k-1}+\sqrt{2k+1}}$$
$$=\sum_{k=1}^{10}\frac{(\sqrt{2k-1}-\sqrt{2k+1})}{(\sqrt{2k-1}+\sqrt{2k+1})(\sqrt{2k-1}-\sqrt{2k+1})}$$
$$=\sum_{k=1}^{10}\frac{\sqrt{2k+1}-\sqrt{2k-1}}{2}$$
$$=\frac{1}{2}\{(\sqrt{3}-1)+(\sqrt{5}-\sqrt{3})+(\sqrt{7}-\sqrt{5})+\cdots+(\sqrt{21}-\sqrt{19})\}$$
$$=\frac{1}{2}(\sqrt{21}-1)$$

05 $$\sum_{k=2}^{10}\frac{1}{(k-1)k}=\sum_{k=2}^{10}\left(\frac{1}{k-1}-\frac{1}{k}\right)$$
$$=\left(1-\frac{1}{2}\right)+\left(\frac{1}{2}-\frac{1}{3}\right)+\left(\frac{1}{3}-\frac{1}{4}\right)+\cdots+\left(\frac{1}{9}-\frac{1}{10}\right)$$
$$=1-\frac{1}{10}=\frac{9}{10}$$

06 $$\sum_{k=1}^{10}\frac{2}{k(k+2)}=\sum_{k=1}^{10}\left(\frac{1}{k}-\frac{1}{k+2}\right)$$
$$=\left(1-\frac{1}{3}\right)+\left(\frac{1}{2}-\frac{1}{4}\right)+\left(\frac{1}{3}-\frac{1}{5}\right)$$
$$+\cdots+\left(\frac{1}{9}-\frac{1}{11}\right)+\left(\frac{1}{10}-\frac{1}{12}\right)$$
$$=1+\frac{1}{2}-\frac{1}{11}-\frac{1}{12}=\frac{175}{132}$$

07 $$\sum_{k=1}^{10}\frac{2}{\sqrt{k-1}+\sqrt{k}}=2\sum_{k=1}^{10}\frac{\sqrt{k-1}-\sqrt{k}}{(\sqrt{k-1}+\sqrt{k})(\sqrt{k-1}-\sqrt{k})}$$
$$=2\sum_{k=1}^{10}(\sqrt{k}-\sqrt{k-1})$$
$$=2\{(1-0)+(\sqrt{2}-1)+(\sqrt{3}-\sqrt{2})$$
$$+\cdots+(\sqrt{10}-\sqrt{9})\}$$
$$=2\sqrt{10}$$

08 $$\sum_{k=1}^{10}\frac{1}{\sqrt{k+2}+\sqrt{k+3}}$$
$$=\sum_{k=1}^{10}\frac{\sqrt{k+2}-\sqrt{k+3}}{(\sqrt{k+2}+\sqrt{k+3})(\sqrt{k+2}-\sqrt{k+3})}$$
$$=\sum_{k=1}^{10}(\sqrt{k+3}-\sqrt{k+2})$$
$$=\{(\sqrt{4}-\sqrt{3})+(\sqrt{5}-\sqrt{4})+(\sqrt{6}-\sqrt{5})$$
$$+\cdots+(\sqrt{12}-\sqrt{11})+(\sqrt{13}-\sqrt{12})\}$$
$$=-\sqrt{3}+\sqrt{13}$$

10 주어진 수열의 제k항을 a_k라 하면

$$a_k=\frac{1}{(2k)^2-1}=\frac{1}{(2k+1)(2k-1)}$$
$$=\frac{1}{2}\left(\frac{1}{2k-1}-\frac{1}{2k+1}\right)$$

주어진 식은 수열 $\{a_k\}$의 첫째항부터 제10항까지의 합이므로

$$\sum_{k=1}^{10}\frac{1}{2}\left(\frac{1}{2k-1}-\frac{1}{2k+1}\right)$$
$$=\frac{1}{2}\left\{\left(1-\frac{1}{3}\right)+\left(\frac{1}{3}-\frac{1}{5}\right)+\cdots+\left\{\left(\frac{1}{19}-\frac{1}{21}\right)\right\}\right\}$$
$$=\frac{1}{2}\left(1-\frac{1}{21}\right)=\frac{10}{21}$$

I5 (등차수열)×(등비 수열) 꼴의 수열의 합 본문 144쪽

02 주어진 식을 S로 놓으면
$$S=1+2\cdot5+3\cdot5^2+\cdots+n\cdot5^{n-1}\ \cdots\cdots\ \bigcirc$$
$\bigcirc$의 양변에 5를 곱하면
$$5S=5+2\cdot5^2+3\cdot5^3+\cdots+n\cdot5^n\ \cdots\cdots\ \bigcirc\!\!\bigcirc$$
$\bigcirc-\bigcirc\!\!\bigcirc$을 하면
$$-4S=1+5+5^2+\cdots+5^{n-1}-n\cdot5^n$$
$$=\frac{1\cdot(5^n-1)}{5-1}-n\cdot5^n$$
$$=\frac{(1-4n)\cdot5^n-1}{4}$$
$$\therefore S=\frac{(4n-1)\cdot5^n+1}{16}$$

04 주어진 식을 S로 놓으면
$$S=1+\frac{2}{3}+\frac{3}{3^2}+\cdots+\frac{30}{3^{29}}\qquad\cdots\ \bigcirc$$

$\bigcirc$의 양변에 $\dfrac{1}{3}$ 을 곱하면

$$\frac{1}{3}S=\frac{1}{3}+\frac{2}{3^2}+\frac{3}{3^3}+\cdots+\frac{30}{3^{30}}\ \cdots\ \bigcirc\!\!\bigcirc$$

$\bigcirc-\bigcirc\!\!\bigcirc$을 하면

$$\frac{2}{3}S=1+\frac{1}{3}+\frac{1}{3^2}+\frac{1}{3^3}+\cdots+\frac{1}{3^{29}}-\frac{30}{3^{30}}$$
$$=\frac{1-\left(\frac{1}{3}\right)^{30}}{1-\frac{1}{3}}-\frac{30}{3^{30}}$$
$$\therefore S=\frac{3^{32}-189}{4\times3^{30}}$$

I6 여러 가지 수열 본문 145쪽

01 제2군의 첫째항은 1이다.

02 모든 군의 첫째항이 1이므로 제n군의 첫째항도 1이다.

03 제n군은 첫째항이 1, 공차가 1, 항의 개수가 n인 등차수열이므로 제n군의 합을 S_n이라 하면
$$S_n=\frac{n\{2\cdot1+(n-1)\cdot1\}}{2}=\frac{n^2+n}{2}$$

04 제1군부터 제n군까지의 합을 S라 하면
$$S=\sum_{k=1}^{n}S_k=\sum_{k=1}^{n}\frac{k^2+k}{2}$$

$$=\frac{1}{2}\cdot\frac{n(n+1)(2n+1)}{6}+\frac{1}{2}\cdot\frac{n(n+1)}{2}$$

$$=\frac{n(n+1)(2n+1+3)}{12}=\frac{n(n+1)(n+2)}{6}$$

05 $3+1=4$

06 주어진 수열은 분모와 분자의 합이 같은 항끼리 묶은 군수열로, 제n군의 분모와 분자의 합은 $n+1$이다.

$\therefore a+b=n+1$

07 $8+3=11$에서 $\frac{3}{8}$은 제10군의 항이고, 분자가 3이므로 제10군의 3번째 항이다.

08 제n군의 항의 개수는 n이므로 제1군부터 제9군까지의 항의 개수는

$$\sum_{k=1}^{9}k=\frac{9\cdot10}{2}=45$$

따라서 $45+3=48$이므로 제48항이다.

10 주어진 수열을 $\{(1,1)\}$, $\{(2,1),(1,2)\}$, $\{(3,1),(2,2),(1,3)\}$, $\cdots$과 같이 두 수의 합이 같은 순서쌍끼리 묶은 군수열로 생각하면

제n군의 순서쌍의 두 수의 합은 $n+1$이고,

제n군의 첫째항은 n이므로 $(9,8)$은 제16군의 8번째 항이다.

제n군의 항의 개수는 n이므로

제1군부터 제15군까지의 항의 개수는

$$\sum_{k=1}^{15}k=\frac{15\cdot16}{2}=120$$

따라서 $(9,8)$은 제128항이다.

12 각 정사각형 속에 적혀 있는 수의 개수를 순서대로 나열하면

$1,4,9,\cdots,n^2,\cdots$

따라서 10번째 정사각형 속에 적혀 있는 수의 합은

1부터 $10^2(=100)$까지의 합이므로

$$\sum_{k=1}^{100}k=\frac{100\cdot101}{2}=5050$$

Ⅰ7 수열의 귀납적 정의 본문 147쪽

02 $a_{n+1}=a_n+(-1)^n$에서

$a_2=a_1+(-1)^1=2-1=1$

$a_3=a_2+(-1)^2=1+1=2$

$\therefore a_4=a_3+(-1)^3=2-1=1$

03 $a_{n+2}=a_{n+1}+a_n$에서

$a_3=a_2+a_1=3+1=4$

$\therefore a_4=a_3+a_2=4+3=7$

04 $a_{n+1}=\frac{n}{n+1}a_n$에서

$a_2=\frac{1}{2}a_1=\frac{1}{2}\cdot1=\frac{1}{2}$

$a_3=\frac{2}{3}a_2=\frac{2}{3}\cdot\frac{1}{2}=\frac{1}{3}$

$\therefore a_4=\frac{3}{4}a_3=\frac{3}{4}\cdot\frac{1}{3}=\frac{1}{4}$

06 첫째항 $a_1=1$이고, 이웃하는 항들 사이의 관계를 살펴보면

$a_2\div a_1=2\div1=2$

$a_3\div a_2=4\div2=2$

$a_4\div a_3=8\div4=2$

$\vdots$

$a_{n+1}\div a_n=2\ (n\geq1)$

따라서 수열 $\{a_n\}$의 귀납적 정의는

$a_1=1,\ a_{n+1}=2a_n\ (n=1,2,3,\cdots)$

08 $a_{n+1}-a_n=3$에서 주어진 수열은 공차가 3인 등차수열이다.

이때 첫째항이 $a_1=-1$이므로

$a_n=-1+(n-1)\cdot3=3n-4$

09 $a_{n+1}=a_n+5$에서 주어진 수열은 공차가 5인 등차수열이다.

이때 첫째항이 $a_1=2$이므로

$a_n=2+(n-1)\cdot5=5n-3$

10 $a_{n+1}-a_n=-3$이므로 수열 $\{a_n\}$은 공차가 -3인 등차수열이다.

이때 첫째항이 $a_1=100$이므로

$a_n=100+(n-1)\cdot(-3)=-3n+103$

$a_k=10$에서 $-3k+103=10$, $3k=93$

$\therefore k=31$

12 $a_{n+1}=5a_n$에서 주어진 수열은 공비가 5인 등비수열이다.

이때 첫째항이 $a_1=1$이므로

$a_n=1\cdot5^{n-1}=5^{n-1}$

13 $a_{n+1}{}^2=a_na_{n+2}$에서 주어진 수열은 등비수열이고,

$a_1=1$, $a_2\div a_1=4\div1=4$이므로 첫째항이 1, 공비가 4이다.

$\therefore a_n=1\cdot4^{n-1}=4^{n-1}$

14 n년 후의 씨앗의 개수를 a_n이라 하면

$a_1=10\cdot\left(1-\frac{1}{10}\right)\cdot10=90$

$a_2=a_1\cdot\left(1-\frac{1}{10}\right)\cdot10=9a_1$

$\vdots$

$a_{n+1}=a_n\cdot\left(1-\frac{1}{10}\right)\cdot10=9a_n$

따라서 수열 $\{a_n\}$은 첫째항이 90, 공비가 9인 등비수열이므로

$a_n=90\cdot9^{n-1}=10\cdot9^n$

$\therefore a_{30}=10\cdot9^{30}$(개)

Ⅰ8 여러 가지 수열의 귀납적 정의 본문 149쪽

02 $a_{n+1}=a_n+3n$의 n에 $1,2,3,\cdots,n-1$을 차례대로 대입하여 변끼리 더하면

$\quad a_2=a_1+3$

$\quad a_3=a_2+6$

$\quad a_4=a_3+9$

$\qquad\vdots$

$\underline{+)\ a_n=a_{n-1}+3\cdot(n-1)}$

$a_n=a_1+\sum_{k=1}^{n-1}3k=1+3\cdot\frac{(n-1)n}{2}=\frac{3n^2-3n+2}{2}$

03 $a_{n+1}-a_n=2^n$의 n에 $1,2,3,\cdots,n-1$을 차례대로 대입하여 변끼리 더하면

$\quad a_2-a_1=2$

$\quad a_3-a_2=2^2$

$\quad a_4-a_3=2^3$

$\qquad\vdots$

$\underline{+)\ a_n-a_{n-1}=2^{n-1}}$

$a_n-a_1=\sum_{k=1}^{n-1}2^k=\frac{2(2^{n-1}-1)}{2-1}=2^n-2$

$$\therefore a_n = 1 + 2^n - 2 = 2^n - 1$$

05 $a_{n+1} = 3a_n - 2$에서 $a_{n+1} - 1 = 3(a_n - 1)$

$a_n - 1 = b_n$으로 놓으면

$b_{n+1} = 3b_n$, $b_1 = a_1 - 1 = 1$

따라서 수열 $\{b_n\}$은 첫째항이 1, 공비가 3인 등비수열이므로

$b_n = 1 \cdot 3^{n-1} = 3^{n-1}$

$$\therefore a_n = b_n + 1 = 3^{n-1} + 1$$

06 $a_{n+1} = 4a_n + 3$에서 $a_{n+1} + 1 = 4(a_n + 1)$

$a_n + 1 = b_n$으로 놓으면

$b_{n+1} = 4b_n$, $b_1 = a_1 + 1 = 4$

따라서 수열 $\{b_n\}$은 첫째항이 4, 공비가 4인 등비수열이므로

$b_n = 4 \cdot 4^{n-1} = 4^n$

$$\therefore a_n = b_n - 1 = 4^n - 1$$

19 수학적 귀납법 본문150쪽

01 $p(40)$이 참이라는 사실로부터 40보다 작은 n의 값에 대한 참, 거짓을 알 수 없다.

02 $p(1)$이 참이면 $p(3 \cdot 1)$이 참이므로 옳은 설명이다.

03 $p(2)$가 참이면 $p(54) = p(2 \cdot 27) = p(2 \cdot 3^3)$이므로
$p(2) \Rightarrow p(2 \cdot 3) \Rightarrow p(2 \cdot 3^2) \Rightarrow p(2 \cdot 3^3)$이 되어 참이다.

04 $90 = 2 \cdot 3^m$을 만족시키는 자연수 m이 존재하지 않으므로 거짓이다.

05 $p(3)$이 참이면 $p(3^2)$, $p(3^3)$, $p(3^4)$, …이 참이 된다. 그런데 18과 같이 3의 거듭제곱으로 나타낼 수 없는 9의 배수가 존재하므로 거짓이다.

06 $p(1) \Rightarrow p(3) \Rightarrow p(5) \Rightarrow p(7) \Rightarrow$ …이므로 $p(1)$이 참이면 모든 홀수 n에 대하여 $p(n)$은 참이다.

07 $p(1) \Rightarrow p(3) \Rightarrow p(5) \Rightarrow p(7) \Rightarrow$ …
$p(2) \Rightarrow p(4) \Rightarrow p(6) \Rightarrow p(8) \Rightarrow$ …
이므로 $p(1)$, $p(2)$가 참이면 모든 자연수 n에 대하여 $p(n)$은 참이다.

08 명제 $p(n)$이 $n = 3, 6, 12, 24$, …일 때 성립함을 보이려면
(i) $n = 3$일 때, $p(n)$이 성립함을 보인다.
(ii) $6 = 3 \cdot 2$, $12 = 3 \cdot 2^2$, $24 = 3 \cdot 2^3$ …이므로 $n = k(n \geq 3)$일 때, $p(n)$이 성립한다고 가정하면 $n = 2k$일 때도 $p(n)$이 성립함을 보인다.

09 (i) $n = 1$일 때,
(좌변) $= 2 \cdot 1 - 1 = 1$, (우변) $= 1^2 = 1$
따라서 주어진 등식이 성립한다.
(ii) $n = k$일 때, 주어진 등식이 성립한다고 가정하면
$1 + 3 + 5 + \cdots + (2k-1) = k^2$
위의 식의 양변에 $\boxed{2k+1}$ 을 더하면
$1 + 3 + 5 + \cdots + (2k-1) + (2k+1) = k^2 + 2k + 1$
$\qquad\qquad\qquad\qquad\qquad = (k+1)^2$
따라서 $n = \boxed{k+1}$ 일 때도 주어진 등식이 성립한다.
(i), (ii)에서 모든 자연수 n에 대하여 주어진 등식이 성립한다.

10 (i) $n = 1$일 때,
(좌변) $= 1$, (우변) $= \dfrac{1 \cdot (1+1)}{2} = 1$

따라서 주어진 등식이 성립한다.
(ii) $n = k$일 때, 주어진 등식이 성립한다고 가정하면
$$1 + 2 + 3 + \cdots + k = \frac{k(k+1)}{2}$$
위의 식의 양변에 $k+1$을 더하면
$$1 + 2 + 3 + \cdots + k + (k+1) = \frac{k(k+1)}{2} + (k+1)$$
$$= \frac{k(k+1) + 2(k+1)}{2}$$
$$= \frac{(k+1)(k+2)}{2}$$
따라서 $n = k+1$일 때도 주어진 등식이 성립한다.
(i), (ii)에서 모든 자연수 n에 대하여 주어진 등식이 성립한다.

11 (i) $n = 1$일 때,
$$(좌변) = 1^3 = 1, \ (우변) = \frac{1^2 \cdot 2^2}{4} = 1$$

따라서 주어진 등식이 성립한다.
(ii) $n = k$일 때, 주어진 등식이 성립한다고 가정하면
$$1^3 + 2^3 + 3^3 + \cdots + k^3 = \frac{k^2(k+1)^2}{4}$$
위의 식의 양변에 $\boxed{(k+1)^3}$ 을 더하면
$1^3 + 2^3 + 3^3 + \cdots + k^3 + (k+1)^3$
$$= \frac{k^2(k+1)^2}{4} + \boxed{(k+1)^3}$$
$$= \frac{(k+1)^2(k+2)^2}{4}$$
따라서 $n = k+1$일 때도 주어진 등식이 성립한다.
(i), (ii)에서 모든 자연수 n에 대하여 주어진 등식이 성립한다.

12 (i) $n = 1$일 때,
$$(좌변) = 1^2 = 1, \ (우변) = \frac{1 \cdot 2 \cdot 3}{6} = 1$$

따라서 주어진 등식이 성립한다.
(ii) $n = k$일 때, 주어진 등식이 성립한다고 가정하면
$$1^2 + 2^2 + 3^2 + \cdots + k^2 = \frac{k(k+1)(2k+1)}{6}$$
위의 식의 양변에 $(k+1)^2$을 더하면
$1^2 + 2^2 + 3^2 + \cdots + k^2 + (k+1)^2$
$$= \frac{k(k+1)(2k+1)}{6} + (k+1)^2$$
$$= \frac{(k+1)\{k(2k+1) + 6(k+1)\}}{6}$$
$$= \frac{(k+1)(2k^2 + 7k + 6)}{6}$$
$$= \frac{(k+1)(k+2)(2k+3)}{6}$$
따라서 $n = k+1$일 때도 주어진 등식이 성립한다.
(i), (ii)에서 모든 자연수 n에 대하여 주어진 등식이 성립한다.

13 (i) $n = 1$일 때,
(좌변) $= 2^{1-1} = 1$, (우변) $= 2^1 - 1 = 1$
따라서 주어진 등식이 성립한다.
(ii) $n = k$일 때, 주어진 등식이 성립한다고 가정하면
$1 + 2 + 2^2 + \cdots + 2^{k-1} = 2^k - 1$

위의 식의 양변에 $\boxed{2^k}$ 을 더하면

$$1+2+2^2+\cdots+2^{k-1}+2^k=2^k-1+\boxed{2^k}$$
$$=2\cdot2^k-1$$
$$=\boxed{2^{k+1}}-1$$

따라서 $n=k+1$일 때도 주어진 등식이 성립한다.

(i), (ii)에서 모든 자연수 n에 대하여 주어진 등식이 성립한다.

14 (i) $n=1$일 때,

$$(\text{좌변})=3^1=3, \quad (\text{우변})=\frac{3}{2}(3^1-1)=3$$

따라서 주어진 등식이 성립한다.

(ii) $n=k$일 때, 주어진 등식이 성립한다고 가정하면

$$3+3^2+3^3+\cdots+3^k=\frac{3}{2}(3^k-1)$$

위의 식의 양변에 3^{k+1}을 더하면

$$3+3^2+3^3+\cdots+3^k+3^{k+1}=\frac{3}{2}(3^k-1)+3^{k+1}$$
$$=\frac{3\cdot3^k-3+2\cdot3^{k+1}}{2}$$
$$=\frac{3}{2}(3^{k+1}-1)$$

따라서 $n=k+1$일 때도 주어진 등식이 성립한다.

(i), (ii)에서 모든 자연수 n에 대하여 주어진 등식이 성립한다.

15 (i) $n=1$일 때,

$$(\text{좌변})=1\cdot2=2, \quad (\text{우변})=\frac{1\cdot2\cdot3}{3}=2$$

따라서 주어진 등식이 성립한다.

(ii) $n=k$일 때, 주어진 등식이 성립한다고 가정하면

$$1\cdot2+2\cdot3+3\cdot4+\cdots+k(k+1)$$
$$=\frac{k(k+1)(k+2)}{3}$$

위의 식의 양변에 $\boxed{(k+1)(k+2)}$를 더하면

$$1\cdot2+2\cdot3+3\cdot4+\cdots+k(k+1)$$
$$+(k+1)(k+2)$$
$$=\frac{k(k+1)(k+2)}{3}+(k+1)(k+2)$$
$$=\frac{(k+1)(k+2)(k+3)}{3}$$

따라서 $n=\boxed{k+1}$일 때도 주어진 등식이 성립한다.

(i), (ii)에서 모든 자연수 n에 대하여 주어진 등식이 성립한다.

16 (i) $n=1$일 때,

$$(\text{좌변})=1\cdot2=2, \quad (\text{우변})=\frac{1\cdot2\cdot3}{3}=2$$

따라서 주어진 등식이 성립한다.

(ii) $n=k$일 때, 주어진 등식이 성립한다고 가정하면

$$1\cdot2+2\cdot4+3\cdot6+\cdots+k\cdot2k=\frac{k(k+1)(2k+1)}{3}$$

위의 식의 양변에 $(k+1)\cdot2(k+1)$을 더하면

$$1\cdot2+2\cdot4+3\cdot6+\cdots+k\cdot2k+(k+1)\cdot2(k+1)$$
$$=\frac{k(k+1)(2k+1)}{3}+(k+1)\cdot2(k+1)$$

$$=\frac{(k+1)(k+2)(2k+3)}{3}$$

따라서 $n=k+1$일 때도 주어진 등식이 성립한다.

(i), (ii)에서 모든 자연수 n에 대하여 주어진 등식이 성립한다.

17 (i) $n=5$일 때,

$$(\text{좌변})=2^5=32, \quad (\text{우변})=5^2=25$$

따라서 주어진 부등식이 성립한다.

(ii) $n=k\,(k\geq5)$일 때, 주어진 부등식이 성립한다고 가정하면

$$2^k>k^2$$

위의 식의 양변에 2를 곱하면

$$2^{k+1}>\boxed{2k^2} \quad\cdots\text{㉠}$$

그런데 $k\geq5$이면

$$k^2-2k-1=(k-1)^2-2>0$$

이므로 $k^2>\boxed{2k+1} \quad\cdots\text{㉡}$

㉠, ㉡에서

$$2^{k+1}>2k^2=k^2+k^2>k^2+2k+1=\boxed{(k+1)^2}$$

따라서 $n=k+1$일 때도 주어진 부등식이 성립한다.

(i), (ii)에서 $n\geq5$인 자연수 n에 대하여 주어진 부등식이 성립한다.

18 (i) $n=3$일 때,

$$(\text{좌변})=2^3=8, \quad (\text{우변})=2\cdot3+1=7$$

따라서 주어진 부등식이 성립한다.

(ii) $n=k\,(k\geq3)$일 때, 주어진 부등식이 성립한다고 가정하면

$$2^k>2k+1$$

위의 식의 양변에 2를 곱하면

$$2^{k+1}>2(2k+1)>2(k+1)+1$$

따라서 $n=k+1$일 때도 주어진 부등식이 성립한다.

(i), (ii)에서 $n\geq3$인 자연수 n에 대하여 주어진 부등식이 성립한다.

19 (i) $n=4$일 때,

$$(\text{좌변})=1\cdot2\cdot3\cdot4=24, \quad (\text{우변})=2^4=16$$

따라서 주어진 부등식이 성립한다.

(ii) $n=k\,(k\geq4)$일 때, 주어진 부등식이 성립한다고 가정하면

$$1\cdot2\cdot3\cdots\cdot k>2^k$$

위의 식의 양변에 $k+1$을 곱하면

$$1\cdot2\cdot3\cdots\cdot k\cdot(k+1)>2^k(k+1)>2^k\cdot2=2^{k+1}$$

따라서 $n=k+1$일 때도 주어진 부등식이 성립한다.

(i), (ii)에서 $n\geq4$인 자연수 n에 대하여 주어진 부등식이 성립한다.

21 (i) $n=2$일 때,

$$(\text{좌변})=1+\frac{1}{2^2}=\frac{5}{4}, \quad (\text{우변})=2-\frac{1}{2}=\frac{3}{2}$$

따라서 주어진 부등식이 성립한다.

(ii) $n=k\,(k\geq2)$일 때, 주어진 부등식이 성립한다고 가정하면

$$1+\frac{1}{2^2}+\frac{1}{3^2}+\cdots+\frac{1}{k^2}<2-\frac{1}{k}$$

위의 식의 양변에 $\frac{1}{(k+1)^2}$을 더하면

$$1+\frac{1}{2^2}+\frac{1}{3^2}+\cdots+\frac{1}{k^2}+\boxed{\frac{1}{(k+1)^2}}$$

$$< 2 - \frac{1}{k} + \frac{1}{(k+1)^2}$$

이때

$$2 - \frac{1}{k} + \frac{1}{(k+1)^2} - \left(2 - \frac{1}{k+1} \right)$$

$$= -\frac{1}{k} + \frac{1}{(k+1)^2} + \frac{1}{k+1}$$

$$= -\frac{1}{k(k+1)^2} < 0$$

이므로 $2 - \frac{1}{k} + \frac{1}{(k+1)^2} < 2 - \boxed{\frac{1}{k+1}}$

$$\therefore 1 + \frac{1}{2^2} + \frac{1}{3^2} + \cdots + \frac{1}{k^2} + \frac{1}{(k+1)^2} < 2 - \frac{1}{k+1}$$

따라서 $n=k+1$일 때도 주어진 부등식이 성립한다.

(i), (ii)에서 $n \geq 2$인 자연수 n에 대하여 주어진 부등식이 성립한다.

22 (i) $n=1$일 때,

$2^4 + 6^2 = 16 + 36 = 52 = 5 \cdot 10 + 2$

따라서 $2^{4n} + 6^{n+1}$을 5로 나눈 나머지는 2이다.

(ii) $n=k$일 때, $2^{4n} + 6^{n+1}$을 5로 나눈 나머지가 2라 가정하면

$2^{4k} + 6^{k+1} = 5m + 2$ (m은 자연수)로 놓을 수 있다.

이때 $n=k+1$이면

$2^{4(k+1)} + 6^{(k+1)+1}$

$= 2^{4k+4} + 6^{k+2}$

$= 16 \cdot 2^{4k} + 6 \cdot 6^{k+1}$

$= 16 \cdot 2^{4k} + 6 \cdot (5m + 2 - 2^{4k})$

$= 30m + 12 + \boxed{10} \cdot 2^{4k}$

$= 5(6m + 2 \cdot 2^{4k} + 2) + \boxed{2}$

따라서 $n=k+1$일 때도 $2^{4n} + 6^{n+1}$을 5로 나눈 나머지는 2이다.

(i), (ii)에 의하여 모든 자연수 n에 대하여 $2^{4n} + 6^{n+1}$을 5로 나눈 나머지는 2이다.

MEMO

연마 수학

수학 I